BIG NINE《ビッグ・ナイン》

巨大ハイテク企業とAIが支配する人類の未来

エイミー・ウェブ 著
稲垣みどり 訳

光文社

BIG NINE
巨大ハイテク企業とAIが支配する人類の未来

エイミー・ウェブ著　稲垣みどり訳

BIG NINE
巨大ハイテク企業とAIが支配する人類の未来　目次

はじめに――手遅れになる前に　7

第一部　機械の中のお化け　19

第一章　心と機械――AIの簡単な歴史　20
第二章　限られた人々からなるAIの種族《トライブ》　73
第三章　一〇〇〇もの切り傷――AIが意図しない結果　136

第二部　私たちの未来　181

第四章　人工超知能までの道のり——警告　182
第五章　コンピューターの第三世代で成功する——楽観的なシナリオ　208
第六章　一〇〇〇の切り傷とともに生きる——現実的なシナリオ　238
第七章　人工知能王朝——悲劇的なシナリオ　277

第三部　問題を解決する　309

第八章　小石と岩——ＡＩの未来をよくする方法　310

謝辞　344
参考文献　374
原注　368

これまで出会った誰よりも頭のいい父、ドン・ウェブへ。

はじめに――手遅れになる前に

人工知能（ＡＩ＝Artificial Intelligence）は、すでに私たちの生活の中に入り込んでいるが、私たちが予想していたとおりに表舞台に登場したわけではない。ＡＩは私たちの金融システム、送電網、小売り業のサプライチェーンなどを目立たないところで支えている。私たちが移動するときに道案内をし、打ち間違った単語を解読し、何を買い、聴き、観て、読めばいいのかを教えてくれる。いわば、目には見えない生活基盤だ。健康、医療、農業、交通、スポーツ、さらには恋愛やセックスや死など、いまやあらゆる場面にかかわっている。そういう意味でＡＩは、私たちの未来を形づくるテクノロジーだといえる。

ＡＩは、テクノロジーにおける単なるトレンドや流行語でもなければ、一時的な娯楽でもない。ＡＩはコンピューターの第三世代のテクノロジーだ。私たちは大きな変化のただ中にいる。その状況は産業革命の時代を生きた人々の状況と似ていなくもない。最初は誰も変化に気づかなかった。認識できないほど少しずつ変化していたからだ。だが最終的に、世界は様変わりした。次の世紀の道筋を形づくるのに十分な産業、軍事、政治資本を持つイギリスとアメリカが世界の二大勢力になったのである。

誰もがＡＩについて、私たちの未来にどんな影響を及ぼすのかを議論している。「ロボットに仕事を奪われる」「ロボットが経済を一変させる」「しまいにはロボットが人を殺しはじめる」といった説を耳にしたことがある人も多いだろう。「ロボット」を「機械」に置き換えれば、二〇〇年前に人々が話していたことと変わらなくなる。

AIについて考えるとき、私たちは『2001年宇宙の旅』のHAL9000や、『ウォー・ゲーム』のウォーパー、『ターミネーター』のスカイネット、『宇宙家族ジェットソン』のロジー【訳注／アメリカ・カナダのアニメ。ロジーはメイドロボット】、『ウエストワールド』のドロレス【訳注／アメリカ西部開拓時代を再現したテーマパークを舞台とするドラマに登場するロボット】といった、大衆文化に見られる擬人化されたAIを連想しがちだ。AIを取り巻く生態系《エコシステム》の内部で仕事をしている一部の人々以外は、誤った根拠のせいで、未来を夢のような世界――あるいは恐ろしい世界――だと思ってしまうかもしれない。

日頃からAIの研究や発展にかかわっている人でないと、未来を予測するのに必要なサインに気づくことはできない。そのため一般の人々は、映画で観た「ロボットが支配する世界」を引き合いに出してAIを語るか、反対に、きわめて楽観的な未来を思い描くかのどちらかになる。このような極端な見方は、AIの創成期からいわれてきた問題の一つである。AIの能力について過大な期待を寄せる人もいれば、制御不能な武器になるのではないかと危惧する人もいる。

私がこの問題について多少なりとも詳しいとするなら、それは、過去一〇年間にわたって、AIの研究とその生態系《エコシステム》内外の組織にいる人たちと過ごしてきたからだ。

私は、マイクロソフトやＩＢＭをはじめとする数々の企業に助言し、ＡＩとは直接関係のない組織の人たちとも何度も会ってきた。ベンチャー投資家やプライベート・エクイティ【訳注／未上場企業の株式】投資家、国防総省や国務省内のリーダー、それに規則をつくることが前進の唯一の道だと考えている立法者といった人たちだ。さらに私は、学術研究者や技術者たちと何百回もミーティングを重ねてきた。そこからわかったのは、ＡＩに直接かかわる仕事をしている人たちは、ニュースでよく見聞きするような極端な考え方は持っていないということだ。

他の分野の研究者もそうだが、実際にＡＩの未来をつくっている人たちは未来への過度の期待をやわらげようという意識を持っている。彼らは忍耐、時間、費用、順応力とともにコツコツと複雑な問題に懸命に取り組んでいる（もちろんなかなか前に進まないことも多いが）。そのことを、私たちは忘れがちである。みな、頭がよく、世知に長《た》け、思いやり深そうな人ばかりだ。

こうした研究者のほとんどは、米国のグーグル、アマゾン、アップル、ＩＢＭ、マイクロソフト、フェイスブック、中国のバイドゥ、アリババ、テンセントといったテクノロジー関連の九つの巨大企業で働いている。いずれもＡＩをつくり、私たちを明るい未来へと導いてくれる企業であり、これらの企業のリーダーたちは、自分の利益のためではなく、大義のために働いていると私は信じている。彼らは、ＡＩがヘルスケアや長寿に貢献し、差し迫った気候変動の問題を解決し、何百万もの人を貧困から救う可能性を見据えている。実際にこうした企業の仕事は、さまざまな業界で、さらには日常生活において目に見える効果を発揮している。

問題は、これらの九つの企業、ひいてはＡＩ分野で働いている人たちにかかる外部からの圧力だ。

その圧力が、私たちの未来をよりよいものにしようとする彼らの意志をくじいている。その責任はさまざまなところにある。

アメリカでは、市場における絶え間ない需要の増大や、新しい製品やサービスに対する非現実的な要求によって、長期的な計画が成り立ちにくくなっているのも事実だ。私たちは、まるで研究開発の大躍進を事前に計画できるといわんばかりに、グーグル、アマゾン、アップル、フェイスブック、マイクロソフト、IBMは年次会議でAIの新製品に関する重大な発表をしてくれるだろうと期待している。前年よりも優れた商品が発表されなければ、あたかもその企業が失敗をしたかのようなレッテルを貼り、あるいは、AIはもうおしまいなのだろうかと不安になる。さらに、その企業のリーダーシップまで疑ってしまう。企業はいつでも、定期的に私たちを感嘆させてくれるものと思い込んでいるからだ。

じっくりと研究に取り組む時間を与えていないにもかかわらず、数カ月間公式な発表がないだけで、私たちはその企業が何か世間を動揺させるような秘密の研究を進めているのではないかと勘ぐってしまう。

アメリカ政府は、AIについても、私たちの長期的な未来に対しても、壮大な計画を持っているわけではない。政府内部の組織力を高め、国際的な協力体制を強化し、将来的に起こりうる戦争に向けて軍事組織を構築するといった国家戦略が優先され、AIはめまぐるしく変化する政治の犠牲となってきた。

ＡＩの研究開発は気まぐれな商業セクターやウォール街にゆだねられ、アメリカ政府はＡＩを、新たな仕事を生み出し、発展の機会を与えてくれるものとは捉えずに、ＡＩによって技術分野での失業が広がることばかりを心配してきたのだ。そして、国内のテクノロジー系大企業に非難の目を向け、戦略的な計画を立てる政府の中枢に企業が参加するのを許してこなかった。つまり、ＡＩの開拓者たちは、私たち市民や学校、病院、都市、企業と信頼関係を築くために、互いに競争するしかなかったのだ。

現在のアメリカは、未来が見通せないという悲劇的な状況にある。第一に、「いまが大切」と考え、数年先のことしか見据えていない。テクノロジーの進歩は歓迎するが、その先の発展や自分たちの行動の結果にまでは責任を持とうとしていない。だからこそ、ＡＩの今後の発展を六つの企業にゆだねているのである。だがその六社は目覚ましい成果を上げているものの、その利益の追求は必ずしも私たち個人の自由や民主的な理想とは一致しない。

一方、中国では、ＡＩの発展の道は政府の壮大な野心に握られている。中国はＡＩの覇権国家となるべく着々と土台を固めており、二〇一七年七月には、二〇三〇年までにＡＩのグローバル・リーダーになる計画を打ち出した。二〇三〇年の国内ＡＩ産業額を少なくとも一五〇〇億ドルと見積もり[注1]、政府系投資ファンドの一部を新しい研究所やスタートアップ企業、さらには次世代のＡＩに長けた人材を育成するための学校に投資するという[注2]。

二〇一七年一〇月、習近平国家主席は数千人を前に行った長い演説の中で、ＡＩとビッグデータに関する計画を明らかにし、ＡＩによって中国は世界有数の先進国へと進化を遂げるだろう、と述べた。すでに中国の経済規模は三〇年前の三〇倍に拡大している。バイドゥ、テンセント、アリババは株式公開会社ではあるが、中国企業の常として、中国政府の意向に従わなければならない。

中国の一四億もの人口、すなわち一四億人分のデータは、ＡＩ時代における最大かつ最重要な天然資源といえる。アルゴリズムのパターン認識の精度を高めるには、膨大な量のデータが必要だ。そのため中国の投資家はメグビー（Ｍｅｇｖｉｉ）やセンスタイム（ＳｅｎｓｅＴｉｍｅ）といった顔認識システムに関心を持ち、市民が電話をかけたり、オンラインで買い物をしたり、ソーシャル・ネットワーク・サービスに写真を投稿したりするたびに生み出すデータは、バイドゥやアリババやテンセントが優秀なＡＩシステムを構築するのに役立っている。これこそが中国の強みといえるだろう。

アメリカでは進歩の速度を落とすことになりかねないセキュリティーやプライバシーの制限が、中国には存在しないのだ。

私たちは、ＡＩの発展の道筋を、中国政府が将来に対していかに壮大な計画を立てているかを加味して考えなければならない。二〇一八年四月、習近平国家主席は中国を国際的な「サイバー超大国」にするというビジョンを語り、中国の国営通信社である新華社通信はこのスピーチの一部を配信した。

それによると、新たなサイバー空間の統制ネットワークとインターネットは「ポジティブな情報を広め、正しい政治の方向性を守り、一般の意見や価値観を正しい方向に導く」という。[注3] 中国が従わせようとしている権威主義的なルールは、西洋で大切にされている言論の自由や市場主導の経済、権力分立とは無縁である。

中国国内で発生する情報をすべて掌握し、住民のデータや戦略的パートナーのデータを監視しようとする法令にはAIが組み込まれている。たとえば、外国籍企業は中国国民のデータを中国国内のサーバーに保存することが義務づけられており、そうすることで治安当局は個人データに自由にアクセスができる。

また、「ポリス・クラウド」は特定の人々を監視し、追跡するよう設計されているが、対象となるのは精神的に問題を抱えている人、政府を公に批判した人、それにウイグルというイスラム教徒の少数民族だ。二〇一八年八月の国連の発表によると、中国西部にある未公表の収容所に何百人ものウイグル人が収容されているとの報告があったという。[注4]

中国の「一体化統合作戦プラットフォーム（IJOP）」は、AIを利用してパターンから外れたものを見つけだす。たとえば、請求書の支払いが遅れたときにはただちにAIが察知し、不正を働かせないようにする。[注5]

AIを利用した「社会信用システム（ソーシャル・クレジット・システム）」は、このような問題のない社会を目指して開発されたものだ。よい行いをしたら加点、交通違反切符を切られたら減点、といった具合に市民はさまざまなデータポイントで評価される。点数が低い人は、仕事を探すにしても、家を買うにしても、子どもを学校に入学させるにしても、困難にぶつかる。高得点の市民の顔が公開される都市もある。注6

一方、山東などの都市では、交通規則や信号を無視して道路を横断した市民の顔がデジタル掲示板に公開され、そのデータは自動的にウェイボー（中国で人気のソーシャル・ネットワーク・サービス）に送られる。注7

あまりにも現実離れしていると感じるかもしれないが、中国はかつて一人っ子政策を導入して社会を変えようとした国だということを思い出せば、ありえない話ではない。

こうした政策は、習近平国家主席の側近たちが考え出したものである。彼らはこの一〇年間で中国という国のイメージを変え、支配的なグローバル国家として生まれ変わらせることに専念してきた。現在の中国は、毛沢東が台頭していた時代以降でもっとも権威主義的だといえる。そして、その目的のために積極的にＡＩが活用されている。

「一帯一路」というのは、かつてのシルクロードのように、中国とヨーロッパを中東とアフリカ経由でつなぐルートの広大なインフラストラクチャー計画である。単に橋や高速道路をつくろうというのではない。監視技術を輸出し、その過程でデータを集める「グローバル・エネルギー・インターコネクション」は、自分たちで管理できる世界初の電力供給網を整備することを目指す計画だ。中国はすでに新種の高電圧ケーブルを開発しているという。この技術を用いて西方の地域から上海まで電力を運び、さらには近隣諸国の電力提供者になろうとしている。

こうした計画は、長い時間をかけてじわじわと国の力を強めていくのに最適である。二〇一八年三月、中国の全国人民代表大会は、国家主席の任期制限を撤廃する憲法改正案を採択した。これにより、習近平は生涯にわたって国家主席の座を保持できることになった。

彼の最終目的ははっきりしている。新たな世界秩序をつくり、その事実上のリーダーを中国が務めるというものだ。中国がその実現に向けて外交政策を推し進めているあいだ、アメリカは長年の国際協力や取り決めに背を向け、トランプ大統領は新たな竹のカーテン【訳注/とくに一九五〇年～一九六〇年代の中国と他国とのあいだの政治・軍事・思想的障壁】を構築した。

AIの未来は現在、二つの道に分かれて進んでいて、そのどちらもが、必ずしも人類にとって最善の道とはいえない。中国のAI推進は習近平国家主席が率いる新たな世界秩序計画の一部となる一方で、アメリカでは、市場原理や消費者主義がAIの主な推進力となっている。この二つの道は、私たちが見逃している重大なポイントだ。それを明らかにすることがAIの問題を考えるうえで重要であり、本書の目的でもある。

先ほど言及した九つの企業は、機械に秘められた暗号を解き、人間と同じように思考できるシステムを構築するという崇高なゴールを目指しているのかもしれない。だがそれは、人類に取り返しのつかない害を及ぼす恐れがある。

AIは根本的にポジティブな力だと、私は信じている。そして、次世代の人たちが理想的な未来を実現するのに役立つ、とも。

とはいえ、私は現実主義者だ。誰もが知っているとおり、どんなによい人でもうっかり他人に害を及ぼしてしまうことがある。テクノロジー、とくにＡＩに関しては、常に意図された「正しい使い方」と意図されていない「誤った使い方」を想定しておかなければならない。

なぜそのことが現在、そして近い将来において重要なのかというと、世界経済や労働力、農業、運輸、銀行、環境モニタリング、教育、軍事、国家安全保障など、すでにすべてのことにＡＩがかかわっているからだ。このままアメリカと中国が現在の開発の道を進んでいけば、二〇六九年は二〇一九年とはだいぶ様相が変わっているはずである。社会構造や社会制度がＡＩに頼るようになればなるほど、私たちのためになされている決定が、私たちだけではなく機械にとっても都合がいいということがわかってくる。

技術的にも地政学的にも、ＡＩの発展は重大な段階をいくつか通り過ぎようとしているが、ＡＩが進歩を遂げるにつれて私たちの目には見えなくなってきている。データがどのように集められてふるいにかけられているかは曖昧であり、自律システムがどのように判断をしているのかもわかりにくくなっている。つまり私たちは現在、日常生活にＡＩがどのように影響を及ぼしているのかを理解できていないまま、この先何年も、あるいは何十年にもわたる急速なＡＩの発展を迎え入れようとしている。

ＡＩの現状の歩みを見ていくことによって、ＡＩに関する理解を深めてもらうのが本書の目的だ。人工知能についてわかりやすく伝えることによって、将来に備えて読者のみなさんにより多くの知識を持っていただきたいと思っている。手遅れになる前に、ＡＩが存在する未来を明確にすることで、みなさんの個人的な生活にＡＩが関係していると実感してほしい。

私たちは、文字どおり実存的危機に直面している。ＡＩが出現して以降、誰もが根本的な疑問を呈してこなかった。少数の人たちがみんなのためという名目でつくったシステムに力を持たせると社会はどうなるのか？　その判断に市場の力や野心的な政党のバイアスがかかっていたとしたらどうなるのか？

その答えは、アクセスの拒否、社会の慣習や経済のルール、他人とのコミュニケーションといった観点での私たちの未来にも反映される。

本書は、ＡＩについて一般的な議論をするものではない。よりよい未来のための警告であり、青写真だ。アメリカが長期的な計画を避けている状況に疑問を呈し、企業や学校、政府内でのＡＩに対する準備不足を取り上げ、中国の地政学、経済、外交戦略を浮き彫りにし、中国が新世界秩序の構築という壮大なビジョンに向けて歩む様子を明らかにする。この先を読んでいただくとわかるが、私たちの未来には英雄が必要なのだ。難しい状況下での勇敢なリーダーシップが求められる。

本書の第一部では、ＡＩとは何か、「ビッグ・ナイン（九つの巨大企業）」がその開発にどう携わってきたかについて見ていき、アメリカの六社と中国三社（バイドゥ、アリババ、テンセント）についてさらに詳述する。第二部では、特化型人工知能、汎用人工知能、スーパーインテリジェンスと進化を遂げていくＡＩのこれからの五〇年を想定した未来の姿を描いていく。楽観的なもの、現実的なもの、悲劇的なもの、という三つのシナリオを用意した。シナリオはデータをもとにしたシリアスなものであり、ＡＩがどのような進化を遂げうるか、その結果、私たちの生活がどのように変わりうるのかを垣間見ることができるだろう。第三部では、それぞれのシナリオに出てくる問題に対する解決案、今から準備できる案を提供し、私たちが行動を起こせるよう、具体策を提案する。

誰もが、人工知能の未来に対して大切な役割を果たすことができる。ＡＩに関する決断は、たとえそれが些細な決断であっても人類の歴史を永久に変えてしまう恐れがある。利他的な志のもとで希望に満ちて設計されたはずのＡＩシステムが、もしかしたら、いつのまにか人類に破滅をもたらす存在になっていることに気がつくかもしれない。

だが、そうでなくてもいい。

とにかくページをめくってほしい。次はどうなるのか、ただぼんやりと思い描いている場合ではない。ＡＩはすでに目の前に存在している。

第一部

機械の中のお化け

第一章　心と機械——ＡＩの簡単な歴史

現代のＡＩ（人工知能）のルーツは、ビッグ・ナインがＳｉｒｉ（シリ）やＡｌｅｘａ（アレクサ）、あるいはＴｍａｌｌ Ｇｅｎｉｅ（天猫精霊）を生みだすはるか前、何百年も昔にさかのぼる。

当時は他の技術と違って、ＡＩには定義がなかった。現在でもＡＩの領域は広がりつづけ、多岐にわたるため、ＡＩを具体的に説明するのは簡単ではない。一九五〇年代にＡＩと見なされていた長除法【訳注／割り算の筆算で、計算過程を書きながら計算を進める方法】ができる計算機などは、現在ではもはや高度なテクノロジーとはいえない。

これは「奇妙なパラドックス」と呼ばれている現象である。新しい技術が発明され、それが主流になっていくと、もうその技術は注目されなくなってしまう。それをＡＩだとさえ思わなくなる。

基本的に、ＡＩは自律判断をするシステムだといえる。ＡＩが行うタスクは、人間と同じことをするか、まねをするかだ。たとえば、音やモノを認識したり、問題を解いたり、言語を理解したり、ゴールを達成する戦略を練ったりする。システムによっては何百という計算を素早く行う一方で、メールの文面の中に汚い言葉が使われていないかを検出するような限定的なタスクもある。

私たちはこれまでも、同じ質問を繰り返してきた。機械に考えることはできるのだろうか？　機械が「考える」とはどういうことだろうか？　私たちにとって「考える」とはどういう意味だろうか？　そもそも「考え」とはなんだろうか？　どうすれば私たちは、一点の曇りもなく、自分自身で考えているといえるのだろうか？

こうした問いかけを私たちは何百年も前から繰り返しているが、それはＡＩの歴史と未来の両方にとって大切だ。

機械と人間がどう考えるのかを調べようとするときに問題となるのは、「考える」という言葉が「心」と結びついていることだ。これまで、心理学者、神経科学者、哲学者、神学者、倫理学者、コンピューター科学者などが、「考える」という概念にそれぞれのアプローチで取り組んできた。

メリアム＝ウェブスターの辞書では、「考える」という言葉を「心に形づくる、あるいは思い浮かべる」と説明している。また、オックスフォードの辞書では「心を積極的に使い、つながりのあるアイデアを生み出す」としており、どちらも「意識」の文脈で定義しているが、そもそも「意識」とはなんだろうか。いずれの辞書でも、「意識」は「気づいて反応する状態」だと定義されている。

たとえば、あなたがアレクサを使ってお気に入りのレストランを予約しようとするとき、あなたもアレクサも、食べることについて相談していると認識している。だがアレクサは、リンゴをかじったときの感触を実際に味わったことはなく、炭酸水のシュワシュワとした泡を舌で感じたこともなければ、ピーナッツバターが口の中で粘りつく感触も知らない。とはいえ、こうしたモノについての詳細な情報を求めれば、アレクサはあなたの体験をもとになんでも教えてくれるはずだ。

アレクサには口がないのに、どうやってあなたと同じように食べ物を認知できるのだろうか？

あなたは生物学的に唯一無二の存在であり、あなたの唾液腺や味蕾《みらい》は私のものと同じではない。しかし、私たちは誰もがリンゴとはどういうものかを知っているし、一般的にどういう味がするのかも、感触も、香りも知っている。それは、生活の中での学習を通じてリンゴとはどういうものかを学んだからだ。リンゴがどういうものなのかを誰かが教えてくれたのだ。そして、時間が経つにつれ、意識しなくても自動的にパターン認識が可能になり、たとえデータが少ない場合でも、それがリンゴかどうかを判別できるようになる。モノクロでも、二次元でも、リンゴの輪郭を見れば、それとわかるようになるのだ。それはつまり、味や香り、食感などのデータがなくても脳が「これはリンゴだ」と判断するということだ。あなたのリンゴについての学習方法は、アレクサのそれと思いのほか似ている。

アレクサは有能である。だが、果たして「知的」といえるだろうか？　その認知能力が人間のそれとすべて同じ質にならなければ、アレクサの「考える」方法は私たちと同じとは認められないのかもしれない。

ベンジャミン・ブルームは、「考える」ことの研究と分類にキャリアの大半を費やした教育心理学者だ。ブルームは一九五六年、「ブルームのタキソノミー」として知られる、教育現場で見られる目標と達成の階層を発表した。土台となる層では事実や基本的な概念を覚え、その次に、アイデアを理解し、新しい状況で知識を活かし、実験や結びつきを通じて情報を分析し、情報を批評し、判断し、評価し、最終的には独自のものを創造するまでに至る。

生まれたばかりの人間がまず覚えるのは、ものごとを理解するために集中することである。赤ん坊は、哺乳瓶の持ち方を覚えるよりも前に、哺乳瓶にミルクが入っていることを学ぶのだ。

この階層は、コンピューターが学ぶときにも存在する。二〇一七年、Ａｍｐｅｒ（アンパー）というＡＩシステムが、独自にある曲をつくった。その曲は『私はＡＩ（I AM AI）』というアルバムに収録されている。

アンパーは自らコード進行や曲の構成などを考え出したが、その際にジャンル、雰囲気、長さといったパラメーター【訳注／結果などに影響を与える、外部から与えられるデータのこと】を使って、標準的な長さの曲をわずか数分でつくった。アルバムはタリン・サザンという人間のアーティストと共同でつくられたが、なかでも「ブレイク・フリー（Break Free）」は、ユーチューブで一六〇万回以上も視聴され、情感に満ちた感動的な曲としてラジオでも評判になった。この曲をつくる前にアンパーはまず、バラードの要素と定量的なデータについて学んだ。音符やビートをどう計算するか、何千という音楽のパターン（コード進行、コードの並び、リズミカルなアクセント）をどう認識するかといったことだ。

アンパーが示した創造力は、単に学習された機械的なプロセスなのだろうか？　それとも人間的な創造といえるのだろうか？　あるいは、まったく別の種類の創造なのだろうか？　アンパーは人間の作曲家と同じようなやり方で音楽について考えていたのだろうか？

アンパーの「ブレイン（脳）」――アルゴリズムとデータを使った神経回路網――は、ベートーヴェンの脳――データと認識パターンを使った有機的なニューロン――とそれほど違いがないのかもしれない。

逆に、アンパーの創造プロセスと、ベートーヴェンが「ジャジャジャ・ジャジャジャジャ・ジャーン」の冒頭部で有名な長調から短調に変わる交響曲第五番を作曲したときのプロセスの違いはなんなのか？

ベートーヴェンは交響曲全体をゼロから編み出したのではない。冒頭の四音のあとにはさまざまなコードが並び、音階、アルペッジョ【訳注／和音の各音を、同時に弾かずに分散させて連続して弾くこと】など、交響曲を構成する要素が続いていく。曲が終わる前のスケルツォ【訳注／軽快でユーモラスな三拍子の楽章】をよく聴いてみよう。二〇年前の一七八八年に書かれたモーツァルトの交響曲第四〇番からパターンを借りてきているのがはっきりとわかる。

モーツァルト自身は、ライバルのアントニオ・サリエリや、友人のフランツ・ヨーゼフ・ハイドンから影響を受けているが、サリエリとハイドンは、一七世紀半ばから一八世紀半ばにかけて活躍したヨハン・セバスチャン・バッハやアントニオ・ヴィヴァルディ、ヘンリー・パーセルといった作曲家たちから影響を受けている。また、一四〇〇年代から一六〇〇年代の作曲家、ジャック・アルカデルト、ジャン・ムートン、ヨハネス・オケゲムなどの影響も断片的に見られる。

どの作曲家も中世初期の作曲家たちに影響を受けているが、さかのぼっていくと、最初に作曲された楽曲にたどりつく。「セイキロスの墓碑銘」という紀元一世紀のトルコの大理石の墓石に刻まれた曲だ。四万三〇〇〇年前には、骨や象牙で最初の笛がつくられていたこともわかっている。そして、研究者たちによると、私たちの祖先はそれよりも前に、おそらく言葉を話すよりも前に歌を歌っていたという。注1

現代の私たち人間の神経体系は、何百万年もの進化の結果なのである。人間と機械は本質的に異なる道を歩んできたように見えるが、常にからみ合って進化してきた。ＡＩの回路網も同じように、古代の数学者、哲学者、科学者までさかのぼる長い進化の道筋がもとになっている。ホモ・サピエンスは、環境から学び、農業や狩りの道具、ペニシリンなどの新たな技術の発明によって多様化し、自らを再生産してきた。新石器時代の六〇〇〇万の人口が、現在の七〇億にまで増加するのに一万一〇〇〇年かかっている。注2

ＡＩのある生態系《エコシステム》では、学び、データ、アルゴリズム、プロセッサー【訳注／データ処理装置】、機械、神経回路網のインプットが劇的な速度で進化を繰り返している。ＡＩのシステムが日常生活のあらゆる場面に溶け込み、普及するには、数十年しかかからないだろう。

アレクサがリンゴを私たちと同じように認識しているかどうか、あるいはアンパーのオリジナル曲が本当にオリジナルかどうかという問いは、私たちが「考える」ことをどう捉えているかという問いにほかならない。現在の人工知能は、哲学者、数学者、科学者、ロボット工学の専門家、芸術家、神学者たちが何千年も研究を重ねてきた成果なのだ。彼らが目指してきた――そしてこの章では私たちが目指している——のは、「考えること」と、その「考え」を入れる器との関係を理解することである。
「人間の心」と、ビッグ・ナインによってつくられている「心を持つ機械」は、どのような関係にあるのだろうか？

機械の中に心はあるのか？

ＡＩの土台となる層は、古代ギリシャの哲学、論理学、数学にまでさかのぼる。プラトンは「汝自身を知れ」と多くの著作の中で述べているが、人間が成長し、正しい判断をするには、まずは自分の性格を把握しなければならない。一方、アリストテレスは、三段論法、演繹的推論を編み出した。また同じころ、ギリシャの数学者ユークリッドは、二つの数字の最大公約数を見つけられる数式を発見し、最初のアルゴリズムを生み出した。彼らのこうした仕事から、二つの重要な新しい発想が生まれた。それは、特定の物理システムが一連の論理ルールとして働くこと、そして、人間の考え自体が記号システムかもしれないということだ。

その後、何百年ものあいだ、哲学者や神学者や科学者たちはこの問題について考えてきた。人体は、複雑な機械なのだろうか？　振り子時計のように多くの装置の集合体なのだろうか？　心はどうなのだろう？　それも複雑な機械なのだろうか？　あるいはまったく違うものなのか？　いずれにしても、神のアルゴリズムや心と身体的領域のつながりを証明したり、反証したりすることはできない。

一五六〇年、スペインの時計職人ジャネロ・トゥリアーノが、機械仕掛けの小さな修道士の人形をつくった。スペイン王フェリペ二世の息子が頭部にけがをしたものの奇跡的に回復したため、王の代理で教会に献上したものだった。[注3] この修道士の人形には、びっくりするような仕掛けがあった。テーブルの上を歩き、十字架を持ち上げ、痛悔の仕草で自らの胸を叩き、祈りを唱えているように唇を動かすのだ。世界初の「オートマトン（自動人形）」、つまり生き物を機械で表現したものだった。

当時はまだ「ロボット」という言葉は存在しなかったが、このすばらしい発明を見た人々はおおいに驚き、とまどったことだろう。そして、この小さなオートマトンが遠い将来、工場や研究所やキッチンで人間の代わりに働くことができるようになるとは、誰も予想していなかったに違いない。

この小さな修道士は、初期のロボット研究家たちを刺激した。人間を模したさらに複雑な機械をつくろうとしていた彼らはすぐに、書くこと、踊ること、ペンキを塗ることができるオートマンを発明した。すると哲学者の一団が「人間であるとはどういうことか」という問いを発するようになった。人間の行動を模したオートマトンをつくることができるのなら、人間というのは巧妙につくられたオートマトンなのだろうか？　あるいは、判断力や独自の考えを持つ複雑なシステムなのだろうか？

ホッブズとデカルト

イギリスの政治哲学者トマス・ホッブズは、自然科学、心理学、政治学についての三部作の一冊、『物体論』（京都大学学術出版会）で、人間の論理的思考とは「計算」であると説明した。

ホッブズは一六五五年に次のように書いている。「さらに私は、推論を計算という意味に理解する。しかるに計算するとは、足し合わされた複数のものの合計を見積もること、もしくは、あるものを他のものから引いた残りを認識することである[注4]」だが、このプロセスで、私たちに自由意志があったかどうかを知るすべはあるのだろうか？

ホッブズが三部作の一冊目を執筆していたころ、フランスの哲学者ルネ・デカルトは『省察』（ちくま学芸文庫）を発表し、私たちは自分の認知しているものを確実に本物だといえるか、という問いを投げかけた。自分の意識をどうすれば確かめられるのだろうか？　どのような証拠があれば、自分の考えは自分のものであり、私たちを取り巻く世界は本物だといえるのだろうか？

デカルトは合理主義者であり、事実は演繹法で導き出せると考えていた。思考実験も行っていたデカルトは読者に、「この世界は悪魔が意図的につくりだした幻想だと想像するように」と語る。あなたが湖で泳いでいるとして、その身体的、感覚的な体験が悪魔のもたらした概念にすぎないのだとしたら、本当に泳いでいるかどうかをはっきりと知ることはできない。だがデカルトは、読者が自らの存在を自覚していれば、知るという基準は満たしていると考えた。「私は存在する。私が

そう言ったり、そう考えたりするたびに確かに真実だ」[注5]

つまり、欺く悪魔がいたとしても、私たちの存在は疑いの余地がないということだ。「我思う、故に我あり」

のちに『人間論』の中でデカルトは、人間はオートマトンをつくることができると述べている。本物と見分けがつかない、小さな動物をつくれるというのだ。だがいつか機械の人間がつくれたとしても、それは本物には見えないだろう、なぜなら機械には心と魂がないからだ、とも述べている。機械は人と違って、知るという基準を満たすことはできず、私たちのように自己認識をすることはない。デカルトにとって、意識は人間の内部で生まれるものであり、魂とは私たちの身体——機械の中の幽霊だった。[注6]

ライプニッツ

数十年後、数学者でもあるドイツの哲学者のゴットフリート・ヴィルヘルム・ライプニッツは、人間の魂はそれ自体がプログラミングされているという考えを検討した。心自体が容器だというのが彼の考えだった。神は、魂と身体とが自然に調和するようにつくったのだ。

身体は複雑な機械かもしれないが、その動きには巧妙な指示が与えられ、私たちの手は自分たちの意思で動かすことができる。だが、その動きのメカニズムのすべてを私たちが創造したわけではなく、発見したわけでもない。もし私たちが痛みや喜びを感じたとしたら、その感覚は事前にプログラミングされていたシステムの結果であり、心と身体のあいだの絶え間ないコミュニケーションなのだ。

ライプニッツは、思考と感覚というものが人間としっかりと結びついていることを示すために、思考実験を行った。

あなたが工場に足を踏み入れたとする。建物の中には機械や材料があり、働いている人たちがいる。一つのゴールに向かって調和している複雑なシステムだが、そのシステム自体が心を持つことはありえない。「そこにあるのは互いに押し合っている歯車やレバーであり、知覚ではない。工場や機械、オートマトンがどれほど進化しても、人間は考えたり認知したりする機械をつくることはできない」と彼は言う。[注7]

それでもライプニッツは、さまざまな思考プロセスを再現するという概念に魅せられた。社会的な振る舞いについて何冊かの著作があるイギリスの作家、リチャード・ブレイスウェイトは、正確な計算を素早くできる人のことを「人間コンピューター」と呼んだ。[注8]また、確率論の基礎を築いた、フランスの数学者で発明家のブレーズ・パスカルは、計算のタスクを自動化することに関心を持っていた。パスカルは、徴税官だった父が延々と税金の計算をしているのを見て、その作業を楽にしてあげようと考え、自動計算機をつくることにした。歯車や稼働式のダイヤルがついているものだ。[注9]

この計算機はうまく働き、刺激を受けたライプニッツはさらに考えを深めた。機械は魂を持つことはない。だがいつの日か、人間と同じレベルの論理的思考ができる機械をつくることはできる。一六七三年、ライプニッツは「ステップ・レコナー」という二進法を使った機械式計算機を製作した。[注10]この機械には、ビリヤード台のように玉や、ポケット、溝などがあり、ポケットを「1（開く)」、「0(閉じる)」というふうに操作する。

ライプニッツの理論に基づいた「ステップ・レコナー」は、さらに多くの理論を誘発した。論理的思考を記号に置き換えることができるのなら、その結果は計算システムとして分析できる。幾何学的な問題を記号と数字で解くことができるのなら、すべてはビット【訳注／二進数字】に落とし込める。そしてまた、人間の行動も例外ではない。

この考え方は、以前の哲学者たちの思想とは一線を画する重要なものだった。つまり未来の機械は、神聖な領域を侵すことなく、人間の思考プロセスを再現できるということだ。「考える」には、必ずしも知覚や感覚、魂が必要というわけではない。ライプニッツは言語を、汎用的な言語である数学や科学の概念に変換できると仮定していた。注11

心や機械は、アルゴリズムに従っているのか?

ライプニッツの説が正しいとしよう。人間は魂のある機械であり、いつの日か、洗練された考えを持つ、魂のない機械を発明しうる。すると地球上には、二種類の機械が存在することになるかもしれない。私たちと、彼ら。この議論はまだ始まったばかりだ。

一七三八年、芸術家で発明家のジャック・ド・ヴォーカンソンは、フランス科学アカデミーのために、いくつものオートマトンをつくった。その中の一つに、本物に似せた精巧なアヒルがあった。生きているアヒルの動きを模倣し、羽をはばたかせ、餌をついばむ。さらには餌をのみこむまねもできた。

これを見た哲学者たちは考えた。アヒルのように見え、アヒルのように鳴けば、これはアヒルなのだろうか？　アヒルには違う種類の魂があると考えれば、それだけでアヒルには自己認識があるということになるだろうか？

スコットランドの哲学者デイヴィッド・ヒュームは、存在の承認自体が意識の証明だとする考えを否定した。デカルトとは違って、ヒュームは経験論者だった。そして、観察可能な事実と論理的な議論に基づく新たな科学的フレームワークを展開した。

ヴォーカンソンが本物そっくりのアヒルを発表し、まだ誰も人工知能について語っていなかったころに、ヒュームはこう書いている。「理性は情念の奴隷であり、ただそうあるべきである」ヒュームがここでいう「情念」とは「理性に基づかない動き」を指し、私たちは抽象論理ではなく動機によって行動する。もし「印象」というものが、私たちが見て触って、感じて、味わって、においを嗅ぐ知覚であり、そして「観念」とは、直接触れないものに対する知覚であるのなら、私たちの存在や世の中に対する理解は、人間の知覚の複合体だとヒュームは考えた。

オートマトンがどんどん本物らしく進化し、コンピューターも考える機械として受け止められるようになっていく中で、フランスの医師で哲学者のジュリアン・オフレ・ド・ラ・メトリーは、人間と動物とオートマトンに関する急進的な研究に着手した。その後、一七四七年に匿名で論文を発表し、人間は驚くほど動物に類似していて、猿は「きちんと訓練すれば」人間の言葉を学ぶことができると主張した。そして、人間も動物も機械であり、直感や経験に動かされていると結論づけている。「人間の身体は機械であり、自分でバネを巻いている。（中略）魂は動きの原理、知覚される脳の一部にすぎない」[注12]

人間は動機付けによって動いている機械であり、特定の機能を果たす歯車や車輪と変わらないという考え方は、私たちは特別でも唯一の存在でもないということを示唆した。さらには、私たちはプログラミング可能だということも暗示していた。それが本当なら、そしてこれまでに本物に似たアヒルや修道士をつくれたのなら、いつの日か人間は、自分の複製——つまり思考能力を持った賢い機械——をつくれるようになるだろう。

考える機械をつくることはできるのか？

一八三〇年代までに、数学者や技術者、科学者たちは、「人間コンピューター」と同じことができる機械をつくろうと試みるようになった。

イギリスの数学者エイダ・ラブレスと科学者チャールズ・バベッジは、「階差機関」という機械を発明し、のちにさらに進化した「解析機関」を設計した。これは数学の問題を、あらかじめ決められた一連のステップに基づいて解くことができるというものだった。

バベッジは、機械が数字による計算以上のことをできるとは考えていなかった。だがラブレスは、もっと強力な機関であれば、他の用途にも使えると推測していた。[注13]機械が記号を処理することができ、記号をさまざまなもの（音符など）に割り当てることができるのなら、機械は数学以外の分野でも「考える」ことに使えるはずだ。ラブレスもコンピューターが独自の考えを持てるとまでは考えていなかったが、日常的に人々が行っていることの大半を指示どおりに行うことができる複雑なシステムの実現を思い描いていた。

当時はあまり注目されなかったが、エイダ・ラブレスは未来に向けて世界初のコンピューター・プログラムを書いていた。それも、電球が発明される何十年も前に。

ラブレスとバベッジが研究をしていたケンブリッジ大学から北に一〇〇マイル行ったドンカスターに、ジョージ・ブールという数学者がいた。野原を歩いているときに急にひらめいて、人間の思考についての論理を説明することに生涯を捧げることにしたという。[注14] その散歩から生み出されたのが、現在もブール代数として知られているものだ。

ブール代数では、論理的な表現(例:「and」「or」「not」)を記号や数字を使って簡素化する。たとえば「true and true」と計算させると、結果は「true(真)」となり、コンピューターの物理的スイッチに呼応する。ブールがこの考えを形にするのに二〇年かかった。

そしてブールの論理を応用すれば、コンピューターは数学の計算をするのみならず、考える機械へと発展できると気づかれるまで、さらに一〇〇年の月日を要した。当時はまだ、技術も材料も不足しており、十分な電力を供給することもできなかったため、考える機械をつくる手段がなく、この理論を試すことができなかったのだ。

シャノンとチューリング

理論上でしか存在しなかった「考える機械」から、人間の思考を模倣するコンピューターへの飛躍は、一九三〇年代に書かれた二本の論文に端を発している。クロード・シャノンの『継電器と開閉回路の記号的解析（A Symbolic Analysis of Relay and Switching Circuits)』とアラン・チューリングの『計算可能数とその決定問題への応用（On Computable Numbers, with an Application to the Entscheidungsproblem)』だ。

ＭＩＴ（マサチューセッツ工科大学）大学院で電気工学を専攻していたシャノンは、選択科目で哲学のクラスを受講していた。そしてブールの『論理と確率の数学的な理論の基礎となる思考法則の研究（An Investigation of the Laws of Thought, on which are founded the Mathematical Theories of Logic and Probabilities)』を主な参考資料として論文を書いた。

指導教官のヴァネヴァー・ブッシュは、ブールの理論を回路設計に適用することを勧めた。ブッシュはラプレスとバベッジが開発した「解析機関」の進化版をつくっていた。彼の試作品は「微分解析機」という名前で、やや場あたり的に設計したものだった。当時、体系立った電気回路設計の理論というものはなかったのだ。

ブールの記号理論を電気回路に取り入れたこと、ブール代数が「1」や「0」を追加するための回路に使えると説明したことがシャノンの突破口となった。シャノンは、コンピューターには二つの層があると考えた。物理的なもの（容器）と理論（記号）だ。

シャノンは物理的な回路にブールの理論を融合させようとし、チューリングは数学的、科学的知識を使ってライプニッツの共通言語翻訳機をつくろうとした。チューリングは「決定の問題(Entsceidungsproblem)」と呼ばれていたものを証明しようともした。

ざっくりいうと、問題はこんなふうになる。「恣意的な数学的命題が真か偽かを判断するアルゴリズムは存在しえない。答えは誤りとなる」チューリングはこれを証明したが、その過程で多目的な計算をする機械用の数学的モデルを発見した。注15

それが大きな転換期となった。チューリングは、プログラムとデータをコンピューターの中に保存できると考えついたのだ。繰り返すが、これは一九三〇年代には画期的な考えだった。それまでは、機械とプログラムとデータは、それぞれが独立したものだと考えられていた。チューリングの万能機械によって、初めてこの三つがつながっていることが説明できたのだ。機械という観点から見ても、回路やスイッチを動かす論理《ロジック》はプログラムやデータに変換できた。

この主張の重要性を考えてみてほしい。器、プログラム、データはすべて一つのものの一部で、それは人間と似ていなくもない。私たち自身も器（身体）であり、プログラム（自律した細胞の機能）であり、データ（DNAが感覚情報と結びついたもの）である。

四〇〇年前に小さな修道士から始まったオートマトンは、ここにきてようやくシャノンとチューリングに出会うことになる。

アシモフのロボット三原則

アメリカの電機製造会社、ウェスティングハウスが、一九三九年の万国博覧会に向けてエレクトロ・ザ・モトマンという名前の継電器で操作するロボットを製作した。足の下に車輪がついている、金色の大きな人型ロボットだった。四八の継電器があり、電話の信号で操作をする仕組みだ。エレクトロは電話を通じて伝えられた音声コマンドに対して、事前に録音されたメッセージで答えた。これは、初歩的な判断ができる擬人化されたコンピューターで、人間の関与なしにその場で何を言うかを決めることができた。

当時の新聞の見出しやSF短編小説、ニュース映画から判断すると、人々は驚いて不安になったようだ。ある日突然「考える機械」が出現したように思えたのだろう。

SF作家のアイザック・アシモフは未来を予知するような短編小説「Liar（うそつき!）」を書いた（『Astounding Science Fiction』一九四一年五月号所収）。急進的な研究に反応したといえる作品で、作中にロボット工学三原則が出てくる。

第一条　ロボットは人間に危害を加えてはならない。また、その危険を看過することによって、人間に危害を及ぼしてはならない。

第二条　ロボットは人間にあたえられた命令に服従しなければならない。ただし、あたえられた命令が、第一条に反する場合は、この限りでない。

第三条　ロボットは、前掲第一条および第二条に反するおそれのないかぎり、自己を守らなければならない。

（『われはロボット』アイザック・アシモフ著、早川書房、小尾芙佐訳）

のちにアシモフは「第零条」を追加し、他に優先されるものとしている。

第零条　ロボットは人類に対して危害を加えてはならない。またその危機を看過してはならない。

（『ロボットと帝国』アイザック・アシモフ著、早川書房、小尾芙佐訳）

考える機械は、実際に考えるのか？

一九四三年、シカゴ大学の神経生理学者ウォーレン・マカロックと論理学者ウォルター・ピッツは、『神経活動に内在する観念の論理計算（A Logical Calculus of the Ideas Immanent in Nervous Activity）』という共著論文を発表した。生体の神経細胞を、単純なニューラル・ネットワーク【訳注／脳機能に見られるいくつかの特性に類似した数理的モデル】構造に組み込むという、新しいシステムについて論じたものだった。

チューリングが指摘したように、もし容器とプログラム、データがつながっているなら、そして人間も同じようにデータを処理できる洗練された容器だとしたら、人間の考える領域をつかさどる部分である「脳」を模すことで、考える機械をつくるのは可能ということになる。
そして彼らは、心と脳についての近代的なコンピューター理論「ニューラル・ネットワーク」を打ち出した。機械をハードウェア、プログラムをソフトウェアとして捉えるのではなく、膨大な量のデータを処理できる新たな共生システムを思い描いたのだ。それはちょうど人間のようなものだった。当時のコンピューターはこの理論を試せるほど強力ではなかったが、彼らの論文がきっかけとなり、知能を持ったコンピューター・システムを開発しようという機運が高まった。

知能を持ったコンピューター・システムと自律性に基づいた意志決定とのつながりは、ジョン・フォン・ノイマンによって明らかになった。彼はハンガリー出身のアメリカ人で、博識家として知られ、コンピューター・サイエンス、物理学、数学を専門とし、多くの応用数学の論文を残している。プリンストン大学の経済学者オスカー・モルゲンシュテルンとともに一九四四年に書いた六四一ページにわたる著書の中で、ゲーム理論の科学が、いかに経済に関するあらゆる判断の基礎を明らかにするかを子細に説明した。

この仕事を機に、フォン・ノイマンは米陸軍に協力するようになった。そしてエニアック（ENIAC、電子数値積算計算機）を開発した。初期のエニアックは、指示に配線が使われていたため、プログラムを変更するたびに配線を変えなければならないというものだった。フォン・ノイマンは、チューリング、マカロック、ピッツに影響を受け、コンピューター自体にプログラムを保存する方法を開発したのだ。これは、コンピューターの第一世代（集計）から、プログラミングできるシステムの時代への移行だった。

チューリング・テスト

チューリング自身は、プログラム内蔵型のコンピューターを使ったニューラル・ネットワークの研究に取り組んでいた。一九四九年のロンドン・タイムズ紙に、チューリングの言葉が掲載されている。

「一般に人間が知的に行っているとされる領域に機械が参入し、最終的には遜色なく能力を発揮することは、十分にありうると思う。ソネット【訳注／一四行からなるヨーロッパの定型詩】に関しても同じことがいえる。ただし、機械は機械がつくったソネットのほうを好むかもしれない」

一年後、哲学誌『マインド（Mind）』に掲載された論文で、チューリングはホッブズ、デカルト、ヒューム、ライプニッツによって投げかけられた質問に触れている。そして、あるテストを行うことを提案した。

いつの日かコンピューターが、訊かれた質問に対して人間と識別できないぐらい的確な答えを返せるようになったら、それは「考えている」といえるだろう、というものだ。この論文のことは聞いたことがあるのではないだろうか。そう、「チューリング・テスト」だ。

論文の冒頭には、例の質問があった。哲学者、神学者、数学者、科学者たちが問いかけ、答えを求めつづけてきたものだ――「機械は考えることができるのか?」。ただしチューリングは、何百年も続いてきた「心と機械」についての議論を踏まえ、きちんと議論するにはこの質問は漠然としすぎていると考えた。「機械」も「考える」も曖昧《あいまい》な言葉であり、解釈の幅が広い（四〇〇年のあいだに、この二つの言葉の意味についてはさんざん書かれてきた）。

騙し合いのゲームがつくられ、コンピューターが自らを人間だと思い込ませることができれば「勝ち」とした。

テストのやり方はこうだ。人間がいて、機械がある。そして別室には質問者がいる。人間と機械は、別室の質問者からの質問に答える。質問者は、どの答えが人間から発せられたもので、どれが機械から発せられたものなのかを判断する。

ゲームの最初に、質問者にはXとYというラベルが渡されるが、どちらがコンピューターかは知らされず「Xはチェスをしますか?」というような質問しかできないことになっている。ゲームの最後に、質問者はXとYの正体を当てる。

答える人間の役割は、質問者にどちらが機械か当てさせること。機械の役割は、質問者を騙して、自分が人間だと思わせることだ。

ゲームについて、チューリングはこう書いている。「いまから五〇年後には、コンピューターをプログラミングすることができ、記憶容量も10の9乗になるだろう。このゲームでもコンピューターの精度は向上し、五分間の質問で、平均的な質問者の正解率は七〇パーセントを切るようになるだろう[注16]」

だが、チューリングは科学者であり、自分の生きているうちには、この理論が証明されないだろうこともわかっていた。問題は、機械はいつの日か考えることができるとする経験的な証拠が欠けていたことでも、タイミングでもなかった。現にチューリングは、テストができる環境が整うのに二〇世紀末までかかるだろうと言っていた。「あらゆる知的分野で、コンピューターが人間と張り合うようになるかもしれない」とチューリングは書いている。

本当の問題は、いつの日か機械が、見ること、判断すること、記憶することができるようになると信じられるほどの発想の飛躍がなされるかどうかであり、人間がその進化の妨げになるかもしれないということだった。科学者たちが、認識を精神性と切り離して考え、なおかつ機械が、人間と違って無意識に判断をすると信じる発想の飛躍が必要だったのだ。

ダートマスのワークショップ

一九五五年に、マーヴィン・ミンスキー教授（数学と神経学）とジョン・マッカーシー教授（数学）は、クロード・シャノン（数学者、ベル研究所の暗号研究者）とナサニエル・ロチェスター（IBMのコンピューター科学者）とともに二カ月間のワークショップを開催し、チューリングの仕事や機械学習の見込みについて探求することにした。

彼らは仮説を立てた。人間の知能を細かく説明することができれば、機械にそれをまねするように教えることができる。[注17] それには、さまざまな分野の専門家が必要だ。その専門家たちが夏の間、集団で休みなしに集中して働けば、前進が見込めるだろう。

メンバー選びはとても重要だった。一流の技術者、社会科学者、コンピューター・サイエンティスト、心理学者、数学者、物理学者たち。それに、「考える」とはどういう意味か、「心」はどう働くのか、人間がするのと同じように機械に学ばせるにはどうすればいいのかといった基本的なことを問う、認識の専門家も必要だ。このグループで協働を続け、将来に向けて新しいものを生み出す。考える機械をつくるというのは新しい学際的な研究だったため、この活動にも新しい名前をつけることになった。そして、多義的でありながら明確な言葉が選ばれた。「人工知能」だ。

マッカーシーは四七名の専門家のリストをつくった。研究と試作に欠かせないと思われる人たちだ。AIを本格的に概念化し、つくり上げるときに絶対に必要な人を選ぶというのは緊張を伴う作業だった。ミンスキーは、とくに重要な二名の参加がかなわないのを残念に思っていた。二年前に亡くなったチューリングと、末期がんで闘病中だったフォン・ノイマンだ。[注18]

多様性に富む人たちを集めようと彼らは最大限に努力したものの、人選には明らかに偏りがあった。マッカーシーとミンスキーが求めていた分野には、白人以外でも活躍している人たちが大勢いたにもかかわらず、リストに載っていたのは全員白人だった。そしてそのうちの多くが、当時のテクノロジー巨大企業（IBM、ベル研究所）の出身者、一握りの特定の大学出身者だった。エンジニアリング、コンピューター・サイエンス、数学、物理の分野に貢献している有能な女性たちも入っておらず、[注19]ミンスキーの妻のグロリア以外は全員男性だった。

人間の心はどう働くのか、私たちはどう考えるのか、機械は人からどう学べるのかを研究しようとしているにもかかわらず、バイアスがかかっているという自覚はなく、自分たちと同じような外見で、同じような言葉を話す人にデータを限定してしまっていた。

翌年、一同はダートマス大学数学科の最上階に集い、計算複雑性理論、自然言語処理、ニューラル・ネットワーク、無作為性と創造性との関連、学習する機械について研究を行った。平日にはまず、教室に集まって全体で議論をしたあと、個別の研究に取り組んだ。

アレン・ニューウェル教授、ハーバート・サイモン教授、クリフ・ショー教授は、論理的な定理の証明方法を発見し、全体の議論の場でその過程を手動でシミュレーションした。このプログラムが「ロジック・セオリスト（Logic Theorist）」であり、人間の問題解決スキルを模した初のプログラムである（のちに、アルフレッド・ノース・ホワイトヘッドとバートランド・ラッセルの共著『プリンキピア・マテマティカ（Principia Mathematica）』にある数学の五二の定理のうち三八を証明してみせた）。

数年前にコンピューターにチェスを教えて人間と対戦させることを提案していたクロード・シャノンも、まだ制作途中だった自身の試作プログラムを発表した。[注20]

マッカーシーとミンスキーが期待していたＡＩの画期的な前進は、その夏のダートマスでは具体的な形にはならなかった。時間が足りなかったのだ。さらにはコンピューターの電力不足で、ＡＩの理論を実現するまでにはいたらなかった。[注21]

とはいえその夏、現在のＡＩの基礎となる三つの点が見られた。

一　大手テクノロジー企業と学術的研究者たちが協力し、ＡＩを理論づけ、構築し、テストすることになった。

二　ＡＩの研究を進めるには多大な資金が必要となるため、なんらかのかたち――政府機関や軍と協働するか、販売できる製品やシステムをつくる――で商業化しなくてはならなかった。

三　AIの研究は、新たな学術的分野を一から確立することを意味し、学際的な研究者のネットワークがその役割を担った。それは、各分野の専門家たちが知り合いを採用しがちであることを意味し、比較的同質なネットワークが維持され、世界観が限定されてしまった。

その夏、もう一つ興味深い展開があった。学習する機械をつくるうえでのチューリングの質問――「機械は考えることができるのか?」――を検討している中で、意見が二つに分かれたのだ。一部のメンバーは生物学的なアプローチを好んだ。ニューラル・ネットワークを使うことでＡＩに常識や論理的思考を持たせ、機械を賢くすることができるという考え方だ。

一方で、人間の思考構造の完全なレプリカをつくるのは無理だと考えるメンバーもいた。彼らは工学的なアプローチを好んだ。問題を解決するコマンドを書くよりも、システムがデータセット(データのまとまり)から「学習」することを助けるプログラムをつくる。機械はデータに基づいて予測をし、人間の管理者が答えをチェックし、同時にトレーニングや調整を行うという考え方だ。こうして「機械学習」という言葉は、チェッカー【訳注／相手の駒を取り合うボードゲームのこと】をプレーするなど、特定の作業を学ぶという意味で使われるようになった。

世界初の人工ニューラル・ネットワーク

ダートマスのワークショップに参加していた心理学者のフランク・ローゼンブラットは、人間の脳が視覚データを処理する方法をモデル化し、モノを認識する方法を知りたいと考えた。そして夏の研究をもとに、パーセプトロンというシステムを開発した。彼のやろうとしていたことは、外部からのフィードバックに反応するシンプルなフレームワークをつくることだった。これは初の人工ニューラル・ネットワーク（ANN＝artificial neural network）であり、複数の処理要素が層でつながる仕組みだった。

機械のニューロンがそれぞれに多くの信号を受け取り、数学的な重みづけを加え、どの出力信号を発信するかを決める。この並列構造によって、複数のプロセッサーへの速やかなアクセスが実現した。つまり、速いだけではなく、多くのデータを連続的に処理することができるようになったのである。

これは重要なことだった。コンピューターに「考える」ことができたという意味には必ずしもならないが、コンピューターに「学習する」ことを教える方法を示したからだ。

私たち人間は試行錯誤をして学習する。たとえば、ピアノでハ長調の音階を弾くには、正しい鍵盤を正しい順番で叩く必要がある。最初は、指、耳、目のいずれもが正しいパターンを覚えていないが、何度も繰り返し練習すればうまく弾けるようになる。私がピアノを習っていたとき、間違えると先生が直してくれ、正しく弾けるとシールをくれた。シールがもらえることで、正しく弾こうという気持ちが強まった。

これは、ローゼンブラットのニューラル・ネットワークと同じだ。このシステムも、同じ機能を何千回と繰り返すことで反応を最適化することを学ぶ。そして、学んだことを記憶して将来に生かす。彼はこのシステムを「誤差逆伝播（バック・プロパゲーション）」という方法でトレーニングした。最初のトレーニング段階では、ＡＮＮが正しい判断をしたかどうかを人間が評価する。正しければ、プロセスは強化される。誤っていたら、システムに調整が加えられ、さらなるテストが実施される。

このワークショップが開催されてからの数年間に、ＡＩを使って数学定理が解けるようになるなど、目覚ましい進歩があった。だが、ＡＩをトレーニングし、言葉の認識といった簡単なことをさせるのでさえ、なかなか難しかった。

ＡＩの研究が始められる前まで、「心」は常にブラックボックスだと思われてきた。情報を感知し、反応するまでのプロセスを観察できるはずなどないと考えられていた。初期の哲学者、数学者、科学者たちは、それは神のつくったものだと考えていたからだ。だが現代の科学者たちは、それが何十万年もの進化の結果だと知っている。

一九五〇年代になるまで、そしてダートマスの夏のワークショップが開催されるまで、科学者たちは、（理論上とはいえ）ブラックボックスを開けて認知のプロセスを確認できるとは思っていなかった。さらに、コンピューターに私たちの反応の仕方をまねするよう教えることができるとは、思ってもいなかったのだ。

それまでコンピューターは、作業を自動化するツールだった。数による計算ができたコンピューター第一世代は、プログラミングができる第二世代へと移行した。新たなシステムは、軽くなり、高速処理が可能になった。また、命令セットを内蔵できる記憶容量を備えていた。プログラムが保存できるようになり、複雑なコードではなく、英語で書かれた簡単なコードに対応していた。AIのアプリケーションを使うのに、オートマトンや人間らしい容器は不要だということも明らかになってきた。人間らしい特徴を持たずとも、AIは、箱の中に収納できる、すばらしく便利なものだった。

ダートマスのワークショップの影響を受けたイギリス人の数学者I・J・グッドは、私たちが設計するよりも優れた機械を設計できそうな「ウルトラインテリジェント・マシン（ultraintelligent machine）」について書いている。これは将来的に「知性が急激に進化し、人間の知能をはるかに超えていくかもしれない。つまり最初のウルトラインテリジェント・マシンは人類に必要な最後の発明となるだろう[注22]」

ついに女性が——少なくとも名前だけは——グループに加わった。MITのコンピューター・サイエンティスト、ジョセフ・ワイゼンバウムが、初期のAIプログラム「ELIZA（イライザ）」を書いたのだ。これはチャット・プログラム【訳注／コンピューター・ネットワーク上で、リアルタイムに会話を行うプログラムのこと】で、名前はバーナード・ショーの喜劇『ピグマリオン』からとられている[注23]。

これは、ニューラル・ネットワークとＡＩにとって重要な発展でもあった。なぜなら初期の自然言語処理の試みだったからだ。このプログラムは、事前に書かれたさまざまなスクリプト（台本）にアクセスし、人間と対話をした。もっとも有名なスクリプトはＤＯＣＴＯＲという名前で、感情移入をする心理学者をまねし、驚くほど人間らしい反応を見せることがあった。[注24]

ＡＩの夏と冬

ダートマスのワークショップは、国際的に評判になり、参加していた研究者たちにも思いがけず注目が集まった。彼らは一般の人たちに夢のような未来を垣間見させてくれる、オタクっぽいスターだった。

最初のニューラル・ネットワークを開発した心理学者、ローゼンブラットのことを覚えているだろうか？　彼はシカゴ・トリビューン紙に「やがて数百の反応ができるＥＬＩＺＡプログラムのみならず、『オフィス秘書』のようにミーティングに参加して、聞いた内容を書き取ることのできるコンピューターが開発される」と述べた。そしてそれは、史上最大の「考える機械」であり、しかも今から数カ月で稼動可能だろう、とも言っている。[注25]

「ロジック・セオリスト（Logic Theorist）」を開発した、ハーバート・サイモンとアレン・ニューウェルのことも覚えているだろうか？　二人はＡＩについて大胆な予測を始めた。彼らは、一〇年以内――遅くとも一九六七年――には、コンピューターによって以下のことができるようになると述べた。

・最強のチェス・プレーヤーに勝ち、チェスの世界チャンピオンになる
・重要な数学の定理を発見し、証明する
・厳しい評論家でさえ絶賛するような音楽を作曲する[注26]

ミンスキーも、口述筆記し、チェスをプレーし、音楽を作曲するよりもはるかに多くのことができる一般的なインテリジェント機械について予測している。自分の生きているあいだに、汎用人工知能に到達できる、というのだ。つまり複雑な思考や言語表現や選択ができるコンピューターがお目見えすると考えていた。[注27]

ダートマスのワークショップに参加した研究者たちは、本や論文を書いた。テレビやラジオ、雑誌のインタビューも受けた。だが、科学的なことがらを説明するのは難しく、内容が誤って伝えられたり、文脈が正しく伝わらないかたちで発言が取り上げられたりした。情報が正しく伝わらなかったことも手伝って、世間のAIに対する期待は膨らむいっぽうで、どんどん現実離れしていった。

たとえばミンスキーはライフ誌で、発言をこう取り上げられている。

「今後三年から八年のあいだに、一般的な人間と同程度の知能を持つ機械ができるでしょう。シェイクスピアを読み、車にワックスをかけ、職場で政治的駆け引きをし、ジョークを言い、ケンカもするようになります[注28]」

同じ記事の中で、記者はアラン・チューリングを「Ronald Turing（ロナルド・チューリング）」と誤って書いている。ミンスキーがＡＩに対して熱意を持っていたのは確かだが、歩いて話すロボットがすぐそこまで来ている、とまで言うつもりはなかっただろう。だがＡＩについての文脈や説明が欠けたまま、一般の人たちのＡＩに対する見方は歪みはじめた。

一九六八年、アーサー・Ｃ・クラークとスタンリー・キューブリックが、人間並みの知能を持った未来の機械が登場する映画を撮ることにしたものの、そうした傾向に歯止めをかけることにはならなかった。二人が語ろうとしたのは、人間と、考える機械の起源の物語だった。そしてミンスキーにも参加してもらい、彼のアドバイスも採り入れられた。

もうおわかりの方も多いだろうが、その映画のタイトルは『２００１年宇宙の旅』だ。知的なＡＩ「ＨＡＬ（ハル）９０００型コンピューター」は、製造者から創造力やユーモアのセンスを学んだ。そして、自分を停止しようとする人は殺す、と脅しをかける。登場人物の一人、ビクター・カミンスキーの名は、ミンスキーからきたものだ。

一九六〇年代の半ばまでに、ＡＩはいわば時代精神となり、誰もが未来を熱狂的にあがめるようになっていた。ＡＩの商業的成功への期待も高まった。それは、ラジオに関する業界誌に掲載されたちょっとした記事がきっかけだった。『集積回路により多くのコンポーネントを詰め込む(Cramming More Components onto Integrated Circuits)』というタイトルで、執筆したのはインテルの共同創設者、ゴードン・ムーアだった。彼は、集積回路上のトランジスタ数は一八カ月～二四カ月で倍増する、という仮説を立てている。

この大胆な考えは「ムーアの法則」として広まり、その正確さも明らかになっていった。コンピューターはますます強力になり、数学の問題を解くだけではなく、無数のタスクをこなせるようになっていく。ムーアの法則は、ＡＩのコミュニティーにとっては歓迎すべきものだった。近いうちに自分たちの理論を実際に試すことができそうだったからだ。人間のつくったＡＩプロセッサーが、容量に限りのある人間の頭脳を超えることができるかもしれない、という可能性も取りざたされるようになってきた。

過剰な期待感の中、この記事が出たことで、ＡＩ事業に対して膨大な投資がなされるようになった。とはいえ、ダートマスのネットワーク外の人たちには、実際のところＡＩとは何なのかがはっきりとはわかっていなかった。まだ製品はできておらず、ニューラル・ネットワークや必要な技術を活用する具体的な方法も見出されていない。それでも、人々が「考える機械」の「可能性」を信じるようになったことから、企業や政府が投資に踏み切った。

たとえばアメリカ政府は、野心的な言語翻訳のＡＩプログラムに出資した。当時は冷戦の真っただ中で、政府は効率やコスト削減、正確性を見込んで、ロシア語を瞬時に翻訳できるシステムを求めていた。それには、機械学習による翻訳プログラムが解決策になるかのように思えた。

ジョージタウン大学の語学・言語学研究所（Institute of Languages and Linguistics）とＩＢＭが共同で、ロシア語／英語の機械翻訳システムの試作品を開発した。語彙は二五〇に限定され、有機化学分野に特化したものだったが、デモンストレーションは成功し、期待は高まっていく。この機械翻訳の記事はニューヨーク・タイムズ紙の一面を飾り、他の新聞でも大きく取り上げられた。すると、そこにお金が動いた。行政機関や大学、大手テクノロジー企業に資金が集まったのだ。だが、計画と試作品はあったものの、ＡＩの開発はまだまだこれからだった。そして実際には、当時のパイオニアたちが予測したよりも、道のりははるかに遠かった。

やがて、ＡＩの活用や実装について調査すべきだという声が上がった。米国科学アカデミーは、全米科学財団、米国防総省、中央情報局（ＣＩＡ）の要請で諮問委員会を設置する。そしてＡＩによる言語翻訳機の可能性について、最終的に「一般的な科学文献を翻訳する機械は存在しておらず、近い将来にも実現の見通しはない[注29]」と結論づけた。

続いて英国科学研究評議会（British Science Research Council）が報告書を発表し、主要な研究者たちがＡＩの進捗状況を誇張していたと主張し、この分野の研究全般に関して悲観的な見方を示した。この報告書は、イギリスのケンブリッジ大学の応用数学者、ジェームズ・ライトヒルが中心になってまとめたものだった。中でもひどかったのが、コンピューターにチェスを教えるといった初期のＡＩの技術が現実世界の大きな問題を解決できるほどの域に達することはないだろう、という批判だった。[注30]

こうした報告書が出たことで、アメリカとイギリスの議員たちには新たな疑問が芽生えた。どうして我々は、理論好きな科学者たちの突飛なアイデアに投資しているんだ？

そしてＤＡＲＰＡ（国防高等研究計画局）などを持つアメリカ政府は、機械翻訳のプロジェクトから資金を引き上げた。企業も、時間のかかるＡＩの研究より、すぐに問題を解決できるプログラムへと優先順位を変えていった。ダートマスのワークショップ後の数年間はおおいなる期待と楽観主義に満ちていたが、悲観的な報告書が出たあとの数十年間は、「ＡＩの冬」として知られる。資金は干上がり、学生たちは他の分野の研究に移り、ＡＩの進歩には急ブレーキがかけられたのだ。

マッカーシーでさえ、将来の見通しについて以前よりずっと保守的になった。彼はそれまで「人間には元々、この手の能力が備わっているため、すぐに実行できる」と言っていた。[注31] ところが実際には、自分たちが話し言葉をどうやって自分のものにしているかを理解するのは至難の業《わざ》だった。それは言語の認識を可能にする、身体と認知のプロセスを理解するということだったからだ。

マッカーシーがＡＩの進歩について説明するときに、好んで使ったのが鳥カゴの例だ。たとえば、私があなたに鳥カゴをつくってほしいと頼み、他の情報は知らせなかったとしよう。あなたはおそらく底もサイドも上の部分も閉じられたカゴをつくるだろう。もし追加情報として鳥はペンギンだということを知らせたら、おそらく屋根部分は開けたままにするのではないだろうか。つまり、鳥カゴに屋根が必要かどうかは、いくつかの条件によって決まる。私が与えた情報と、事前に組み込まれていた情報と状況だ。あなたがすでに知っている、たとえば、「ほとんどの鳥は飛ぶことができる」といった情報だ。

したがってＡＩに私たちと同じように反応させるには、もっと明確な情報と指示が必要となる。[注32]

ＡＩの冬の時代は、そのあと三〇年間続くことになる。[注33]

次にやってきたもの――ゲームのプレーを学習する

資金が干上がっても、ダートマスの研究者たちの多くはＡＩについての仕事を続け、学生たちにもＡＩの指導を続けていた。ムーアの法則はずっと正確でありつづけ、コンピューターの性能も向上した。

一九八〇年代には、ＡＩを商業化する方法を見出した研究者もいた。いまやコンピューターの性能は十分で、研究者のネットワークも広がり、自分たちの手がけるＡＩの商業化は可能だと気づいたのだ。再び世間はＡＩに関心を持つようになり、ＡＩ事業に資金がつぎ込まれるようになった。

一九八一年には、日本は「第五世代コンピュータプロジェクト」という一〇年計画を発表した。その影響を受け、アメリカ政府はマイクロエレクトロニクス・アンド・コンピューター・テクノロジー・コーポレーション（Microelectronics and Computer Technology Corporation）という、国の競争力を維持するための研究コンソーシアムを立ち上げた。イギリスでは、ジェームズ・ライトヒルの報告書が出たあとに削られていたＡＩに対する出資が復活した。一九八〇年から一九八八年のあいだに、ＡＩ業界は数百ドルから数十億ドル規模へと膨れ上がった。

メモリーを搭載した高速コンピューターがデータを効率よく処理できるようになったことで、ＨＡＬ９０００のような多目的コンピューターの製造ではなく、人間の意思決定の過程を再現する研究に焦点が当てられるようになった。こうしたシステムは、ニューラル・ネットワークを使ってゲームをするというような特定のタスクに注力する。そして一九九〇年代から二〇〇〇年代にかけて、ワクワクするような成功事例が生まれた。

一九九四年に、ＣＨＩＮＯＯＫ（チヌーク）というＡＩが、チェッカーの世界チャンピオン、マリオン・ティンズリーと六ゲームを戦った（すべて引き分け）。ティンズリーがそのあとのゲームを体調不良で放棄するとチヌークが勝利し、チャンピオンの称号を手にしたのだ。[注34]

一九九七年にはＩＢＭのスーパーコンピューター、ディープ・ブルーが、チェスの世界チャンピオン、ガルリ・カスパロフに勝った。カスパロフは、倒せそうもない相手との試合に相当なプレッシャーを感じたようだ。

二〇〇四年、ケン・ジェニングスはアメリカのクイズ番組『ジェパディ！（Jeopardy!）』で、統計的にありえないような七四回連勝という偉業を成しとげ、クイズ番組での最高獲得賞金額でギネス記録を更新している。そのため、二〇一一年にＩＢＭのコンピューター、ワトソンと対戦することにしたとき、ジェニングスは間違いなく勝てると思っていたはずだ。彼はＡＩの授業も受けていたので、テクノロジーはまだ、文脈や意味論や言葉遊びという点ではそこまで発達していないと思っていたに違いない。ところがジェニングスは試合が始まった直後から自信を失いはじめ、結果、ワトソンがゲームに勝った。

二〇一一年には、ＡＩは膨大なデータにアクセスでき、ストレスも感じないため、特定の「考えるタスク」においては人間より秀でている、とわかってきた。ＡＩはストレスを定義することはできるものの、内分泌系をもたないためにその影響を受けることはない。

ディープラーニング

だが、古代のボードゲームである囲碁は、ＡＩ研究者たちにとって大きな壁だった。昔ながらの戦略でプレーするからだ。囲碁は三〇〇〇年以上前に中国で始まったゲームで、ルールは難しくない。二人のプレーヤーが交互に、盤面の交点に黒と白の石を置いていく。対戦相手の石に囲まれたり、スペースが狭くなりすぎたりすると、石は「生きる」ことができなくなる。盤面で、より多くの陣地の獲得を目指すゲームだが、対戦相手の心理や精神状態を理解することが大切になってくる。

囲碁の伝統的な碁盤には、一九×一九のマス目がある。チェスのようなゲームと違い、囲碁の石はどれも効力が同じで、黒石は一八一個、白石は一八〇個ある（黒石は常に先に打つので多い）。

チェスではそれぞれの駒に特性があり、両方のプレーヤーにとって最初の一手は二〇通りある。二手目になると四〇〇通りだ。だが囲碁の場合、最初の一手に三六一通りの可能性がある。盤面のマス目の交点、どこに石を置いてもいいからだ。白のプレーヤーが石を置いたあと、次の黒のプレーヤーの手には一二万八九六〇通りの可能性がある。全部合わせると、一〇の一七〇乗の配置が考えられる。現在わかっている世界の原子の数より多い。

考えられる配置と動きの選択肢があまりに多いので、チェッカーやチェスのような定石集はなく、囲碁の達人は大筋を大切にする。対局者の石の動きを見て、相手がどういう可能性を考えているのかを、精神状態も含めて見極めようとするのだ。

チェスのように、囲碁も決定論的な完全情報ゲームで、明らかなチャンスの要素がどこかに隠れているというものではない。プレーヤーは理性を保ち、人間の感情の機微にも通じていなければ勝つことができない。

チェスではプレーヤーの次の手をある程度予測することができる。たとえばルークの駒は、ボード上を縦あるいは横にしか進めない。つまり、可能性のある動きが限定される。だからチェスでは、キングが取られそうになる前から、見ている人にはどちらが勝っているかの判断がつく。

囲碁ではそうはいかない。ゲームの途中で盤面を見て、高段者であっても形勢の判断がつかないことがある。こうした複雑さが囲碁の魅力であり、皇帝や数学者や物理学者たちに人気を博してきた理由だ。同様にAI研究者たちも、なんとかして機械に囲碁を教えたいと思いつづけてきた。

囲碁は、AIの研究者たちにとって難題だった。ルールを覚えるようプログラミングできたとしても、対局者の性格を理解するルールなど、はたしてあるのだろうか？　囲碁の特性である複雑さに対応するだけのアルゴリズムを見出した研究者はいなかった。

一九七一年、コンピューター科学者のジョン・ライダーが、技術的な視点からプログラムを作成したものの、初心者相手に負けてしまった。一九八七年には、Ｎｅｍｅｓｉｓ（ネメシス）というコンピューター・プログラムが、初めてトーナメントで人間と対戦した。一九九四年までには、ＧｏＩｎｔｅｌｌｅｃｔ（ゴ・インテレクト）として知られるプログラムが、有能なプレーヤーとして認められた。それでも、手合でだいぶハンディをつけたにもかかわらず三試合で負けてしまった。しかも、対局相手は子どもたちだった。どのケースでもコンピューターは理解できない動きをしたり、積極的に攻め過ぎたり、対局相手の着手を読み違えたりした。

こうした動きの中で、マーヴィン・ミンスキーとフランク・ローゼンブラットがダートマス会議で取り上げたアイデアであるニューラル・ネットワークに再び取り組む研究者たちもいた。

認知科学者ジェフリー・ヒントン、コンピューター科学者のヤン・ルカン、ヨシュア・ベンジオは、ニューラル・ネットワークをベースにしたシステムには、クレジットカードに使える自動不正検出や、文書や小切手に使える自動ＯＣＲ（光学文字認識）といった実用的な機能があると考えていた。さらには、将来の人工知能のベースになると見ていた。

新しいニューラル・ネットワークを思い描いたのはトロント大学の教授、ヒントンだった。複数の層がそれぞれに異なる情報を抽出し、探しているものが見つかるまでそれを繰り返す。そしてこうした知識をＡＩシステムに組み込むには、コンピューターが自分で学習するようなアルゴリズムを開発するしかない、狭い範囲の一つのタスクがうまくできるように教えるのではなく、ネットワークを使って自分で学習できるようにすればいい、と考えたのだ。

この新たなディープ・ニューラル・ネットワーク（ＤＮＮ）は、進歩した機械学習「ディープラーニング（Deep Learning）」によって、コンピューターが人間と同じような作業を行えることを目指した。その際に、人間の管理を減らす（あるいは完全になくす）ようにした。

すぐに恩恵を受けたのは、スケール（規模）だ。ニューラル・ネットワークでは、いくつかのニューロンがいくつかの選択をする。だが、層が増えることで選択肢は急激に増える。言い換えると、人間は個別に学習するが、人類は集合的に学ぶ。大規模なニューラル・ネット全体が学習すると想像してみてほしい。しかも、時間が経つにつれてスピードが速くなり、効率がよくなり、コストがかからなくなっていく。

もう一つの利点は、システムに自己学習させることによって、人間の認知能力や想像力の制限を受けなくなることだった。人間の脳には、代謝や化学物質に関する閾値《いきち》【訳注/何らかの変化が起きる最小量のこと】があり、私たちの頭の中の湿ったコンピューターの処理能力には限界がある。私たちは独自に目覚ましい進化を遂げることはできず、現在の進化に必要な期間は、テクノロジーの野心にまったく合うものではない。ディープラーニングによってもたらされるのは知能そのものの進化の加速であり、人間はその進化に一時的にかかわるにすぎない。

ディープ・ニューラル・ネットでは、人間からデータに関する基本的なパラメーターのセットを与えられる。すると、システムが多層処理を利用してパターンを認識し、独自に学習を行うようになる。研究者にとって、ディープラーニングの魅力は、機械が予測不能な判断をするように設計されている点にある。私たち人間が想像もしなかったような考え方、あるいは私たちには不可能な考え方をするのは、いまだ答えが見つからない大きな問題を解こうとするときにとても重要になってくる。

ＡＩ研究者たちは、ディープ・ニューラル・ネットワークを「主流から外れたところで研究している科学者たちの意味のない戯言」として切り捨てた。ディープラーニングのプログラムが並列的な構成になっていて、研究者たちがリアルタイムで観察できないと知ると、彼らはさらに疑いの目を向けた。誰かが実際にシステムをつくり、その機械の判断が正しいと信じる必要があった。

ヒントンは、ルカンやベンジオ、さらには学生たちと一緒に研究を続け、二〇〇六年から論文を発表した。二〇〇九年には、ヒントンの研究室はディープ・ニューラル・ネットを音声認識に適用し、リー・ディンというマイクロソフトの研究者との偶然の出会いがきっかけとなって、その技術が意義ある目的で使われることになる。リーは、中国出身のディープラーニングの専門家であり、大規模なディープラーニングを使った音声認識のパイオニアだった。

二〇一〇年には、この技術はグーグルでもテストされた。それからわずか二年後に、ディープ・ニューラル・ネットは実際の商品に使われるようになった。もしあなたがグーグル・ボイス(Google Voice)を使ったことがあれば、あれがディープラーニングである。その技術は今日使われているデジタルアシスタントの基礎となっている。Ｓｉｒｉ（シリ)、グーグル、アマゾンのＡｌｅｘａ（アレクサ）にはすべて、ディープラーニングが利用されている。

専門分野の垣根を越えた研究者からなるＡＩのコミュニティーは、ダートマスの夏のワークショップを機に大きく成長していた。だが、主な慣習は、あまり変わっていなかった。大手テクノロジー会社と学術研究者が協働すること、商業的な成功がＡＩの進歩を促進すること、そして研究者のネットワークは同種の人たちに偏りがちである、という三点だ。

アメリカでのＡＩの進捗を中国は把握していた。まだ生まれたばかりではあったものの、中国でも独自のAIの生態系《エコシステム》が育っていて、政府は研究者たちが論文を発表することを奨励していた。二〇一〇年から二〇一七年のあいだに、中国でのAIに関する論文の数は倍増している。[注35] もちろん、論文や特許の存在がその研究の広い実用性に直結するとは限らない。それでも中国では、リーダーたちが西洋での進歩にいかに動揺していたかがわかる。とくに囲碁については注目していたのだろう。

ディープマインドとアルファ碁

二〇一四年までに、グーグルはAIに対して重点的に投資をするようになった。五万ドル以上の資金を投じて、勢いのあるディープラーニングのスタートアップ企業を買収したのもその一環である。ディープマインド（DeepMind）という会社だ。

ディープマインドの創業者は、神経科学者であり、かつてチェスの神童ともいわれていたデミス・ハサビス、機械学習の研究者シェーン・レッグ、起業家のムスタファ・スレイマンの三人。そして彼らが、AlphaGo（アルファ碁）というプログラムをつくったのだ。

数カ月のうちに、彼らはアルファ碁を人間と対局させることにして、ディープマインドとファン・フイ（Fan Hui）との対戦が企画された。フイは中国生まれの棋士で、ヨーロッパ最強のプロ棋士の一人だった。コンピューターとの対局は人間相手に碁を打つのとは勝手が違うため、ディープマインドの技術者の一人が、コンピューターの決めた動きを盤上に再現し、フイの着手をコンピューターに伝えるという方法が採用された。

対局に先駆けて、英国囲碁協会の役員の一人であるトビー・マニングが、アルファ碁とテスト対局を行い、一七目負けている。マニングはいくつかミスをしたが、プログラムのほうもそれは同じだった。うす気味の悪い考えがマニングの頭をよぎった。もしかしたら、アルファ碁はわざと手を抜いているのではないだろうか？　相手を完敗に追い込まず、でも十分に勝てるよう、力を加減しているのではないだろうか？

ファン・フイとアルファ碁との対局が始まった。ピンストライプのボタンダウン・シャツに茶色い革のジャケット姿のフイが席につく。テーブルの反対側に技術者が座り、マニングは二人のあいだの席についた。フイは水の入ったボトルの蓋を開け、盤面を見つめた。黒番の彼が、最初に石を置く。開始から五〇手までは、進行は穏やかだった。フイは明らかに、アルファ碁の強みや弱点を見極めようとしていた。一つわかったことがあった。ＡＩは劣勢にならない限り、積極的なプレーをしない。初戦は接戦となり、アルファ碁が一目半の僅差で勝った。

フイは、この情報を生かして、二局目に臨む。アルファ碁が攻勢に出ないのなら、自分が早めに攻めようと思ったのだ。ところが、アルファ碁もペースを速めてきた。フイは、一手一手のあいだに、もう少し考える時間をとればよかったと、のちに述べている。一四七手目で、フイは自身の大きな陣地がアルファ碁に取られそうになるのを防ごうとしたが、ミスをして投了を余儀なくされた。

三局目になると、フイはさらに積極的に攻め、アルファ碁も同じように交戦した。中盤でフイが打ちすぎた手をアルファ碁は見逃さず、フイはさらに失着を重ね、事実上、勝負がついたようなものだった。フイは、中座して外の空気を吸いに出た。そして、戻って対局を再開したが、やはりストレスで冷静さを失ってしまった。対してAIは、目的を達成するために情け容赦なく邁進した。AIプログラムのアルファ碁は、プロの囲碁棋士を五対〇で負かした。しかも、IBMのディープ・ブルーと比べて石の配置を分析する回数も桁違いに少なかった。アルファ碁が人間に勝ったとき、ゲームをしているという自覚も、ゲームが何を意味するかも、なぜ人はゲームを楽しいと感じるのかも理解していたわけではない。

韓国の高段者のプロ棋士ハンジン・リーは、あとから対局を振り返り、公式な見解を出している。「私の印象では、アルファ碁はフイより強いです。ですが、どのくらい強いかは判断できませんでした。相手が強いと、それに応じてアルファ碁も強くなるのではないでしょうか」[注36]

AIにとって、ゲームに集中すること――人間と戦って勝つこと――は、自らの能力のほんの一部を見せつけるにすぎない。このことが、現代のAI時代を生きる私たちを、さらにややこしく哲学的な質問へと向かわせる。

AIのシステムに勝たせるためには、つまりこちらが設定したゴールを達成させるためには、人間は些細な敗北と深い敗北の両方を味わわなければならないのだろうか?

アルファ碁ゼロ

アルファ碁は対局を重ね、すばらしい手筋で対局相手を次々に打ち負かし、プロ棋士たちの戦意を喪失させていった。そして、アルファ碁が世界チャンピオンを三対〇で破ると、ディープマインドはこのAIシステムをプロ棋士との対戦から退かせると発表した。[注37] ディープマインドの開発チームが次に挑戦したのは、優秀な棋士と対戦しながら強くなっていくシステムから、人間に頼ることなく自力で強くなっていくシステムにアルファ碁を進化させることだった。

アルファ碁の最初のバージョンは、人間と十万局対局した際の初期データを通じて囲碁のやり方を覚えた。次の世代のシステムは、ゼロから学習するように設計された。人間のプレーヤーが新しいゲームを覚えるように、アルファ碁ゼロ（AlphaGo-Zero）と名付けられたこのシステムは、何の予備知識もないところから、自分でゲームを覚えなければならなかった。石の役割や石の動きの説明も与えられなかった。計算やプログラムに基づいた判断だけではなく、判断をするための選択も自ら行うように設計されたのだ。注38

これは、ディープマインドの設計者が、無意識のうちに絶大な力を行使していたことを意味する。なぜならアルファ碁ゼロは、彼らから対局中に必要な判断や選択をするための条件や価値や動機を学んだからだ。

ゼロは自分自身と戦い、単独で判断プロセスを調整していった。毎回、対局は数手のランダムな動きで始まり、勝つとゼロはシステムをアップデートして、学んだことを採り入れて最適化し、新たな対局に臨む。アルファ碁が世界最強のプロたちに勝利したのと同じレベルまでアルファ碁ゼロが達するまでに、わずか七〇時間しかかからなかった。注39

その後はさらにおもしろい展開になった。ディープマインドのチームが、その技術をアルファ碁ゼロの二番目のインスタンス【訳注／あらかじめ定義されたコンピューター・プログラムやデータ構造などを、メインメモリ上に展開して処理・実行できる状態にしたもの】に適用し、四〇日間自己対局し、学ばせるようにしたのだ。

すると、人間が蓄積した囲碁の知識全体を再発見したのみならず、アルファ碁ゼロの最新バージョンに、まったく新しい戦略で九〇パーセント勝利した。

つまり、ゼロは世界最強のプロ棋士たちよりもよく学び、人間の指導者よりもよき指導者になったのだが、はたしてどうやってそんなに賢くなったのかについて、私たちはまだ完全にはわかっていないのだ。[注40]

ゼロはどれだけ賢くなったのだろう? 囲碁の棋力は、イロレーティングと呼ばれるもので決められている。過去の対戦成績を見て、相対評価で算出されるものだ。世界チャンピオンであれば、三五〇〇ぐらいのレーティングとなる。アルファ碁ゼロのレーティングは五〇〇〇以上だった。数値だけで比較すると、ゼロにとって世界チャンピオンはアマチュアのように感じられるということだ。統計的に見ると、もはや人間がＡＩに勝つのは無理なのではないか、という気がしてくる。

こうした学び方ができた理由は、明らかになっている。人間の経験や専門知識を用いないことで、ゼロのクリエイターたちは人間の持つ「限界」を人工知能から取り除いたのだ。逆に言えば、人間の関与はシステムの発展を抑制していたということになる。まったく新しい発想で考え、独自の選択をするシステムを設計したことが成功につながった。[注41]

これは予想外の飛躍であり、ＡＩシステムが人間とは違うやり方でがんのスクリーニング検査をしたり、気象データを読み取ったり、貧困を分析したりする未来の前触れとなった。人間の研究者では不可能なブレイクスルーにもつながるかもしれない。

自分自身と対局を続けるうちに、ゼロは人類が一〇〇〇年かけて築いてきた戦略を発見した。つまり、ゼロをつくった人間と同じように考えることを学んだのだ。

初期の段階では、同じ間違いを繰り返し、同じ失敗パターンに陥り、私たちと同じような障害にぶつかっていた。だが、いったん力をつけると、人間のような動きではなく、独自のやり方を見出した。[注42]ゼロは独自の道を進みはじめ、誰も見たことのない戦略を編み出した。私たちに「機械はすでに人間とは異なる考え方を身につけているのかもしれない」と思わせるには十分だった。

ゼロによって、人間が指導しなくてもアルゴリズムで学べることと、人間がＡＩシステムに限界をつくっていたことが証明された。そして近い将来、私たち人間が予想も解決もできない問題に機械が自由に取り組むことになるだろうことも、予感させてくれた。

二〇一七年一二月にディープマインドのチームは論文を発表し、「ゼロはいまや囲碁だけではなく、他の情報も含めて一般的な学習ができるようになった」と述べた。ゼロは自分自身を相手に、チェスや将棋など、囲碁ほどは複雑でないものの、戦略や創造力を要する他のゲームもプレーしていた。そして、以前よりも学習スピードが速くなり、ゲームを始めてから二四時間以内に、超人的な力を開発した。

その後、開発チームは、ゼロのために進化させた技術を「汎用の学習機械」に応用しはじめた。私たちの生物学的なシステムを模してトレーニングができる、適合アルゴリズムだ。

ＡＩシステムを膨大な量のデータとその処理に関する命令で埋め尽くすのではなく、ＡＩに学習の仕方を教えるのである。機械は人間のように疲れたり、飽きたり、気が散ったりすることもなく、一心に目的を達成しようとした。

熱狂的な期待

これは、長いＡＩの歴史の中で、いくつかの意味で決定的瞬間だったといえる。

まず、システムは開発者にも意味がわからないような予想外の動きや判断をした。人間の対局者を破ったが、その方法は再現できたり、完全に理解できたりするものではなかった。将来的にはＡＩが独自の神経経路を生み出し、私たちには理解できない知識を持つのではないかと予感させた。

次に、ＡＩが現在進行形で歩んでいる二本の平行な道が固まった。中国は刺激を受け、資金と人材をつぎ込み、国内の製品をより競争力のあるものにしようとしている。アメリカでは、空想的なＡＩ製品がまもなく市場に出回ることを、人々が期待している。

ＡＩに対する熱狂的な期待の背景には、ディープ・ニューラル・ネットワークとディープラーニングの実現可能性がある。また、いうまでもなく、アメリカで急にＡＩに対する資金投入が増えたことや、中国がＡＩの将来についての宣言を行ったことも関係しているだろう。

アルファベット（グーグルの親会社）傘下のディープマインドには従業員が七〇〇名いる。その中には、できるだけ早く商品を開発するというタスクを担っていた人たちもいた。

二〇一八年の三月、グーグルのクラウドビジネス部門がある発表を行った。ディープマインドを

使った音声変換サービスを、処理されたテキスト一〇〇万文字につき一六ドルで販売するというものだ。注43

二〇一八年のグーグルのI／O会議【訳注／グーグルの年次開発者向け会議】での発表の目玉は、デュプレックス（Duplex）だった。これは電話予約代行機能であり、顧客の代わりに電話をかけ、人間と会話をしてレストランや美容院の予約をしてくれる。「えーと」や「あの」といった言葉も含めて自然な対応ができる。この製品が使っているのはウェーブネット（WaveNet）というAIプログラムで、ディープマインドの一部だ。注44

またアルファベットの別の部門、グーグル・ブレイン（Google Brain）のAI研究者たちは、自分たちでAIを生み出すことのできるAIをつくりだしたと発表した。オートML（Auto ML）と名付けられたシステムで、「強化学習（reinforcement learning）」という技術を使って機械学習モデルを自動化したものだ。

オートMLは「親（parent）」のような役割を果たし、最高レベルの制御DNN（ディープ・ニューラル・ネットワーク）として、特定の細かいタスクを行う「子（child）」AIネットワークを開発する判断をする。

オートMLは指示を出されなくても「NASNet」という子を生み出し、その子に対して、ビデオを見ながら、人、車、交通信号、ハンドバッグ等を認識するよう教えた。どんなに優秀な科学者にもある程度は見られるストレス、エゴ、疑念、自信のなさなどの影響を受けないNASNetは、画像の予測で八二・七パーセントという正解率を出した。「子」システムは、もともとの「親」

をつくった人も含め、人間を凌《しの》いだということだ。注45

こうしたシステムを設計するチームは、男性に率いられているケースが圧倒的に多い。ただし、ダートマスに集ったチームに比べると多様性が見られる。その理由は、中国にある。近年、中国はＡＩの重要な拠点になっている。政府が、大学や、バイドゥ、アリババ、テンセントといった企業に多額の資金をつぎ込んでいるのだ。

バイドゥは、ゼロにさえできなかったことを可能にした。一つのドメインから別のドメインに技術を移行する方法だ。人間にとっては簡単なことだが、ＡＩにとっては難しい。

バイドゥは障害を取り除くのに、ディープ・ニューラル・ネットに二次元の仮想世界を教えた。親が子どもに話すように、自然言語だけを使って説明したのだ。バイドゥのＡＩエージェントには「リンゴまでナビゲートしてください」や「リンゴとバナナのあいだのグリッドを動かせますか?」といったコマンドが与えられる。すると、正しい反応が返ってくる。単純なことに思えるかもしれないが、実はそうではない。

実験が終わるころには、バイドゥのＡＩは、それまで自分にとって意味がないと判断していた言葉を理解しただけでなく、二次元グリッドとは何かまでわかるようになった。また、二次元グリッドのまわりを動く方法や、バナナやリンゴが存在すること、さらにはそれぞれの見分け方まで学んだのである。

＊＊＊

この章の初めに、私は四つの質問をした。「機械は考えることができるのか？」「機械が『考える』とはどういうことか？」「この本を読んでいるみなさんにとって、考えるとはどういうことか？」「自分自身で考えていると、どうしてわかるのか？」

ＡＩの基礎を築いた人たち、現在も続いているＡＩをめぐる慣習についてひととおりわかったところで、これらの質問に対していくつか答えを出してみたいと思う。

最初の質問。「イエス」――機械は考えられる。機械は、チューリング・テスト、あるいは最近のウィノグラード・スキーマ・チャレンジ（Winograd Schema）にも合格している。

ウィノグラード・スキーマ・チャレンジというのは、二〇一一年にヘクター・レベスクが提案したテストで、ＡＩに向かって曖昧な代名詞を使った簡単な質問をして、常識を問うものだ。さまざまな分野におけるＡＩの能力を測るものではなく[注46]、言語のフレームワークで人間のように考えられるかどうかを見るためのテストである。

アインシュタインが天才だったということは、誰もが認めるだろう。たとえ学校の試験がアインシュタインに「劣等生」の烙印を押していたとしても、私たちの認識は変わらない。アインシュタインは教師の理解を超えた考え方をしていたので、先生たちは彼を頭のいい生徒とは考えなかっただけだ。アインシュタインの考え方がいかに優れているかを測る手段が当時はなかったのだ。ＡＩ

にも同じことがいえる。

二つ目の質問の答え。考える機械には、現実世界に影響を与える判断や選択ができる。それを行うには目的とゴールが必要だ。最終的には、判断の感覚を身につけるだろう。哲学者と神学者によると、これは「魂を形づくる資質」だという。魂は、神のビジョンと意志の表明であり、創造主によってつくられ、授けられたものだ。考える機械にも、創造主（クリエイター）がいる。それはＡＩの新しい神ともいえ、ほとんどが男性だ。大半はアメリカ、西欧、中国に住んでいて、どこかでビッグ・ナインと結びついている。ＡＩの魂は、彼らの未来に対するビジョンと意志の表明なのだ。

そして、最後の答えも「イエス」だ。考える機械は、独自の考えを持つことができる。経験から学習して、別の解決法が可能だと判断するかもしれない。あるいは、新しい分類が最適だと判断するかもしれない。ＡＩは特別なことをしなくても、自らがクリエイティブだと示すことができる。ということは、ＡＩ機械の中には心があるということになる。ＡＩはまだ若く、成熟段階にあるが、おそらく私たちの理解を超えた進化を遂げるだろう。第二章では、何がその心を構成しているのか、ビッグ・ナインの価値観、そしてＡＩの進化にともなう予想外の社会的、政治的、経済的な今後の成り行きについて見ていくことにする。

第二章　限られた人々からなるＡＩの種族《トライブ》

何世紀にもわたって続けられてきた「考える機械」をつくる努力は、最近になってようやく大きな進展を見た。だがこうした機械は、「考えている」ように見えても、私たち「人類」と同じように考えているわけではない点は、はっきりと認識すべきだろう。

ＡＩの未来は、孤立した集団内で似たような考えを持っている少数の人たちの手に握られている。繰り返しになるが、私は彼らを善意の人たちだと信じている。ただ、一般に孤立した集団の中でだけ仕事をしていると、無意識のバイアスや近視眼的なものの見方が強くなり、時間が経つにつれ、それが容認される傾向がある。過去には違和感を覚えたり、場合によっては間違っているとさえ思っていたりした考え方が、いつに間にかあたりまえになっていくのである。

そうした考え方が、私たちの機械にプログラミングされている。

ＡＩの仕事に携わっている人たちは、一定の種族《トライブ》に属しているといえよう。住んでいるのは北米か中国だ。通っていた大学も似たりよったりで、一定の社会的ルールに従う。こうした種族《トライブ》のメンバーは同質だ。裕福で教養があり、大半は男性である。役員やシニア・マネジャーといったリーダーたちは、少数の例外を除いて全員が男性だ。この同質性は中国でも同じである。

こうした種族《トライブ》の問題点は、大きな影響力を持っていることだ。孤立したグループでは、認識のバイアスが拡大されるとともに、気づかないうちにいつの間にか定着してしまう。それが理性にとって代わり、考える力を低下させ、エネルギーを奪う。種族《トライブ》として確立されてくると、ますます集団としての考えや振る舞いがふつうのことのように思えてくる。この先を読むのに、このことは覚えておくといいだろう。

ところで、ＡＩの種族《トライブ》はいったい何をしているのだろうか？　彼らは特化型人工知能（ＡＮＩ＝Artificial Narrow Intelligence）システムをつくっている。特定のタスクを人間と同じぐらいか、もっとうまく行うことができるシステムだ。商業的なＡＮＩは、メールの受信ボックス、インターネット検索、携帯電話での写真撮影、車の運転、クレジットカードやローンの申請といった分野で、私たちのために適切な判断を行っている。

彼らは同時に、汎用人工知能（ＡＧＩ＝Artificial General Intelligence）システムも開発している。ＡＮＩより汎用的なタスクをこなし、私たちのように考えるよう設計されている。

だがＡＩシステムがモデルにしている「私たち」とは厳密には誰のことなのだろうか？　誰の価値観や理想、世界観がＡＩに教えられているのだろう？

端的にいうと、あなたではないし、私でもない。人工知能は、それを開発する種族《トライブ》の心を持っている。クリエイターの価値観、理想、世界観を優先しているのだ。いっぽうで、ＡＩ自身の「心」も発達してきている。

種族《トライブ》のリーダー

ＡＩの種族《トライブ》にはおなじみの人気スローガンがある。「なるべく早く、たくさん失敗しなさい」というものだ。似たような言葉で「素早く行動し、破壊せよ」というのもあり、これは最近までフェイスブックのモットーだった。

ミスをしたり失敗を受け入れたりすることは、アメリカの巨大企業のやり方とは対照的だ。リスクを避け、カタツムリのような歩みで、立派な目的に向かっていくのが巨大企業のビジネスの常識だからだ。だが、ＡＩのような複雑なテクノロジーは、まず試してみて、何度も失敗してから正解を見つけることが必要なのだ。

とはいえ、そこには問題もある。ビッグ・ナインの間に蔓延している言葉には次のようなものもある。

「まずはつくって、あとから許しを請え」

最近、許しを請う場面をよく目にするのではないだろうか。フェイスブックはケンブリッジ・アナリティカとの関係によって起きたデータ漏えい問題について謝罪した。事件が報道されると、二〇一八年九月に、フェイスブックは五〇〇〇万人のユーザーの個人情報が流出したと発表した。デジタルの歴史が始まって以来、最大の情報漏えいの一つだ。だがフェイスブックの役員たちは、ユーザーに即座に知らせるという判断をしなかった。[注1]

一カ月後、フェイスブックはアマゾンのエコー・ショー（Echo Show）に対抗して、ビデオ通話ができるディスプレイ端末「ポータル（Portal）」を発表した。そこで、個人情報保護に関する方針を再度明確にしなければならなかった。もともとフェイスブックは、この「ポータル」では、ユーザー向けのターゲット広告を表示するために個人情報を集めることはないとしていた。だが、ジャーナリストに詰め寄られると少し話が変わってきた。

つまり、ポータルでは広告を表示するために個人情報を使用することはないが、デバイスを使うたびにデータは集められている。あなたが誰に電話をしたのか、スポティファイでどの曲を聴いているのかといったデータを、のちにフェイスブックの広告や他のネットワークで使用する可能性があるというのだ。[注2]

二〇一六年四月、グーグル・ブレインのプロジェクトの責任者、ジェフ・ディーンは、レディット（Reddit）の「何でも聞いて（Ask Me Anything）」のセッションでは、女性と白人以外の男性全員が除外されていた、と発表した。意図的なものではなく手違いによるものだったという。私も、それを信じている。単に主催者が、セッションを多様化する意識を欠いていたのだろうと思う。ディーンは、自分は多様性を重んじていて、グーグルは今後もっと努力しないといけない、と語った。[注3]

グーグル・ブレインのレジデンシー・プログラムで気に入っているのは、研修生が幅広いバックグラウンド、多岐にわたる専門性（たとえば物理学者、数学者、生物学者、神経科学者、電気エンジニア、コンピューター・サイエンティストなどがいる）や、その他さまざまな多様性を持ち込んでくれることだ。私の経験では、専門分野の異なる人たちや異なる視点を持った人たちが集まると、個人ではできなかったことを達成できる。一人の人間が必要な技術や視点をすべて持ち合わせていることなどないからだ。注4

二〇一八年六月、グーグルはダイバーシティ・レポートを発表し、その中で初めてカテゴリー別に従業員を分類したデータを掲載した。それによると、世界中の全従業員の六九・一パーセントが男性だという。

またアメリカでは、黒人の従業員はわずか二・五パーセントで、ヒスパニック、ラテンアメリカ系は三・六パーセントだった。二〇一四年の統計では、黒人が二パーセント、ヒスパニック、ラテンアメリカ系は三パーセントだったので、技術者を多様化する必要があると訴えた声明から数年経っても、数字はほとんど変わっていないことになる。注5

評価すべき点もある。グーグルは近年、無意識バイアスに対する取り組みを行っている。従業員たちはワークショップやトレーニングを通じて、自分が意識していないところで形成される、ジェンダー、人種、外見、年齢、教育、政治、富に対する社会的な固定概念や深く根付いた習慣について学んでいる。

しかし、こうしたトレーニングには批判的な意見もある。ある黒人の女性従業員は、「トレーニングは差別や不平等を指摘するものではなく、人間関係や感情といった話が中心でした。多様性に

ついての取り組みは『やるべきリストの一つ』にすぎないという印象を従業員に与えたと思います」と述べている。注6

また、このトレーニングが行われた年には、グーグルで管理職に就いている人たちの問題行動が話題になった。

アンディー・ルービンはグーグルの主力製品、アンドロイド・モバイルオペレーティングシステムをつくりだした人物だが、女性スタッフがルービンからオーラル・セックスを強要されたと訴えたために退職を余儀なくされた。退職にあたって、グーグルはルービンに九〇〇〇万ドルを支払った。毎月二五〇万ドルを二年間、続く二年間は毎月一五〇万ドルを支払いつづける、という内訳だ。

グーグルの研究開発部門、「X課」の責任者、リチャード・ドバウルは、就職面接に来た女性にセクシャル・ハラスメントを行った。自分と妻との関係は「オープン・マリッジ」だと言い、テック・フェスティバルに参加すればトップレスで背中のマッサージをしてあげるとその女性に迫ったという。結局、彼女は採用されなかった。ドバウルは謝罪を求められたが、退職には追い込まれなかった。

グーグル・サーチの運営を担当しているグーグルのヴァイス・プレジデントは、女性従業員から痴漢行為を行ったと糾弾された。その指摘には信ぴょう性があったのでそのヴァイス・プレジデントは解雇されたが、その際数百万ドルの解雇手当が支払われた。

二〇一六年から二〇一八年にかけて、グーグルはひそかに一三人の管理職者をセクシャル・ハラスメントで退職させている。注7

こうした結果を見ると、無意識バイアスのトレーニング・プログラムは、テクノロジー企業や、そこに出資しているベンチャー投資会社に対してあまり効果がなかったことがわかる。トレーニングを受けても、その直後は無意識のバイアスについて意識するかもしれないが、必ずしも自らの態度を変えようと動機づけられるまでにはいかないからだ。

技術者たちのコミュニティー内に多様性が欠けているという話題の中心は、ジェンダーと人種である。だが、それだけでなく、政治イデオロギーや宗教も軽視される傾向にある。

スタンフォード大学経営大学院の二〇一七年の分析によると、テクノロジー企業の六〇〇名以上のリーダーや創業者たちを対象に調査を行った結果、圧倒的多数が自らを進歩的な民主党支持者だと回答した。二〇一六年の選挙では、ヒラリー・クリントンを支持している。彼らは、富裕層に高い納税率を課すことを支持し、妊娠中絶の選択を尊重し、死刑には反対、銃砲規制を求め、同性婚は合法化すべきだと考えている。[注8]

どの業界についても同じことがいえるが、グーグル、アップル、アマゾン、フェイスブック、マイクロソフト、ＩＢＭの上層部たちがアメリカ人全体を代表しているわけではない。だが、これらの企業には、他の業界の企業との決定的な違いがある。それは、これら六つの企業は、人々に利益をもたらすべく、自律的な意思決定システムをつくっているという点だ。

批判をしているのは女性や非白人だけではない。意外にも、保守派や共和党の熱烈な支持者たちも声を上げている。二〇一八年に、共和党全国委員会はマーク・ザッカーバーグに手紙を出し、フェイスブックは保守派のアメリカ人に対する偏見があると抗議した。

ここに、その一部を抜粋する。

「ここ数年、フェイスブックが保守的な発言を抑制しているのではないかとの懸念の声が上がっています。（中略）そこには保守的なニュースに対する検閲も含まれます。（中略）保守派のジャーナリストやグループのコンテンツを、フェイスブックがブロックしているという無数の訴えを聞き、不安を感じています[注9]」

この手紙には、共和党全国委員会（ＲＮＣ）のロナ・マクダニエル委員長と、二〇二〇年の米大統領選でトランプ陣営の選挙対策本部長を務めるブラッド・パースケールが署名していた。彼らは、どのユーザーに対して政治広告を見せるのか、その判断を行うアルゴリズムを明らかにしてほしいと要求し、保守的なコンテンツやリーダーに対する偏見の見直しを求めた。

マクダニエルとパースケールが的はずれなことを言っているわけではない。二〇一六年の白熱した選挙の最中、フェイスブックのスタッフは「実際に」意図的にプラットフォームの操作を行い、反クリントンの記事がトレンドに上がってきていたにもかかわらず、保守的なニュースを除外した。「ニュース・キュレーター」と呼ばれていた何名かは、ニュースフィードにまったく話題になっていない、いくつかのニュースを「投入する」よう指示されたという。また、ランド・ポールなどの共和党候補者に関する好感度の高い記事は表示されないようにした。フェイスブックのニュース・キュレーション・チームは主に東海岸のアイビーリーグ出身の少数の記者で構成されていた。そして公平を期すためにいうと、そのことが現在、長きにわたって保守派が主張してきた言説の価値を直接的に高めている。

二〇一八年八月、フェイスブックの従業員一〇〇名以上が、「異なる見解に不寛容な政治的モノカルチャー」に対して、社内のメッセージボードを使って不満を表明した。シニア・エンジニアのブライアン・アメリジはそこにこう書き込んだ。「私たちは『あらゆる見方を歓迎する』と言いながら、左寄りのイデオロギーに反対する人々を素早く——たいていは集団で——攻撃している」[注10]

多様性について謝罪し、改善を約束したからといって、ＡＩの生態系《エコシステム》を構成するデータベースやアルゴリズムやフレームワークに多様性が反映されるとは限らない。発言が行動に反映されないのであれば、結果として反人間主義的な偏見を反映したシステムや製品の生態系《エコシステム》が生まれる。実例をいくつか紹介しよう。

二〇一六年、シリコンバレーのショッピングモールで、ＡＩの警備ロボットが、一歳四カ月の幼児に激突した。[注11] また、『エリートデンジャラス（Elite: Dangerous）』というビデオ・ゲームのＡＩシステムは、ゲームのクリエイターたちが想像もしなかったような、プレーヤーの進行を阻害する武器を開発した。[注12]

ＡＩの安全性についての問題は山積みだ。自動運転車が赤信号で直進したり、歩行者を死亡させたりした例もある。データマイニングで犯罪を未然に防ぐ「予測警備（プレディクティブ・ポリシング）」アプリケーションは、容疑者の顔認識に間違いが多く、罪のない人が誤認逮捕されることがある。ほかにも、私たちが気づいていない問題は数え切れない。自分が影響を受けていないから認識できていないだけだ。

問題は大学

真に多様性のあるチームでは、メンバーに共通するものは一つしかない。「素質」だ。素質で選べば特定のジェンダー、人種、民族に偏ることはないし、政治や宗教に関してさまざまな見解があるのは当然のことだ。

ＡＩの種族《トライブ》が同質であることがビッグ・ナイン内で問題になっているが、実はこの問題はもっと前から始まっている。ＡＩの種族《トライブ》が形成される大学でだ。

種族《トライブ》はみんなが共通の目的やゴールを目指し、同じ言葉を話し、同じような熱意を持って働いている濃密な社会的環境の中で育まれる。そこで集団としての共通の価値観や目的意識が芽生えるのだ。種族《トライブ》は軍隊、医大、ミシュランの星を獲得しているレストランの厨房、女子学生の社交クラブといったところで形成される。彼らは一緒に試行錯誤し、成功や失敗や苦楽をともにする。

人工知能以外の分野での例を見てみよう。

一九七〇年代から八〇年代にかけて、サム・キニソン、アンドリュー・ダイス・クレイ、ジム・キャリー、マーク・マロン、ロビン・ウィリアムズ、リチャード・プライヤーといったコメディアン全員が、クレストヒル・ロード８４２０番地に住んでいたことがある。ロサンゼルスで伝説のコメディ・ストアとなった場所のすぐ近くだ。彼らは当時、ステージでなんとか出番を確保しようとしていた。まだボブ・ホープが人気だった時代だ。彼は「再考の余地はない。初見ですべてがわかる。女性に限っては」[注13]といったジョークをテレビで披露していた。

若い種族《トライブ》たちは、前の世代の人たちが磨いてきた独特のユーモアを拒絶した。根本的に価値観が違ったのだ。彼らはタブーを破り、社会的不公正に対抗し、客席にすわる観客の体面を傷つけるような超現実的な話をした。互いに見開きしたことを持ち寄り、切磋琢磨した。ステージがウケなかったときには、なぐさめ合った。新しいことを試しては、学び合った。これらの革新的ですばらしいコメディアンたちが、未来のアメリカのエンターテインメントの基礎を築くことになった。[注14]彼らの影響力は、いまだに健在だ。

ＡＩも同じような変革を遂げてきた。それは同じ価値観、アイデア、目標を共有する現代の種族《トライブ》がいたからだ。

前述したディープラーニングの三人のパイオニア――ジェフリー・ヒントン、ヤン・ルカン、ヨシュア・ベンジオ――は、いわばディープ・ニューラル・ネット黎明期のＡＩ界のサム・キニソンやリチャード・プライヤーといえよう。

ルカンはトロント大学のヒントンのもとで学んだ。カナダ先端研究機構（ＣＩＦＡＲ）の数人の研究者もいて、その一人がヨシュア・ベンジオだった。彼らは膨大な時間を一緒に過ごし、アイデアについてあれこれ話し合い、理論を試し、次世代のＡＩをつくりだした。「とても小さなコミュニティーでしたが、私たちは頭の片隅で、いつかニューラル・ネットが注目されると考えていたのです」とルカンは言っている。「公表できるまでにアイデアを発展させるには、小規模なワークシ

ヨップやミーティングができる安全な場が必要でした」注15

種族《トライブ》としての絆は、ともに挫折や成功を味わうことで強化される。共有体験が共通言語となり、似たような考えや態度やゴールを持つことにつながっていく。スタートアップ企業の物語、政治運動、文化的集団なども同じように始まることが多い。友人たちが寮の一室、家、ガレージなどに集まって一つのプロジェクトに熱中していた、というわけだ。

現代のAIビジネスの発祥地はシリコンバレー、北京、杭州、深圳《シンセン》かもしれないが、AIの種族《トライブ》の生命の源は大学にある。アメリカではカーネギーメロン大学、ジョージア工科大学、スタンフォード大学、カリフォルニア大学バークレー校、ワシントン大学、ハーバード大学、コーネル大学、デューク大学、マサチューセッツ工科大学（MIT）、ボストン大学、マギル大学、モントリオール大学などだ。こうした大学は産業界との結束も強く、多くの学術的な研究グループの活動の場にもなっている。

あらゆる種族《トライブ》はルールや慣習に基づいて行動するものだが、どんな人たちがAIの種族《トライブ》に加わるか見てみよう。まずは、厳格な大学教育から始まる。

北米では、ハードスキル（体系立った知識）に重きが置かれている。たとえば、プログラミング言語の「R」や「Python」、自然言語処理と応用統計学、コンピューター・ビジョン【訳注／コンピューターに取り込んだ画像情報から必要な情報を取り出す技術】、計算生物学、ゲーム理論についての知識などがこれに当たる。「心の哲学」とか、「文学におけるイスラム教徒の女性」とか、「植民地政策」といった、種族《トライブ》になるために必須でない講義を選ぶのは、あまりよく思われない。人間と同じように考える機械をつくろうとしているのに人間について学ばないのはおかしい、と思われるかもしれないが、現在のところ、こうした講義は意図的にカリキュラムから外されていて、選択科目として組み込むのも時間的に難しい。

種族《トライブ》は技術力を求めるので、学部生の四年間で詰め込むべきものは多い。たとえばスタンフォード大学では、学生たちは数学、科学、工学を五〇時間、コンピューター・サイエンスを一五時間履修することになっている。履修科目に倫理学の授業はあるものの、五コマの選択肢のうちの一コマだ。[注16]

カーネギーメロン大学は、二〇一八年にＡＩ専門の学士課程を新設し、ＡＩ専攻を一から立ち上げることになった。だが種族《トライブ》のルールや慣習は変わらず、ハードスキルに重点が置かれた。倫理学の講義が一コマあり、人文学と芸術の講義も数コマあるものの、すべて主に神経科学（たとえば認知心理学、人間の記憶、視覚の認知）に焦点を合わせている。ＡＩと人間の心という観点から見れば、理にかなっているのかもしれない。

だが、「データセットの中のバイアスを探知する方法」「意思決定に哲学を適用する方法」「受容の倫理学」といった必修科目はない。コミュニティーにとって社会的・社会経済的な多様性が生物の多種多様性と同じぐらい大切だということを、きちんと教える授業はない。

技術は経験に基づいて指導される。つまりＡＩについて学ぶ学生たちは、教科書を読むことに没頭しているわけではない。学ぶには語彙のデータベースや画像のライブラリやニューラル・ネットが必要となる。

一時、大学で人気のあったニューラル・ネットは「ワードトゥーヴェック（Word 2vec）」というもので、開発したのはグーグル・ブレイン・チームだった。これは二つの層からなるシステムで、テキストを処理し、そこに書かれている文字をＡＩが理解できる数字に変換するというものだ。[注17]

たとえば、「男が王様になるなら、女は女王様になる（A man is to king as woman is to queen)」という文章をシステムが学んだ。すると「父親が医者なら、母親は看護師（A father is to Doctor as mother is to nurse)」「男性がコンピューター・プログラマーになるなら、女性は専業主婦になる（A man is to computer programmer as woman is to homemaker)」という文章をつくりだした。[注18]

学生たちが目にするシステム自体が、すでにバイアスのかかったものだったのだ。性差別的な記号《コード》の意味を分析したいと考えても、それを学べる講義はない。

二〇一七年から二〇一八年、いくつかの大学では、ＡＩが引き起こした問題に対応するかたちで、新たに倫理学の授業を採り入れた。ハーバード大学にあるバークマン・センターとＭＩＴメディアラボは、倫理学とＡＩの規制に関する新しい科目を共同で開講した。[注19]

プログラムと講義はすばらしかったが、[注20]この科目は各大学のコンピューター・サイエンスの範囲外で実施された。つまり、カリキュラムには取り入れられなかった。

確かに、AIの専門知識を教える大学では、倫理学が必須になっている。大学の評価認証基準にも記載されている。米国工学系高等教育課程認定機関（ABET）として認定されるためには、コンピューター・サイエンス・プログラムが「専門的、倫理的、法的、社会的、そして安全面の問題と責任を理解し」「個人、組織、社会に対する局所的およびグローバルな影響を分析できるための」指導を行わなくてはならない。

だが、経験からいうと、こうした内容を基準に沿って評価するのは難しく、主観的に行うしかない。特に、全員が受講する必修科目もない状況では、なおさら難しい。

私は米国ジャーナリズム教育認証評議会（ACEJMC）のメンバーである。ジャーナリズムとマスコミュニケーション・プログラムのカリキュラムでは、人文学に焦点が置かれている。これは報道やライティング、メディア制作と同じようにソフトスキルだと思われるかもしれないが、私たち研究者は、多様性の問題も含めて、社会問題や責任についての自らの基準を満たすのにも苦労している。そして、私が所属する認証評議会に限ったことではなく、他の認証評議会でも、学校は多様性に関するコンプライアンス基準を満たさなくても認可される。

大学の評価認証基準を厳守することなしに、あるいは各大学が問題に対して真剣に取り組むことなしに、AIのようなハードスキルのカリキュラムが問題解決に役立つとは思えない。

大学の講義はかなり難しく、さらにビッグ・ナインに入社するためには激しい競争に勝ち残る必要がある。選択科目で「アフリカ文学」や「公共サービスの倫理」の講義を取れば、AIの仕事をするにあたって間違いなく視野が広がるだろうが、生態系《エコシステム》を成長させつづけることのプレッシャーは大きい。企業に利益をもたらしてくれる、即戦力となりうる人材を見つけるために、採用担当者は「技術を習得した」という証拠を求める。人類についての世界観を広げるような選択科目は、就職活動ではおそらく有利には働かないだろう。

ビッグ・ナインは、AIを使ってハードスキルを特定するキーワードを探し、履歴書を選別している。AIは、専門分野以外の科目を変則だと判断することもあれば、そうした科目を取っていた者を候補から外す場合もある。

AIが履歴書を選別する際の偏見は、人種やジェンダーにとどまらない。哲学、文学、理論物理学、行動経済学に対しても偏見があり、AIの従来の範囲外の選択科目を履修している候補者は優先されない傾向にある。

AI種族《トライブ》の採用システムは、大量の履歴書に目を通すという手間のかかる作業を自動化しているため、多様性に富む、望ましい学術的バックグラウンドを持つ候補者は後回しにされる恐れがある。

学術的リーダーたちは、幅広いカリキュラムを学生に要求していないにしても（実際にしていない）、必修の倫理学の講義があるから十分だと言うだろう。比較文化や世界の宗教といった人文科学の授業を追加すると、必要な技術習得の時間が確保できなくなるからだ。学生たちも、一見すると無関係に思える講義を強要されることに苛立つだろうし、企業側も一流の技術を身につけている学生を欲しがる。選りすぐりの学生を獲得しようとする熾烈な競争がある中で、カーネギーメロンやスタンフォードといった名声のある大学が、成功を台無しにしかねないことをするだろうか？　テクノロジーは、学究的な世界よりもずっと動きが速い。ＡＩを専攻する学生のためにつくられた倫理学の講義の教材は最新で他のカリキュラムにも効果をもたらすものでない限り、目的を達することはできない。

カリキュラムを変えるのが難しいなら、教授陣に変化を起こすのはどうだろう？　問題に対処すべく、彼らに権限を与えるのはどうだろうか？　それが大々的に実施されることはなさそうだ。というのも、教えていることの技術的、経済的、社会的価値観を問うためだけにわざわざシラバスを変えようとはしないからだ。そのために教授たちの貴重な時間が奪われ、教師としての人気を落とすことにもつながるかもしれない。

大学は卒業生の輝かしい就職実績を維持したいと考え、企業はハードスキルを持つ学生を欲しがる。ビッグ・ナインは大学とパートナー関係にあり、大学はその資金や資源に頼っている。そうはいっても「あなたの『顔』は誰のものなのか？」といった難しい問題、つまり、プライバシーや個人のアイデンティティにかかわる問題などは、製品の締め切りや利益目標に追われる前に、学生であるあいだに安全な教室で議論されるのが最適に思える。

ＡＩの種族《トライブ》が大学で形成されているのなら、他の職業に比べて多様性が乏しいのにも納得がいく。企業の役員たちは、職場の多様性が乏しいことを「パイプラインの問題」だとして大学に批判の目を向ける。これは完全に間違っているとはいえない。ＡＩの種族《トライブ》は教授が教室や研究室で学生に指導し、学生たちが研究プロジェクトや課題で協力し合うことで生まれる。教授たち、ＡＩを研究するリーダーたちは圧倒的に男性が多く、そもそも多様性に乏しいからだ。

大学では、博士候補者には三つの役割がある。研究に協力すること、学部生を指導すること、そして先進的な研究を率先して行うことだ。

米国教育統計センターの最近のデータによると、女性はコンピューター・サイエンスの博士号の二三パーセント、統計数理では二八パーセントしか取得していない。[注21] アカデミックなパイプラインには「漏れ」があるのだ。女性の博士号取得者が終身雇用の地位や指導的役割に就いている割合は男性と同じではない。最近ではコンピューター・サイエンスの学士号を取得する女性が一八パーセントと、一九八五年の三七パーセントからだいぶ下がっているのも意外ではない。[注22] さらに、黒人とヒスパニックの博士候補者となると、非常に少ない。それぞれ三パーセントと一パーセントだ。[注23]

そして、種族《トライブ》内ではひどい振る舞いが見られるようになってきている。大学内の女性研究員たちは、男性の同僚たちによるセクシャル・ハラスメント、不快なジョーク、うんざりするような態度に耐えなければならない。こうした振る舞いは日常化し、大学からそのまま職場へと持ち込まれる。つまり、供給ルートの問題というより、個々の「人」の問題なのだ。ＡＩの種族《トライブ》が、女性や黒人、ヒスパニックといった特定のマイノリティーたちが除外される文化を浸透させているのだ。

二〇一七年には、グーグルのエンジニアが「女性は生物学的にプログラミング能力が低い」という内容のメモを公開した。グーグルのＣＥＯ、サンダー・ピチャイは、最終的にこのメモを書いたエンジニアを解雇処分にし、次のように発言している。「あのメモに書かれていたことの大半にはかなり議論の余地がある[注24]」種族《トライブ》の排他的な文化は増幅し、それが多様性を欠く職場につながっていく。ＡＩが進化し、人類全体のために「考えるシステム」を設計するという段階になると、一般の人たちは置いてきぼりになるのである。

もちろん、大学で女性や白人以外の男性が活躍していないわけではない。有名なＭＩＴコンピュータ科学・人工知能研究所（ＣＳＡＩＬ）のディレクターはダニエラ・ルスという女性で、マッカーサー・フェローシップを含む輝かしい職業的・学術的実績を持っている。ケイト・クロフォードはニューヨーク大学の特別研究教授で、ＡＩの社会への影響に焦点を当てた新しい研究機関を率いている。女性でも白人以外でも、ＡＩの分野で目覚ましい仕事をしている人たちはいる。ただ、数が非常に少ないのだ。

種族《トライブ》の目的がＡＩにさらなる「人道的」考えを持たせることであるのなら、実際には反対にあまりに多くの人をプロセスから外してしまっている。

スタンフォード人工知能研究所の所長で、元グーグル・クラウドのＡＩ担当チーフ・サイエンティスト、フェイ・フェイ・リーはこう言っている。

「教育者として、非白人女性として、母親として、私はとても心配しています。ＡＩはかつてないほど、人類を大きく変えようとしています。それなのに多様な技術者や多様なリーダーが抜けているのです。（中略）女性や白人以外の男性を話し合いの場に参加させなければ、そして真の技術者に真の仕事をさせなければ、システムにはバイアスがかかります。これから一〇年や二〇年で状況を覆すのは不可能とは言わないまでも、かなり難しいでしょう[注25]」

中国の種族《トライブ》――BAT

バイドゥ、アリババ、テンセントは、「BAT」として知られる、ビッグ・ナインの中国企業だ。中華人民共和国のAIの種族《トライブ》は、アメリカとは異なるルールや慣習で動いている。政府からの資金、そして監視を受けていて、業界のポリシーはBATをさらに発展させるように設定されている。そしてBATは、十分な資本を持ち、しっかりと組織化された国家レベルのAI計画に組み込まれている。

ここでは政府が強大な権力を行使している。これはいわば中国の〝宇宙開発競争〟であり、彼らの〝アポロ・ミッション〟にとって、私たちアメリカのAI関係者は〝スプートニク〟なのだ。先に軌道にたどり着いたのは私たちアメリカ側だが、その後中国は、政府による投資ファンドや教育制度を整備し、国民の協力を受け、国家としての威信をかけてAIの研究に取り組んできた。

中国のAIの種族《トライブ》も大学で形成されている。そして大学では、アメリカよりもさらに技術の習得とその応用に焦点が絞られている。中国では、熟練した労働力をできるだけ早く確保することを優先させているため、多様性の問題は西洋と完全に同じではないものの、存在はしている。ジェンダーについてはあまり意識されていないため、女性が活躍している。だが、講義は中国語で行われている。外国人にとって中国語は習得が難しい。そのことが、教室から中国人以外の人たちを排除し、競争における中国人の優位性を生み出している。中国では英語を学ぶ生徒が多いので、通える大学の選択肢の幅が広いことも彼らの優位性を高めている。

中国では、AIのトレーニングは大学に入る前から始まっている。二〇一七年、国務院がAIをカリキュラムに組み入れることを求めたため、中国の子どもたちは小学校からAIについて学んでいる。いまでは、AIの基礎や歴史を網羅した政府認定の教科書がある。二〇一八年までには、四〇の高校が、AIの規定コースを実験的に試していて、[注26]教師が確保でき次第、AIについて教える学校を増やしていくという。それには時間はかからないだろう。中国教育部は、大学向けに五年間のAIトレーニング・プログラムを導入し、少なくとも教師五〇〇人と中国の一流大学の学生五〇〇人を対象にトレーニングを行うという。[注27]

BATは、中国の教育改革に組み込まれている。大学や高校で使用するツールを提供し、ティーンや大人になってから彼らが使用する製品をつくり、卒業生を採用し、研究調査を政府とともに行う。過去一〇年間、中国に住んだことがなく、滞在したこともない人からすれば、バイドゥ、アリババ、テンセントはなじみのない企業かもしれない。三社とも、既存のテクノロジー企業を土台として、同じ時期に創設された。

バイドゥは一九九八年、シリコンバレーでの夏のピクニックから始まった。AI種族《トライブ》のメンバーが仲間内で集まってビールを飲んだりローンダーツ【訳注／重りのついたダーツを投げて芝生の的に入れるゲーム】に興じたりする、よくある会だった。そこで、三〇代の男性が三人、サーチエンジンがなかなか進歩しないことについて話したのだ。

当時ヤフーのサーチエンジン・チームのヘッドだったジョン・ウーと、Ｉｎｆｏｓｅｅｋ（インフォシーク）のエンジニアだったロビン・リーは、サーチエンジンの未来は明るいと信じていた。すでに有望なスタートアップ企業、グーグルの例を見て、似たようなものを中国でもつくれると考えたのだ。結局、生化学者のエリック・シューも合わせて三人でバイドゥを創設することになった。[注28]

バイドゥは、ＡＩの中枢である北米と中国の大学から人材を採用し、ディープラーニングに取り組んでいる有能な研究者を引き抜くことに長けていた。二〇一二年には、グーグル・ブレインに在籍していた著名な研究者、アンドリュー・エンにアプローチする。彼は香港とシンガポールで育ち、ＡＩ種族《トライブ》の大学も一巡している。カーネギーメロン大学でコンピューター・サイエンスの学士号、ＭＩＴで修士号、カリフォルニア大学バークレー校で博士号を取得していて、当時はスタンフォード大学の教授だったが、休職中だった。

バイドゥがエンに興味を持ったのは、彼がグーグルで新たなディープ・ニューラル・ネットのプロジェクトを始動させていたからだ。

エンのチームは一〇〇〇のコンピューターの集合体をつくり、ユーチューブの動画の中でネコを見分けるよう、自己学習させた。これは実にすばらしいシステムだった。ネコがどういうものなのかを知らされないまま、ＡＩは数百万時間をランダムな動画の視聴に費やした。やがてＡＩは、映っているものを認識するようになり、そのいくつかがネコだということに気がついた。そして、ネコがどういうものかを理解した。人間が介入することなく、自ら学習したのだ。

ほどなくして、エンはバイドゥに移った。バイドゥがチーフ・サイエンティストとして彼を引き抜いたのだ（必然的に、バイドゥのＤＮＡにはカーネギーメロン大学、ＭＩＴ、カリフォルニア大学バークレー校でのＡＩの講義の「ヌクレオチド」【訳注／生体の重要な構成物質の一つ】が含まれたことになる）。

現在、バイドゥはサーチエンジン以外の分野にも手を広げている。エンは会話型のＡＩプラットフォーム（DuerOS）、デジタルアシスタント、自動運転システム、その他のＡＩプラットフォームの実現にも貢献した。

こうしてバイドゥは、グーグルよりもずっと早くから、業績発表の際にＡＩについて話題にするようになっていた。バイドゥの現在の時価総額は八八〇億ドルで、そのサーチエンジンはグーグルに次ぐ利用者数を誇る。バイドゥが中国以外では利用されていないことを考えると、かなりの実績だ。

グーグル同様、バイドゥはスマートホーム・デバイスも手掛けている。その代表は、音声認識と顔認識を組み合わせた家庭用ロボットだ。同社は、自動運転プラットフォーム「アポロ（Apollo）」のオープン化を発表した。ソース・コードを公開することで、生態系《エコシステム》の発展に期待している。すでにパートナー企業は一〇〇社に達していて、自動車メーカーのフォードやダイムラー、半導体メーカーのエヌビディアコーポレーション（ＮＶＩＤＩＡ）、インテル、地図サービスを提供するトムトム（TomTom）などが名を連ねている。

バイドゥは、カリフォルニアに拠点を持ち、高齢者の送迎などを行うアクセス・サービシス

(Access Services)と共同で、移動が困難な人や障がいがある人に向けた自動運転車を開発した。そしてマイクロソフトのクラウドサービスであるアジュール(Azure)と手を組んで、アポロの中国以外のパートナーが車に関する膨大なデータを処理できるようにした。[注29]

さらに、中国政府と共同でAI研究所もオープンした。研究所のリーダーは共産党のエリートで、国の軍事計画にも携わってきた人たちだ。[注30]

中国のBATの「A」はアリババ・グループのことだ。アリババは、大規模なネットワークを通じてバイヤーと販売者を仲介する巨大なプラットフォームだ。一九九九年、ジャック・マーによって創業された。彼は上海から南西に一〇〇マイル離れたところに住む元大学教授で、中国にアマゾンとイーベイ(eBay)のハイブリッド版をつくりたいと考えた。彼自身はプログラミングの技術を持っていなかったので、その技術を持つ大学時代の友人を誘って創業する。そしてわずか二〇年間で、アリババの株式時価総額は五一一〇億ドルにまで成長した。

アリババのサイトの一つであるタオバオ(Taobao)は、取引に際してバイヤーにも販売者にも手数料を課さない。代わりにタオバオは「ペイ・トゥ・プレイ(pay-to-play)」モデルを導入している。これは、タオバオのサイトエンジンの上位に表示する代わりに、ユーザーからプロモーション費を徴収するというものだ(グーグルの中核事業モデルの一部に似ている)。

アリババは、安全な決済システムも構築した。ペイパル(Paypal)に仕組みが似ているアリペイ(Alipay)もその一つ。二〇一七年には「スマイル・トゥ・ペイ(smile to pay)」というAI

を使ったデジタル決済システムも開始し、消費者がカメラに向かって微笑むだけで顔認識で支払いができるというキオスクが誕生した。

アマゾンと同じように、アリババにもスマートスピーカーがある。ジーニーX1（天猫精霊X1）といい、アマゾンのアレクサやグーグルのホーム・デバイスよりも小さい。これはニューラル・ネットワークをベースにした声紋認識テクノロジーで、ユーザーを識別し、買い物ができるように自動的に本人確認を行う。中国全土に存在するマリオットホテルには、アリババのスピーカーが一〇万台以上導入されている。

アリババは、ＡＩに関してさらに大きなビジョンを持っている。ＥＴシティブレイン（ET City Brain）だ。

そのプログラムは、監視カメラ、センサー、政府保有データ、個人のソーシャル・メディアのアカウントから手に入れた膨大なローカルデータを処理する。そして、ＡＩのフレームワークを使って予測モデリングを行い、交通管理、都市開発、公衆衛生などに役立てる。また、将来的には社会が不安定になる兆《きざ》しがないかを予測したりもする。

マーの指揮のもと、アリババは配送物流、オンライン・ビデオ、データセンター、クラウド・コンピューティングに参入し、さまざまな会社に何十億ドルも投資し、商店、家庭、職場、自治体、政府をつなげる巨大なデジタル産業を築こうとしている。

シアトルにアマゾンゴー（Amazon Go）が開業する前に、アリババはすでにフーマ（Hema）をオープンしていた。これは自動化されたキャッシュレスな小売り店で、食料雑貨店とカジュアルな食品市場を兼ね、配送サービスも行っている。
アマゾンとアリババには、もう一つ注目すべき奇妙な類似点がある。「奇妙」というのは、似ているところがあるのに違いが生じたからだ。二〇一六年に、マーは香港最大で大きな影響力を持つ独立系新聞社、サウスチャイナ・モーニング・ポスト（南華早報）を買収した。中国ではメディアのほとんどは政府とつながりがあるが、英語で書かれた『サウスチャイナ・モーニング・ポスト（SCMP）』紙は中国政府を批判するような痛烈な記事で知られていたので、この買収は暗示的だった。[注31]
私は香港に住んでいたとき、スキャンダルを暴くのを得意とするSCMPの記者たちとよく飲みに行っていた。マーが新聞社を買ったのは、共産党への忠誠を見せるためだった。
その三年前、ジェフ・ベゾスは『ワシントン・ポスト』紙を買収した。そして結果的に、トランプ政権を敵にまわすことになった。『ワシントン・ポスト』は徹底した調査報道で知られ、政策の批判的な分析を行い、不正をどこまでも追及するからだ。[注32]
BATの中で、いろいろな意味でもっとも影響力がある企業はテンセントだ。同社は、マー・フアテンとジャン・ズィードンによって一九九八年に設立された。そのときに扱っていた製品は一つだけで、「オーアイシーキュー（OICQ）」というものだった。どこかで聞いたことがあると思うなら、それはメッセージング・サービス「アイシーキュー（ICQ）」のコピーだからだ。ICQは法的措置に訴えたが、双方譲らず、それぞれのバージョンのシステムに磨きをかけていった。

二〇一一年に、テンセントは「ウィーチャット（WeChat）」を始めた。これは、メッセージング・サービスのみならず、フェイスブックの特徴と機能を模したものだった。中国政府はインターネット規制でフェイスブックをブロックしていたので、ウィーチャットが爆発的に広まる下地は整っていた。大学で人気が広まっただけでなく、採用活動をはじめとする多くの場面で使われるようになった。

驚くことに、ウィーチャットには月間一〇億人ものアクティブ・ユーザーがいて、「なんでもできるアプリ」と言われている。通常のソーシャル・メディア・サービスの投稿やメッセージ送信以外にも、さまざまなことに使われている。大学での就職活動、各種支払い、さらには法の執行にまで活用されているのだ。三万八〇〇〇以上の病院やクリニックがウィーチャットアカウントを持っていて、そのうち六〇パーセントは患者の管理に使っている（たとえば予約や支払いなど）[注33]。

テンセントは人工知能に注力している会社で、「ＡＩはさまざまな製品の中核技術」と見ている[注34]。テンセントの企業スローガンは、事業内容にぴったりの「どこにでもＡＩを」というものだ。

フェイスブックは世界最大のソーシャル・ネットワーク・サービスだが、テクノロジーという点だけを見れば、テンセントのほうがはるかに優れている。テンセントはデジタルアシスタント「シャオウェイ（Xiaowei）」、モバイル決済システム「テンペイ（Tenpay）」、クラウドサービス「ウェイン（Weiyun）」をつくり、最近、映画の制作を行う「テンセント・ピクチャーズ（Tencent Pictures）」も設立した。

テンセントのＡＩ研究チーム「YouTu Lab」は、顔認識、物体認識の分野の世界的リーダーで、このテクノロジーを五〇社以上に提供している。イギリスのヘルスケア会社と提携して、健康の分野にも参入した。遠隔治療のスタートアップ企業バビロンヘルス（Babylon Health）とともに、AIを使って遠隔患者モニタリングを行うメドパッド（Medopad）だ。テンセントは二〇一八年に、アメリカの有望なAI創薬のスタートアップ企業である二社、アトムワイズ（Atomwise）とXtalPiにも大規模な投資を行った。

二〇一八年には、テンセントはアジア企業として初めて株式時価総額が五五〇〇億ドルを上回り、フェイスブックを抜いてソーシャル・メディア企業でトップとなった。[注35]何よりも驚くのは、総収入におけるオンライン広告収入の割合は、フェイスブックで九八パーセントなのに対し、テンセントでは二〇パーセント程度だということだ。[注36]

BATは人材を北米の大学から確保しているだけでなく、足し算、引き算を習いはじめる子どもたちにもAI教育を行う。BATが信じがたいほどの成功を収めておらず、莫大な利益を得ているのでなければ、気にとめるほどのことでもないだろう。だが、中国市場は巨大で、中国のAI種族《トライブ》は途方もなく大きな力を、国内のみならず世界じゅうで行使している。グローバルなAIのコミュニティーは、軽視できない資産や人口を持つ中国に注目している。

フェイスブックは月間二〇億人のアクティブ・ユーザーを持っているが、そのユーザーは全世界に分散している。ところがテンセントのウィーチャットの一〇億人のアクティブ・ユーザーは、ほぼ一カ国に集中している。バイドゥの二〇一七年のモバイル・サーチ・ユーザー数は、六億六五〇〇

〇万人だった。[注37]アメリカのモバイル・ユーザーの約二倍だ。[注38]

同じ年に、アマゾンはホリデー・ショッピング・シーズンに過去最高の記録を打ち立てた。感謝祭から次のサイバー・マンデーまでの間に、アマゾンの顧客は一億四〇〇〇万の商品を購入し、売り上げは六五億九〇〇〇万ドルにのぼった。[注39]そんな記録でさえ、アリババが中国で二四時間で成し遂げたことに比べると霞んでしまう。

アリババは、二〇一七年だけで、五億一五〇〇万名の顧客に商品を売り、その年の光棍節《こうこんせつ》【訳注／一一月一一日、独身者の日】――中国ではブラック・マンデーとアカデミー賞授賞式が一緒になったような日――には、オンラインで八億一二〇〇万件の注文があり、たった一日で実に二五〇億ドルを売り上げた。[注40]

どう見ても、中国は世界一のデジタル市場だ。年間一兆ドル以上がデジタル市場で費やされ、一〇億人以上の顧客がオンライン上にいて、世界でもっとも重要なテクノロジー企業のベンチャー取引に三〇〇億ドル以上が投じられている。[注41]

二〇一二年から二〇一七年のあいだ、米国におけるテクノロジーのスタートアップ企業への投資の七〜一〇パーセントに中国の投資家がかかわっていた。一国からの投資としては、かなりの額になる。[注42]

BATは現在、シアトルとシリコンバレーにしっかりとした拠点を持っている。複数のサテライト・オフィスの一つは、メンロパーク（カリフォルニア州）の伝説的なサンド・ヒル・ロードにある。過去五年間で、BATはテスラ（Tesla）、ウーバー（Uber）、リフト（Lyft）、マジック・リープ（Magic Leap【訳注／複合現実感ヘッドセットおよびプラットフォームの製造メーカー】）などに多額の投資を行っている。

BATのベンチャー投資は魅力的だ。動きが速く、潤沢な資金を持っているのに加え、他の方法では参入が難しい、利益を見込める中国市場に進出できるからだ。たとえば、カンザス・シティのゾロス（Zoloz）という顔認識のスタートアップ企業は、二〇一六年にアリババに一億ドルで買収された。同社はアリペイ（Alipay）決済サービスの中核となり、その過程で何億人ものユーザーへのアクセスが可能となった。ヨーロッパのようなプライバシーに関する厳しい規制や、アメリカのように訴えられるリスクもなかった。

そうはいっても、投資にはトレードオフがある。中国の投資家は、投資に対するリターンを求めるだけではなく、IP、すなわち知的所有権も求める。だが中国では、資産のリターンとして知的所有権を求めるのは、おかしなことでも前のめりのことでもない。それは、組織化された政府の取り組みなのだ。

中国は、近い将来に経済面でも地政学的にも軍事的にも国際的な支配国としての立場を確立するというビジョンを持っている。そしてAIを、そのゴールを達成するための手段だと考えている。そのため、政府首脳にとって情報のコントロールは非常に重要だ。だからこそ、業界ポリシーを定め、アメリカ企業から中国の同業企業にコンテンツのデータやユーザーデータが渡るよう、権力を行使しているのである。

中国政府は、長期計画を重視している。一九五三年に五カ年計画を導入した毛沢東以来の慣例で(習近平国家主席は二〇一六年、一三番目の五カ年計画に着手した)[注43]、政府首脳と共産党の役人たちは、戦略的な展望を信じている。中国を将来にわたって経済、政治、軍事、社会にまたがる包括的な計画を持つ世界有数の大国にしようというのだ。中国政府はどんな政策であったとしても、あらゆる手段を講じて実行するという、他国にはない力を持っている。そこには、二〇三〇年までに自国を世界の主要な「ＡＩイノベーションの中心地」にし、一五〇〇億ドルの産業に成長させるという計画も含まれる。しかも、新たな政府が誕生したときに、この計画が無効になることもなさそうだ。二〇一八年三月、中国は習近平国家主席の任期制限を撤廃したため、彼は生涯いまの地位にとどまることができる。

習近平のもと、中国は総合的な力を手に入れた。共産党は自信を持ち、情報統制を厳しくし、無数の長期計画を促進するために新たな政策を制定した。今後一〇年ぐらいでその結果が出てくると習近平は見ている。中国政府の上層部では、ＡＩは最前列かつ中央に位置している。かつての中国共産党の指導者、鄧小平《とうしょうへい》は、「能力を隠して時間を稼ぐ」ことを主張していたが、習近平は世界に中国の実力を見せる準備ができている。しかも、国際的な先導役をつとめる意気込みだ[注44]。中国の指導者たちは未来を見据え、大胆かつ統一された計画を実行に移している。これだけでも中国は西洋より進んでいて、そのうえ、ＢＡＴには強大な力が与えられている。

こうしたことは、中国経済の発展と、中流階層の劇的な増加と並行して見られる。二〇二二年までに、中国の都市部の人口の四分の三が中流階層の仲間入りを果たすと思われる。二〇〇〇年には中流階層と見なされていたのは人口の四パーセントだったことを思うと、短期間でとてつもない増加である。テクノロジー、バイオ科学、サービス業の分野での高給な職が、この中の多くの人をさらに「アッパーミドルクラス（上位中産階級）」に押し上げるだろう。

中国の家庭はほとんど借金をしない。国全体を見渡すと、貧しい人たちは確かにいるが、いまの子どもたちは将来的には親世代よりも稼ぐことができ、貯蓄や消費ができる環境で育っている[注45]（なんとアメリカ人の七〇パーセントが自分を中流階層だとみなしているが、ピュー研究所のデータによると過去四〇年間、中流階層は縮小しつづけているという。[注46]実際には中流の定義に当てはまるほど稼いでいるのは、アメリカ人の半数に満たない[注47]）。

中国は、無視できない強力な経済勢力になっている。マリオットは、アリババのスマートスピーカー一〇万台を中国全土のホテルに導入する契約を交わした。だが、マリオットのクラブメンバー宛のアンケート・メールで、香港、台湾、チベット、マカオをそれぞれ別の国として表記していたことを中国政府が知り、マリオットの経営者はすぐに契約取り下げの通知を受け取った。中国語のウェブサイトとアプリの閉鎖を命じられ、マリオットは最終的に折れることになる。増加しつづける中流階層を意識して、マリオットは中国で拡大を続け、直近では二四〇以上のホテルと最高級リゾートをオープンしていた。最高経営責任者のアーン・ソレンソンは、同社のウェブサイトで以下のような謝罪文を掲載した。

マリオット・インターナショナルは、中国の統治権と領土保全に敬意を払い、これを支持する。だが残念なことに、今週二度、その意向に反することが起きた。一つめは、ロイヤリティ・メンバー宛のアンケート内の選択肢メニューで、チベットを含む中国内の特定の地域を不正確に国と表示していたことだ。二つめは、従業員があるツイッターの投稿に対して不注意に「いいね」を押してしまい、私たちがその立場を支持しているかのような誤った印象を与えたことだ。それはまったく本意ではない。私たちは中国の統治権と領土保全を覆すような者を支持せず、そうした人や団体を奨励したり、刺激したりするような意図はまったくない。私たちはこれらのことの重大さを認識し、心から謝罪する。注48

中国は、地政学的にも非常に強力だ。「一帯一路」という長期計画で他国の政府に圧力をかけているが、これは野心的な外交政策で、二〇〇〇年前のシルクロードのルートを二一世紀版にアップデートしようというものだ。中国は六八カ国の道路、高速鉄道、橋梁、港などのインフラ整備に一五〇〇億ドルを費やしている。この国のどこかが、政府の方針や経済的影響から逃れることは難しい。アメリカがトランプ政権のもとで不安と混乱とに揺れ動いている間に、習近平は中国を安定させた。舵取りをするアメリカが不在となり、習近平が世界的なリーダーシップを発揮しはじめたのだ。

たとえば大統領の選挙活動中、ドナルド・トランプはツイッターで気候変動を否定しつづけた。

アメリカの経済を弱めようとする中国人のつくり話だという、突拍子もない陰謀説までつぶやいた。[注49]もちろん、それは事実ではない。中国は過去一〇年間で同盟を築き、世界のプラスチック廃棄物を減らし、グリーン・エネルギーへの移行を進め、自国の工場汚染物を減らす努力をしてきた。そうするしかなかった、というのが正確なところだろう。何十年もの間、世界の工場兼ごみ捨て場になってきた結果、大気汚染がひどくなり、病気が蔓延し、中国人の寿命が短くなったからだ。

二〇一七年には政府が「中国は一九九二年以来、一億六〇〇〇万トンものごみを購入して処理してきたが、今後はごみの輸入はしない」と宣言した。[注50]だがアメリカは、ごみ処理について長期的な計画を立ててこなかったため、代替案を持っていなかった。他国にごみを送れる場所がないという理由から、中国は他国に対してリサイクルできないものの利用をやめるよう要求している。このように、中国は急速に持続可能性のリーダーになり、その実現を求める力も持っている。

中国では、四文字で人生における知恵を表す言葉、すなわち成語が人気だ。いまの状況にぴったりな成語がある。「脱穎而出」は「穀物の外皮が取れて中身が現れる」という意味だ。[注51]中国はいままさに、その力を余すところなく見せている。

中国の経済的な台頭とともに習近平がグローバルな力をつけていったことで、ＡＩ種族《トライブ》が繁栄するのに理想的な環境が生み出された。ＡＩの国としてのトップダウンの取り組みも、その後押しをしている。現在も、北京郊外に二〇億ドルをかけてリサーチパークを建設中だ。ディープラーニング、クラウド・コンピューティング、生体認証に重点を置き、国家レベルの研究所が建てられることになっている。

中国政府はＢＡＴに投資しているのみならず、ＢＡＴを激しい競争からも守っている。というのも、中国政府はグーグルとフェイスブックを禁止し、アマゾンの市場参入を阻止しているからだ。ＡＩは政府の二〇三〇年計画の中心であり、ＢＡＴのテクノロジーに頼っているところが大きい。具体的には、バイドゥの自律運転システム、アリババのＩｏＴや小売り管理システム、テンセントの対話型インターフェースやヘルスケア事業を当てにしている。

あなたが世界のどこにいようとも、中国のＡＩ種族《トライブ》には意識を向けておいたほうがいい。なぜなら、第一に中国経済は速いペースで成長していて、ＡＩの発展も中国の経済成長を加速させているからだ。

二〇一七年の後半に、私は自分の「フューチャー・トゥデイ・インスティテュート」の仲間たちと分析を行い、ＡＩは二〇三五年までに中国経済を二八パーセント成長させるという予測を立てた。中国の膨大な人口とそのデータ、広範囲にわたる自動化、大規模な機械学習と自動修正、資本効率の向上に支えられたＡＩは、中国の製造業、農業、小売業、ファイナンステクノロジー、金融サービス、運輸、公益、ヘルスケア、エンターテインメント・メディア（プラットフォームを含む）の成長を促すだろう。

現在のところ、中国ほどデータも人口も一人当たりの電子機器の保有数も多い国は、世界じゅうどこにもない。私たちが生きているあいだに、中国以外で、アメリカの経済規模を上回りそうな国は他にない。また、中国ほど地球の生態系、気候、気象パターンに影響を与える可能性が高そうな国は他にない。中国のように先進国と発展途上国をつなぐ国も他にはない。共産大国、経済大国として、中国は無視するにはあまりに大きいパートナーであり、人権に対する考え方や国際協力への媒介手段が私たちとはあまりに違う政敵だ。

富が増えれば力も増す。中国は世界的な資金の流れと貿易に影響を及ぼしている。それはまた、他国から権力と影響力を奪い、民主的な理想を弱めることでもある。

第二に、中国はＡＩと経済の発展を軍事力の増大に活用し、西洋諸国より優勢に立とうとしているからである。

この動きはすでに始まっていて、「ハト（Ｄｏｖｅ）」というコードネームのついた空の国内監視プログラムがある。三〇を超える政府機関や軍事機関が、白い鳥に似せた、羽ばたく動きもする「スパイ鳥」ドローンを配置している。このドローンは生物学を採り入れ、レーダーを惑わせて追跡を回避する目的のドローン・プログラムの一環としてつくられたものだ。[注52] 映像を撮影することができ、ＡＩシステムがパターン認識や顔認識を使ってイレギュラーなものを識別する。

だが不気味に思えるこのスパイ鳥たちも、中国への不安材料のうちには入らないぐらいだ。

二〇一七年下旬にロイターが入手した未公開の国防総省報告書《ペンタゴン・レポート》は、中国の企業がアメリカ企業の株を買うことによって監視の目をくぐり抜け、軍事的に利用できる米国の機密性の高いＡＩ技術にアクセスしていたことに警告を発した。中国の人民解放軍（ＰＬＡ）は、ＡＩ関連のプロジェクトやテクノロジーに多額の投資をしてきた。そしてＰＬＡの研究機関は、中国の軍需産業と手を組ん

でいる。注53

一九七九年の中越戦争以来、中国はどの国とも物理的な戦争は行っていない。軍事的な対戦相手がいるようにも見えない。テロ攻撃の被害に遭っているわけでもなく、しょっちゅう取り沙汰されるロシアや北朝鮮とも、それ以外の国とも敵対関係にあるようには見えない。ではなぜ、軍事力を高めようとしているのだろう?

その理由は、いずれ戦争は白兵戦ではなく「信号《コード》」で行われるようになるからだ。市街地や地方を破壊するのではなく、ＡＩの技術を駆使して経済を不安定にさせることで、軍は「勝つ」ことができる。その観点からＡＩの発展を見ると、中国は西洋のはるか先を行っていて危険なほどだ。私たちはこのことに気づくのが遅すぎたのではないか。国防総省職員たちと私がミーティングを行ったときにも、未来の戦争の代替的な考え方（信号《コード》対戦闘《コンバット》）が広く認識されるまでに、だいぶ時間がかかった。

たとえば二〇一七年に、国防総省は「アルゴリズム戦争における機能横断型チーム」を結成し、プロジェクト・メイヴンの取り組みを始めた。これは、コンピューター・ビジョンとディープラーニング・システムが自律的に画像やビデオから特定のものを認識するという仕組みだ。だが、そのチームには必要なＡＩの知識がなく、国防総省はグーグルと契約してＡＩシステムにドローン映像を分析させるトレーニングを手伝ってもらうことにした。

ところが、担当したグーグルの社員に対して、それが軍事プロジェクトだということを誰も説明していなかったために激しい反発が起こった。グーグルの従業員四〇〇〇人が、プロジェクト・メイヴンに反対する嘆願書に署名し、『ニューヨーク・タイムズ』に一面広告も出した。さらに、何十人もの従業員が会社を辞めていった。注54 その結果、グーグルは国防総省との契約を更新しないという判断を下した。

アマゾンもまた、国防総省との一〇〇億ドル相当の契約によって攻撃を受けている。

二〇一八年一〇月に、米下院歳出委員会メンバーでオクラホマ州出身の共和党員トム・コールと、アーカンソー州出身の共和党員スティーブ・ウォーマックが、この契約について国防総省を非難した。他の大手テクノロジー企業が必要条件を満たさないよう、国防総省とアマゾンが共謀して契約内容の見直しを行ったというのだ。

不満はそれだけに届まらなかった。アマゾン社内でも反対意見が出はじめたのだ。アマゾンが米軍と手を組むこと自体に猛反発する人もいれば、アマゾンの顔認識技術が法の執行機関に利用されるのが気に入らないという人もいた。ジェフ・ベゾスは、カンファレンスでこう述べた。「もし大手テクノロジー企業が国防総省に背を向けたら、この国は大変なことになる」注55

米国の大手テクノロジー企業は、国家安全保障とビジネスの透明性のあいだの道を慎重に進んでいるが、BATと中国政府の関係は正反対だ。

米軍の現在のスタンスは、AIや無人システム、ロボットがどんなに進化しようとも、人間が介在しなければならないというものだ。ある日、気がついたら、ソフトウェアが致死的な権力を持っていた、ということを防ぐためだ。中国では状況が違う。[注56] 科学技術委員会を率いる人民解放軍の中将、リュー・グオジーは、こう発言した。「(私たちは) パラダイムを転換する機会を捉えなければならない」[注57] これは、中国が軍事力を立て直すという、婉曲的な宣言と捉えることができる。

社会信用採点システム

第三に、仮に軍事的、経済的な優位性が懸念材料にならなかったとしても、中国のプライバシーに関する考え方は大いに懸念すべきだ。

それでは、中国国民ではないのになぜ、気にしなければいけないのか？　それは、独裁政権というのは、いつでも形成されうるものであり、確立された政権があればそれを模倣する動きが出てきやすいからだ。世界じゅうでナショナリズムが高まってきている中で、中国のＡＩの使用法は今後、他の国にとって模範にならないとも限らない。これは市場や貿易などの地政学的バランスを不安定にしかねない。

人間に対する社会的実験の中で、もっとも狡猾で普及する恐れのあるものの一つだと見なされるであろう実験も行われている。ＡＩを使って従順な民衆をつくろうとする中国の試みだ。

中国・国務院のＡＩ二〇三〇年計画では、ＡＩは「社会の統治能力を高め」「社会的安定を効果的に維持するために欠くことのできない役割を果たす」としている。[注58] これは、中国の社会信用システムを通じて実現する。国務院の創立憲章によると「信頼できる人はどこでも自由に歩きまわれ、

信用のない人は一歩動くのすら難しい」[注59]

この考えは、一九四九年に共産党が最初に政権を手にしてさまざまな社会統制構想の実験を始めたときに出てきたものだ。毛沢東が統治していた一九五〇年代には、社会の監視が当たり前となった。労働者は集団農業グループに分けられ、生産高に応じて順位がつけられる。順位によって公共財へのアクセス権が決まるので、集団内では個人がお互いに監視し合った。

このシステムは毛沢東の統治下で崩れ、一九八〇年にふたたび崩壊した。他人を正確に判断するのは難しいとわかったからだ。誰かについて判断するときには、個人的欲求、不安、偏見などによって動機づけられるからだ。

一九九五年、国家主席の江沢民《チャンツオーミン》は、テクノロジーを利用した社会監視システムを思い描いた。そして二〇〇〇年半ばには、中国政府は自動化された採点システムを構築、導入しようとしていた。[注60]北京大学と提携して中国信用調査センターを設立し、AIを使った国の信用調査採点システムの構築や導入の方法を検討した。それが現在の国家主席のAIに対するこだわりにつながっているのかもしれない。共産党初期のアイデアを継承しているのみならず、共産党の権力維持を保証するものでもある。

栄成市《えいせいし》では、すでにアルゴリズムを使った社会信用採点システムが運用され、AIの効果を示している。七四万人の成人市民はそれぞれ、一〇〇〇ポイントを割り当てられ、その後は「態度」によってポイントが増減する。「英雄的な行為」はプラス三〇ポイント、信号を無視すると一律マイナス五ポイント、といった具合だ。

市民はラベル付けされ、区分され、A＋＋＋からDまでランク付けされる。自由に動きまわれるかどうかは、そのランクによって決まる。たとえば、Cランクの人は公共の自転車を借りるのに前払い金が必要だが、Aランクの人は九〇分間、無料で借りられる。

採点されるのは個人だけではない。栄成では会社も「態度」で採点されている。ビジネスを行えるかどうかは、そのランク付けによって決まる。[注61]

上海では、AIを使った指向性マイクやスマートカメラが高速道路や一般道路に設置されている。過剰にクラクションを鳴らすドライバーには、テンセントのウィーチャットを通じて交通違反チケットが発行され、近くのLED掲示板にその人物の氏名、顔写真、国籍、国民識別番号が表示される。ドライバーが道路脇に七分以上車を停めたら、さらにチケットが発行される。[注62]交通違反チケットや罰金が課せられるだけでなく、ドライバーの社会信用スコアからもポイントが引かれる。ポイントが一定レベルまで減ると、航空券の予約や新しい仕事に就くことが難しくなる。『ブラック・ミラー（Black Mirror）』【訳注／英国製SFドラマ】には、こういうディストピア的な未来を描く人気エピソードがある。上海ではその未来はすでに現実になっているのである。

国家レベルでの監視は、BATによって可能になった。BATは、その代償としてあらゆる制度や産業政策に割り込んでいけるようになった。

アリババの「芝麻《ジーマ》信用」は、国家のクレジットサービスの一部であることを公表していない。だが、それぞれのユーザーが購入した商品や、アリペイのソーシャル・ネットワーク・サービス上の友人などの情報をもとに貸出限度額を計算している。二〇一五年、芝麻信用のテクノロジー・ディレクターは、オムツの購入は「責任ある行動」と見なされ、ビデオゲームをあまりに長くプレーしすぎると減点となると公に発言した。[注63]

前述した中国のポリス・クラウドを覚えているだろうか。精神的に問題を抱えている人、公に政府を批判した人、民族的マイノリティーの人たちを監視し、追跡するためのシステムだ。「一体化統合作戦プラットフォーム（ＩＪＯＰ）」では、ＡＩが信号無視などの逸脱パターンを検出する。

中国の社会信用スコアは、行動に基づいて市民を評価し、ランク付けする。判断を行うＡＩが、このスコアを利用して、誰がローンを組めるか、誰が旅行に行けるか、子どもをどの学校に入れられるかなどを決めるのだ。

バイドゥの創業者の一人、ロビン・リーによると、西洋人とは違い、中国人はプライバシーにあまり価値を感じないという。「中国の人は比較的オープンというか、プライバシーの問題についてはあまり敏感ではありません」と、リーは北京の中国発展フォーラムで述べている。「プライバシーの代わりに便利さや安全や効率のよさを得られるのなら、そちらを選びます[注64]」あるいは、システムに従わないことの悪影響を考えると、プライバシーを犠牲にせざるをえないということもありそうだ。

国家の社会信用スコアが、共産党の支配力を強化するためとか、西洋のＡＩビジネスより優勢に立つためのものだとは私は思わない。グローバル経済を形づくるうえで政府が主導権をとることを目的としているように思える。

二〇一八年初め、習近平国家主席は、中国の国営通信会社、新華社通信にこう語った。「ベルトを締めて、歯をくいしばり、我々は『二つの爆弾と一基の人工衛星』をつくった」これは毛沢東の統治下で行われた軍事プログラムへの言及だった。「社会主義制度を最大限に活かし、偉大なことを成し遂げるのに集中したのだ。次のステップは、同じことを科学とテクノロジーで行う。過分な期待はせずに、自分たちの力でやっていかなければならない」[注65]

習近平は、市場経済、自由なインターネット、競い合い、補完し合う多様な生態系《エコシステム》を否定する。中国のしっかりと管理された国内経済は、他国による介入から身を守っている。中国ではユーザーが物理的に存在する場所でインターネットのルールが規定される「スプリンターネット」が導入されている。サイバー政策を中央集権化し、言論を取り締まり、コンピューターの第三世代のあらゆる側面を規制でコントロールしている。インターネットのインフラストラクチャー、データの国際的な流れ、ハードウェア面では、ますます政府の承認が必要になってきている。

二〇一六年のイベントで習近平は、今後は、国内のネットワーク、デバイス、データをどう守っていくかについて、政府が完全な裁量を持つと述べた。[注66] そして「一帯一路プロジェクト」のパートナーたちにも、インフラとテクノロジーを提供することで、この統制力を発揮する。

東アフリカに位置するタンザニアは、初期にこうしたパートナーとして選ばれた。そしておそらく偶然ではない。というのも、タンザニアはその後、中国のデータとサイバーポリシーを多く採り入れている。中国から技術支援を受けているタンザニア政府の上級職員は、次のようにコメントした。「中国の友人たちは、自国では特定のメディアをブロックし、中国独自の安全で建設的、好評なサイトに置き換えている」[注67]アフリカでも、各地で同じことが行われている。

ベトナムは、中国の厳しいサイバー・セキュリティー法を採用している。

二〇一八年六月時点で、インドは、国内データを保管し、国内のサイバー・セキュリティー技術の出所を明らかにすることを義務づける、中国と同じような法律の制定を検討している。[注68]

もし中国が一帯一路プロジェクトのパートナーたちに影響を及ぼしはじめ、中国の主要な輸出品の一つが国家による社会信用採点システムということにでもなったらどうなるのだろう？

トルコやルワンダのような独裁制の国が中国の監視テクノロジーの買い手になりうることは、容易に想像がつく。では、ブラジルやオーストリアのように、ポピュリズムに屈し、国家主義的なリーダーに支配されている国はどうだろう？　もしあなたの国の政府機関が、社会信用採点システムを導入しようとしたり、強引に導入させられそうになったら？　あなたの同意なしに、あなたの監視を始めたとしたら？　そうなったときには、監視対象リストに自分の名が載っていることや、スコアの存在そのものを知ることができるのだろうか？

もし外国の企業が中国政府によって採点され、優遇されたり中国でのビジネスを阻止されたり、あるいは企業同士のビジネスを阻止されたりしたらどうだろうか？　中国経済が成長するにつれ、その影響力は、インターネット、ガジェット、デバイス、そしてＡＩ自身（?）によって広まる。

もし中国が、自由でオープンな西洋のネットワークやソーシャル・ネットワーク・サービスで集めたデータを使って、国境の外にいる人をも対象とする社会信用採点システムをつくったらどうだろうか？　あなたが万里の長城と紫禁城を訪ねたあとに残したデータが回収されていたら？　繰り返し耳にするビッグデータの漏えいは、中国をベースにしたネットワークによるもののようだが、ハッキング行為についてはどうなのだろうか？

私たちが中国の計画を意識すべき理由は、もう一つある。ここでまた、ＡＩ種族《トライブ》がどこから来ているのかという話に戻る。つまり、教育だ。

中国は教授や研究者たちをアメリカやカナダのＡＩハブに積極的に送り出し、その後すばらしい待遇を約束することでふたたび自国に呼び戻している。すでに西洋では、トレーニングを受けたデータ・サイエンティストや機械学習の専門家は、常に不足している。そのうち、深刻な人材不足に陥るかもしれない。そう考えると、ＡＩ関連の教授や研究者の引き抜きは、中国の長期計画の中でも、とくに頭のいいやり方だ。将来的に、西洋の競争力を低下させることになるからだ。

中国の研究者を自国に呼び戻しているのは、「一〇〇〇人計画」の一環だ。ＢＡＴの急成長を受け、才能ある人材の需要が生まれた。その人材のほとんどがアメリカでトレーニングを受け、アメリカの大学や企業で仕事をしていた人たちだ。

政府のこの計画は、最高レベルの技術者や経験を積んだ学者たちをターゲットに、あらゆる「ゴールデンチケット」を用意している。（個人および研究プロジェクトに対する）非常に魅力的な奨励金や、アメリカのような規制や管理上の制約のない環境での研究などだ。これまでに七〇〇〇人以上がこのプログラムに受け入れられている。

彼らが中国政府から受け取った契約金は一〇〇万元（一五万一〇〇〇ドル〈一六六一万円〉）、個人的な初期研究費が三〇〇万～五〇〇万元（四六万七〇〇〇ドル～七七万八〇〇〇ドル〈五一三七万円～八五五八万円〉）で、そのほかに住宅や教育のための補助金、食費、引っ越し費用、配偶者の再就職支援金、帰国するための全費用が支給される。注69 中国に戻った人たちは全員、その才能を何らかのかたちでBATのために使うことになる。

アメリカの種族《トライブ》――G‐MAFIA（マフィア）

もしAIが中国の〝宇宙開発戦争〟なら、現在のところ彼らは優勢だ。しかも、大きく差をつけて勝ちそうだ。過去二年間で、AIにとって節目となる出来事がいくつかあった。トランプ大統領は、科学技術に関する予算を削減し、人間の労働力に対するAIの影響について間違った情報を広め、戦略的な同盟国を遠ざけ、繰り返し関税を上げては中国を挑発した。

アメリカの立法者たちは、AIに対する壮大な計画も長期的な計画も持っていないことに、私たちは早晩気づくことになるだろう。

その空白を満たすのは、ご都合主義と商業的成功への意欲だ。アメリカのビッグ・ナイン企業は、個別には成功しているかもしれないが、アメリカの商業と軍事力を結集しようという統一的な計画に組み込まれているわけではない。もちろんビッグ・ナイン側もそんな計画には同意はしないだろうし、するべきではない。

アメリカのビッグ・ナインの始まりのストーリーを知る人は多いだろう。だが、ビッグ・ナインメンバー内の関係性や、あなたのデータ、あなたの使っているデバイスに重要な変化が起ころうとしていることはあまり知られていない。

ビッグ・ナインの中で、アメリカにあるのはグーグル、マイクロソフト、アマゾン、フェイスブック、ＩＢＭ、アップルだ。いずれもＡＩの発展に大きく貢献している革新的企業である。それらは、純粋な意味（悪い意味でなく）での「マフィア」の役割を果たしている。似通った興味やバックグラウンドを持つ緊密なネットワークをつくりだし、私たちの未来に影響を与えうる分野で働いている。

現在、ＡＩ、ビジネス、政府、そして日常のさまざまな分野において、グーグルがもっとも影響力を持っていることから、アメリカの六社を、その頭文字を取って「Ｇ－ＭＡＦＩＡ（マフィア）」と呼ぶことにしよう。

中国には彼らのまねをしたビジネスがたくさんあるために、Ｇ－マフィアは中国ではあまりビジネスを展開できない。六社とも最初からＡＩの企業としてスタートしたわけではないが、過去三年間で研究開発やパートナーシップ、新製品やサービスを通じて、ＡＩの商業的な実現可能性を追求するようになった。

中国では、政府がＢＡＴを管理している。アメリカでは、逆にＧ－マフィアが政府に多大な影響力を持っている。それは市場経済システムが働いているためであり、ビジネスに政府が関与することに対して、文化的に強い反感を持っているからでもある。

だが、G－マフィアが強い影響力を持つ理由はそれだけではない。彼らはワシントンの立法者たちから無視されてきた。習近平は国力をまとめあげ、国際的なＡＩ支配のために二〇三〇計画を打ち出しているいっぽう、トランプ政権で技術政策を担当しているマイケル・クラッツィオスは、ホワイトハウスで業界のリーダーたちに、アメリカにとって一番いいのは、政府が関与することなくシリコンバレーが独自の道を進むことだと説明した。[注70]

アメリカ政府は、必要なネットワークやデータベース、インフラを自ら構築してこなかったため、G－マフィアを必要としている。そのために、力の不均衡が生じるのだ。

たとえば、アマゾンの政府関連のクラウド・コンピューティング・ビジネスは、二〇一九年には四六億ドルに達する見込みだ。また、ジェフ・ベゾスが設立した宇宙開発会社、ブルー・オリジン（Blue Origin）は、今後さまざまはミッションにおいてＮＡＳＡ（航空宇宙局）や国防総省をサポートしていくという。政府はG－マフィアに頼り切りだ。

アメリカは市場経済の国であり、企業が法律や規則で守られているので、シリコンバレーの企業はかなりの影響力を持っているといえるだろう。

誤解のないように言っておくが、私はG－マフィアが利益を上げて成功していることを悪いことだとはまったく思っていない。法律に抵触しない限り、利益を追求するのに制限や規制を受けるべきではないと考えている。

だが、成功は代償をともなう。G－マフィアには、実用的な商業用ＡＩアプリケーションをできるだけ早くつくるという大変なプレッシャーがかかっている。

デジタルの世界では、成功や予想外の成果が速いペースで巡ってくることに投資家が慣れている。ファイル共有プラットフォームのドロップボックス（Dropbox）は、創業からわずか六年で評価額一〇〇億ドルに達した。シリコンバレーのベンチャー投資会社、セコイア・キャピタル（Sequoia Capital）は、ドロップボックスが新規株式公開（IPO）した時点で株を二〇パーセント所有していたので、その価値は一七億ドルに跳ね上がった。[注71]

シリコンバレーでは、企業の価値が一〇億ドル以上になると「ユニコーン（unicorn）」と呼ばれるが、ドロップボックスのようにさらにその一〇倍になると「デカコーン（Decacorn）」となる。二〇一八年までに、シリコンバレー動物園をいっぱいにするほどのユニコーンとデカコーンが出現し、そのうちのいくつかはG－マフィアと手を組んだ。コインベース（Coinbase）、ペロトン（Peloton）、クレジットカルマ（Credit Karma）、エアビーアンドビー（Airbnb）、パランティア（Palantir）、ウーバー（Uber）といった企業だ。

お金の動きが速いベンチャー企業には、「この企業は新たなマーケティング手法を取り入れ、他の企業を傘下に加え、宣伝活動にも精を出し、その商品（サービス）で私たちにリターンをもたらしてくれるだろう」という多大な期待が寄せられる。

あなたも——たとえその商品を使っていなかったとしても——個人的にG－マフィアと関係している。「六次の隔たり理論」は、あらゆるものは六ステップ以内でつながっている、というものだ。

直接知っている人たちとの隔たりは一次で、その人たちの知り合いとは二次、という具合に計算する。たとえオフラインでも、あなたとG－マフィアとの隔たりは、意外と小さい。

現在、アメリカでは、成人の三分の二がフェイスブックを利用している。[注72]その人たちの大半は、一日一回はソーシャル・ネットワーク・サービスを利用していて、つまりあなたが利用していなくても、あなたに近い人はきっと利用している。あなたとフェイスブックの隔たりは一次か二次で、それはあなたが誰かの投稿に「いいね」を押したことがなかったとしても、あるいはアカウントを削除してあったとしても変わらない。

また、アメリカの家庭の半数はアマゾンのプライム会員なので、あなたとアマゾンの隔たりは一次から三次となる。[注73]過去一〇年間に医者にかかったことがあれば、マイクロソフト、ＩＢＭとの隔たりは一次だ。アメリカ人の九五パーセントはスマートフォンを所有していて、[注74]あなたとグーグルかアップルとの隔たりは一次となる。

過去二〇年間、たとえG－マフィアのサービスや製品を使っていなくても、あなたは生きているだけでデータを発信していた。それは、私たちが、データを発信するガジェットや高性能デバイス――携帯電話やＧＰＳナビ、スマートスピーカー、ウェブ接続型テレビ、デジタル・ビデオテープ・レコーダー（ＤＶＲ）、監視カメラ、フィットネス・トラッカー、ワイヤレス・ガーデン・モニター、コネクテッドジム用器具など――を使っていて、コミュニケーションやショッピングや仕事などの日常生活がG－マフィアのプラットフォーム上で行われているからだ。

アメリカでは、商業目的で、あるいは私たちが使っているシステムの利便性を高めるために、第三者がこうしたデータすべてにアクセスできる。アマゾンに登録したクレジットカード情報や住所を使えば、いまや多くのウェブサイトで買い物ができる。また、フェイスブックのアカウント情報で多くのサイトにログインできる。

G－マフィアを経由して他社のサービスを利用できるのは、写真やオーディオファイル、ビデオ、生体情報、デジタル・デバイスの利用頻度といった、私たちが生み出すデータのおかげだ。こうしたデータはすべて「クラウド」に保存されている。あなたのデバイスではなく、インターネット上のソフトウェアやサービスに保存されているということだ。さらに、主要なクラウド・プロバイダーは、グーグル、アマゾン、マイクロソフト、ＩＢＭの四社だという事実も意外ではないだろう。

あなたはクラウドに直接的（たとえばグーグルドキュメントで文書や表を作成することで）、あるいは間接的に（携帯が自動的に写真のバックアップをしたり、同期したりすることで）アクセスしている。あなたがｉＰａｄやｉＰｈｏｎｅを持っているなら、使っているのはアップルのプライベート・クラウドだ。もしアメリカで「Healthcare.gov」にアクセスしたなら、アマゾンのクラウドを使っていたことになる。もし子どもが、ショッピングモールのビルド・ア・ベア（Build-A-Bear）【訳注／自分でぬいぐるみがつくれるチェーン店】で誕生パーティーを開いたなら、使っていたのはマイクロソフトのクラウドだ。

過去一〇年間で、クラウドは私たちの生活に欠かせないものになった。このことにいまさら興味を持ったり、大々的に取り上げたりする人はいないだろう。電気や水道水のように、ただ存在しているのだ。私たちが唯一その存在を意識するのは、それにアクセスができなくなったときだけだ。

私たちはAI種族《トライブ》とその商業的なシステムを盲目的に信頼し、データを生み出してはクラウドを使っている。私たちのデータは、アメリカで誰もが安全に管理するよう心がけている社会保障番号よりも流出している。社会保障番号があれば、その人の銀行口座を勝手に開いたり、車のローンを申請したりすることができる。クラウド上のあなたのデータがあれば、G－マフィアは理論的には、たとえばあなたが密かに妊娠している、同僚があなたの能力を買っていない、あなたが重い病気を患っているといったことを判断できる――それも、おそらくあなたが気づくよりも前に。G－マフィアのまるで神のような視点は、必ずしも悪いものではない。それどころか、個人データから得た洞察をもとに、人々がより健康的で幸せな生活を送れるようになることもある。

G－マフィアもAIも強力な存在に思えるが、いまだに制約はある。ハードウェアだ。現在のAIアーキテクチャーは、Gメールのスパム・フィルターやアップルの「ビジュアル・ボイスメール」サービスなど、特化型人工知能（ANI）によって製品をつくるには十分だ。だが、長期的には汎用人工知能（AGI）も追求していかなければならず、それにはカスタマイズされたAIハードウェアが必要になる。

AGIにカスタマイズされたハードウェアが必要な理由は、先に登場したコンピューター・サイエンティストのジョン・フォン・ノイマンと関係している。ノイマンは、現代のコンピューターの構造の背景にある理論を開発した人物だ。

ノイマンの時代、コンピューターにはプログラムやデータが個別に入力され、両方ともコンピューターのメモリーに保存された。この構造は、いまでもラップトップやデスクトップ・コンピューターで使われていて、データはプロセッサーとメモリーのあいだを行き来する。どちらかに問題があると、コンピューター自体が熱くなったり、エラーメッセージが出たり、あるいはいきなりシャットダウンしてしまう。

この問題は「フォン・ノイマン・ボトルネック」として知られている。プロセッサーがどんなに高速で動くことができても、プログラムやデータのメモリーがフォン・ノイマン・ボトルネックを引き起こし、データ転送速度を制限する。現在私たちが使っているコンピューターのほとんどは、このフォン・ノイマンの構造をベースにしている。プロセッサーがプログラムを動かす速度は、メモリーから命令やデータを取得する以上に速くはならない。

これは、ＡＩにとっては大問題だ。たとえば、あなたがグーグルホームかアレクサに向かって話しかけると、その声は録音され、解析され、反応をするためにクラウドに送られる。あなたとさまざまなデータセンターとの物理的な距離を考えると、わずか一、二秒でアレクサから返事が来るのは驚異的といえよう。生体認証センサーを搭載したスマートフォンや顔を識別する監視カメラ、自動運転をする車、薬を出すことができる精密なロボットなどのかたちでＡＩが私たちのデバイスに浸透するにつれて、一、二秒の処理の遅れが壊滅的な結果につながることもある。

唯一の解決法は、コンピューティングをデータ・ソースに近づけることだ。そうすることで待ち時間を減らすことができ、データ処理の効率もよくなる。この新しいタイプのアーキテクチャーは「エッジ・コンピューティング（edge computing）」と呼ばれ、ＡＩのハードウェアとシステム・アーキテクチャーにとっては不可欠な進化だ。ＡＩが次の段階に進化するには、ハードウェアもそれに追いついていかなければならない。

今後は、各種許可や設定に関してある程度の権限を与えられたクラウドでＧ－マフィアと接触する現在のかたちではなく、私たちが使っているあらゆる機械に彼らを招き入れることになるだろう。つまり、これからの一〇年で、ＡＩの生態系《エコシステム》は数少ないＧ－マフィアのシステムに集約していくだろう。

周辺的なスタートアップ企業やプレーヤーたちは――もちろん私や読者のみなさんも――新体制を受け入れ、日常生活のオペレーティング・システムとなったいくつかの商業プロバイダーに忠誠を誓うことになる。あなたのデータやあなたのガジェット、機器、車、サービスなどが相互につながっていくと、もはや逃れられない。たとえば、携帯電話、コネクテッド冷蔵庫、スマート・イヤホンを買えば、Ｇ－マフィアがあなたの日常のオペレーティング・システムになっていることに気づくはずだ。人類はもはや、断りようのないオファーを受けているのと同じだ。

ディープラーニングの計算には多くの電力を使うため、専用のハードウェアが必要になる。ディープラーニングは精度よりも最適化を優先し、基本的に線形代数を応用している。そのため、設計や展開のプロセスの効率を上げ、かつ速度を速めるのに、新たなニューラル・ネットワーク構造をつくるのは理にかなっていた。研究チームが早い段階で実際のモデルを作成し、テストできれば、それだけＡＩの実用化が進んでいく。

たとえば現在、複雑なコンピューター・ビジョン・モデルを学習させようとすれば、何週間も、あるいは何カ月もかかる。そのうえでさらに調整が必要になることもあり、同じ作業が繰り返されることになる。ハードウェアがよくなれば、学習にかかる時間も数時間、あるいは数分に短縮され、毎週、あるいは毎日でも、新たな前進が見込まれるかもしれない。

そこでグーグルは、独自のプロセッサー「ＴＰＵ（Tensor Processing Unit）」を開発した。自社のディープラーニングＡＩフレームワーク、テンサーフロー（TensorFlow）を扱うことができるものだ。

二〇一八年六月、テンサーフローはギットハブ（GitHub）上で一番の機械学習のプラットフォームだった。ギットハブというのは、ソフトウェア開発者たちが各自のコンピューター・コードを保存する、世界最大のオンライン上のプラットフォームである。テンサーフローは、世界一八〇カ国に住む開発者から一〇〇〇万回以上ダウンロードされていて、この原稿を書いているときにも二万四五〇〇のアクティブな動きがあった。[注75]

このフレームワーク以外にも、グーグルは追加商品をリリースした。敵対的生成ネットワークモジュール用ライブラリ「TensorFlow-GAN」や、開発者がより正確なコンピューター・ビジョンの機械学習モデルをつくるのに役立つ「TensorFlow Object Detection API」などだ。TPUは、すでにグーグルのデータセンターで利用されていて、グーグル検索すべてにディープラーニング・モデルが使われている。

グーグルは、ギットハブ——世界じゅうで二八〇〇万人のデベロッパーが使用する、G−マフィアにとって重要なプラットフォーム——を買収しようとした。だが二〇一八年六月、グーグルは入札に負けた。勝ったのは、マイクロソフトだった。[注76]

フェイスブックは、社内の研究開発でAIチップを開発するためにインテルと提携した。効率をよくして実験速度を上げるためだ。

アップルは、iPhone Xの内部で使うために独自の「ニューラル・エンジン」を開発した。マイクロソフトは、MR（複合現実）ヘッドセット「ホロレンズ」とアジュール・クラウド・コンピューティングのためにAIチップをつくった。

BATも独自のチップを開発している。二〇一七年、アリババは「AIチップ設計者」を求めてシリコンバレーで熱心に採用活動を行った。[注77] そして二〇一八年、新たなチップを登場させる。Ali-NPUというもので、誰でもパブリック・クラウドで使うことができる。

近い将来のニーズを見込んで、IBMは数年前に「トゥルーノース（TrueNorth）」という神経形態学的チップを開発した。これはすでに、ニューラル・ネットの効率を一〇〇倍アップさせるという新たなハードウェアを生み出している。ちなみにこれがどのくらいの進化かというと、木の枝と石でつくった算盤を、スター・トレックのトランスポーターと比較するようなイメージだ。この新しいチップは二種類のシナプスを使っているが、一つは長期記憶のため、もう一つは短期的な計算のためだ。

こうした動向によってかつての「あなたはPC派？　それともMac派？」というやりとりでは収まらないほどの活発な議論が引き起こされるだろう。

これらのチップのほとんどは、ビッグ・ナインが「オープンソース」に分類しているフレームワークで稼働する。デベロッパーは、フレームワークを無料で使い、性能を向上させることができる。だが、ハードウェアそのものには所有権があり、サービスには使用料が発生する。また現実的には、一つのフレームワークに対応してつくられたアプリケーションを他のフレームワークに移植するのは難しい。AI種族《トライブ》は新しいメンバーを募集しているが、仲間になる際の通過儀礼は、G－マフィアのフレームワークに敬意を払うことなのだ。

AIを商業化するため、G－マフィアはクリエイティブなやり方でデベロッパーを採用している。二〇一八年五月、グーグルはコーセラ（Coursera）【訳注／世界の大学や企業の講義を、オンライン上で無償で受講できるサービス】のオンライン・ラーニング・プラットフォームで、機械学習に特化したコースを設けた。このコースではテンサーフローを使わなくてはならない。コースは五つのパートに分かれ、機械学習やニューラル・ネットワークについて学び、最後には修了証が発行される。学習には現実世界のデータやフレームワークが必要なので、受講者はグーグルのフレームワークで学ぶ。

ハードウェアはG－マフィアのAI戦略の一部であり、政府とも関連している。アメリカにおけるAIと政府との関係は中国とはまた違うものの、やはり心配になるようなものだ（おそらく、あなたがアメリカ人でなくとも不安を覚えるだろう）。それはアメリカでは、AIはキャピトル・ヒル（連邦議会）、ウォール街（金融市場）、シリコンバレーの三人の主人に仕えているからだ。

政策案をつくり、規則について議論するのは、議員や連邦政府の職員たちだ。だが、どのような政策を打ち出すべきかを決定する大統領や政府機関（連邦通信委員会、司法省など）のトップたちは、数年ごとに交代する。そのため、国家としてAIの目標や方向性が明確にされてこなかった。最近になってようやく、アメリカは中国のAI計画に注目するようになった。中国の習近平国家主席が、AIとデータ利用について長期計画を発表したからだ。

アメリカには対米外国投資委員会（CFIUS）というものがある。財務長官が指揮する超党派の組織で、メンバーは財務省、司法省、エネルギー省、国防省、商務省、国務省、国土安全保障省から参加している。彼らの仕事は、国家の安全を脅かす商取引を調査することだ。

実績としては、たとえばシンガポールのブロードコム（Broadcom）がサンディエゴにある半導体メーカー、クアルコム（Qualcomm）を買収するのを阻止した。またダラスに本拠地のあるマネーグラム（MoneyGram）に対する、電子決済会社アント・フィナンシャル（Ant Financial）による株式公開買付を拒否した。アント・フィナンシャルの親会社はアリババだ。

本書を書いている時点では、米国企業に対する中国の投資制限を強める提案は出ているものの、

CFIUSはAIに焦点は当てていない。

シリコンバレーでは、職を変えて転々とするのが一般的だが、AI種族《トライブ》のリーダーたちは同じ地位にとどまり、G－マフィアのいずれかの企業か、あるいは大学の研究室で仕事をする傾向にある。そしてAI種族《トライブ》のマントラ「まずはつくって、あとから許しを請え」がますますまかり通っていく中で、AIは発展を続けている。

グーグルは何年ものあいだ、著作権が存在する書籍をスキャンしてインデックスをつけてきた。それも、事前の許可なしに行ってきた。その結果、出版社や著者たちが集団訴訟を起こした。グーグルはまた、私たちの家や近所の画像を、私たちの許可なく検索可能にしている（人物はなるべく映らないようにしてあり、映った場合には顔はぼかされている）。

アップルはiPhoneの新製品が出たときに、旧モデルの速度をわざと落とし、そのことが発覚して謝罪した。

ケンブリッジ・アナリティカ騒動のあと、フェイスブックのCEO、マーク・ザッカーバーグは、フェイスブックのウォールに謝罪文を掲載した。「今年傷つけたすべての人にお詫びするとともに、今後は一層の努力をいたします。私の仕事が人々を一つにするのではなく、分断することに使われたことに対して、ここに謝罪いたします」

G－マフィアは新たなAIの開発に奔走し、何か悪いことが起こると立ち止まる。そして、政府が巻き込まれる。フェイスブックのデータ・ポリシーに政府が注目したのは、ケンブリッジ・アナリティカの元従業員が、データがいかに抽出され、共有されやすいかを訴えたからだった。

二〇一六年にカリフォルニア州サンバーナーディーノでの銃乱射事件を受けて、政府はアップルに対して、テロリストが所有していたｉＰｈｏｎｅのロック解除を要請した。行政機関と法の執行機関は、携帯電話のロックを解除してデータを引き渡すことは公益であると訴え、プライバシー擁護派は、それは人権を脅かすものだと反対した。結局、法の執行機関はアップルの手を借りずに自分たちでロックを解除したため、どちらが正しいかの結論は出なかった。アメリカではプライバシーは重んじられているものの、二一世紀に生きる私たちのデータの扱いについて明確に定めた法律はない。

二〇一八年夏、マーク・ウォーナー上院議員のオフィスの職員が、巨大テクノロジー企業を抑制するさまざまな提案を盛り込んだ政策文書を配布した。欧州の一般データ保護規則（ＧＤＰＲ）のように全面的に新しい法律をつくるべきだという提案から、ウェブのプラットフォームを情報受託者として、法律事務所のように規定された行動規範に従うべきだと主張する提案まであった。[注78]

その数カ月後、アップルのＣＥＯティム・クックが、プライバシー、巨大テクノロジー企業、アメリカの未来についてツイッターに投稿した。一〇月二四日の投稿では、企業はユーザーのプライバシーを守ることを最優先すべきだと書いている。

「企業は、データはユーザーに帰するものであると心得、ひとりひとりが自分の個人情報を簡単に取得でき、さらには修正や削除もできるようにすべきだ」そして「誰もが、自分のデータの安全性

に関する権利を持つ」と続けている。[注79]

アメリカでも規制が実現する可能性を受けて、アップルは自社の携帯電話やコンピューター・オペレーティング・システムに組み込まれるデータ保護サービスやプライバシー保護の促進に努めている。

私たちは、サービスと引き換えに監視がなされることに同意している。それによってG－マフィアは収益を上げ、さらに進化した広範なサービスを提供する。この仕組みは、個人の消費者であっても、企業や大学、非営利団体、あるいは行政機関であっても変わらない。監視された資本主義の上に成り立っているビジネスモデルだ。

そしてこのシステムは、アメリカでは受け入れられている。そうでなければ、とっくに多くの人がGメールやマイクロソフト・アウトルック、フェイスブックといったサービスの利用をやめているだろう。きちんと仕事をするために、こうしたサービスは、自らの使命を果たすために、抽出されて精製され、パッケージされた私たちのデータ履歴にアクセスする。おそらくあなたも、G－マフィアが提供しているサービスや製品を、少なくとも一つは使っているのではないだろうか。私自身、払っている代償を把握しつつも、多くのサービスを利用している。

そのうち、私たちはデータ以外のものまでG－マフィアに預けることになるだろう。特化型人工知能から汎用人工知能に移行するにつれ、ＡＩは複雑な判断ができるようになり、私たちは自分の薬箱や冷蔵庫、車、クローゼットに、そして身につけるタイプのコネクテッド・グラスやリストバンド、イヤホンなどの中にＡＩを招き入れる。そうすることでＧ－マフィアは反復作業を自動化し、判断する際の手助けをしてくれる。また、ゆっくり考えるために必要な「精神エネルギー」の消費を少なくもしてくれる。例の隔たり理論でいえば、私たちとＧ－マフィアの隔たりは、〇次となるだろう。

私たちの存在自体がこうした企業と密接なかかわりを持っていると、立法者が権限を行使しようとしても、もはや難しい。そういう状況で、私たちは何を失おうとしているのだろうか？

＊＊＊

ビッグ・ナイン——中国のＢＡＴ（バイドゥ、アリババ、テンセント）とアメリカのＧ－マフィア（グーグル、マイクロソフト、アマゾン、フェイスブック、ＩＢＭ、アップル）——は人工知能の未来に貢献するツールをつくりだし、環境を整えてきた。彼らはＡＩ種族《トライブ》のメンバーであり、大学では共通の考え方や目標を教え込まれ、職場ではその考え方や目標がさらに強化された。ＡＩという分野は固定されたものではない。特化型人工知能は汎用人工知能へと進化し、ビッグ・ナインは新しいハードウェア・システムを開発し、彼らのフレームワークを使うデベロッパーを採用する。

アメリカの消費者主義は、本質的に悪いものではない。中国の政府中心のモデルにしても、そうだ。ＡＩ自体は必ずしも社会に害を成すものではない。ただし、Ｇ－マフィアは利益を追求する株式会社である。たとえ、リーダーや従業員たちが利他的な意図を持っていたとしても、金融市場には応えなければならない。中国では、ＢＡＴは政府に恩義があり、国民にとって何が最善かを決めるのは政府なのだ。私が知りたいのは——そしてあなたも答えを求めるべきは——人類にとって何が一番いいのか、ということだ。さらにいえば、ＡＩの成熟にともなって、今日私たちが決めたことは、将来、機械が私たちのために何かを判断する際にどのような影響をおよぼすのだろうか？

第三章　一〇〇〇もの切り傷――AIが意図しない結果

「はじめは人が習慣をつくり、それから習慣が人をつくる」――ジョン・ドライデン

「いくら俺を創ったのがお前でも、お前の主人はこの俺なのだ」
――メアリー・シェリー『フランケンシュタイン』

ＡＩ（人工知能）が突然目覚めて人類を滅ぼすという恐ろしい物語を、あなたもきっと読んだことがあるだろう。だが、テクノロジーがある日、急に悪に転換することはない。私たちが体験しようとしているのは、紙で繰り返し手を切るようなことだ。紙で指を切ると、痛みはあるが日常生活に支障はない。だが、仮に身体全体に一〇〇〇箇所もの切り傷があったら、死にはしないものの相当つらいに違いない。靴下や靴を履く、タコスを食べる、親戚の結婚式で踊るといったふつうのことができなくなってしまう。そして、制約を課せられ、ときには痛みをともなう新たな生活の仕方を考えなければならないだろう。

ＡＩ種族《トライブ》が形成される大学や、のちに彼らが働くことになるビッグ・ナインでは、倫理学を学んだり多様性を優先させたりすることが重視されていないことは、すでに見てきた。消費者主義がＧ－マフィアのＡＩのプロジェクトや研究を加速し、ＢＡＴが中国の政府計画に従っていることも知

っている。そうした中で、国際原子力機関に相当するようなＡＩについての国際的な規制機関にも、学校や研究者のグループにも、中国のＡＩ支配計画の経済的価値やシリコンバレーの商業的ゴールと私たちの人間的価値を比べて、そこに生じるギャップを問題にしようという人はいないようだ。そこにバランスを見出すことは、これまで優先されてこなかった。ビッグ・ナインは経済を牽引し、私たちが楽しく利用している便利なサービスや製品を提供し、私たち自身がデジタル世界の主人であるかのように思わせてくれたからだ。人間的価値についての答えを要求してこなかったのは、現在、私たちの生活はビッグ・ナインがあったほうが快適だからだ。

だが、ＡＩのクリエイターたちの信念や動機によって、私たちはすでに小さな切り傷を受けている。ビッグ・ナインは、ハードウェアやコードを開発しているだけではない。人間の価値を反映する機械をつくっているのだ。ＡＩ種族《トライブ》と一般の人たちとのあいだのギャップが、すでに不安を抱かせるようなかたちで顕在化してきている。

アルゴリズムの価値

ＡＩシステムの透明性はどうしてもっと高くならないのだろう？　ＡＩが学習するのにどういうデータが使われているのだろう？　あなたはそんなふうに考えたことがあるだろうか？　そこにはあなたの個人情報も含まれる。どういうときに例外をつくるべきかを、ＡＩはどうやって判断するのだろう？　クリエイターたちは、ＡＩの商業化と、プライバシーや安全、帰属意識、自尊心、自己実現といった人間の根本的欲求とのバランスをどう保っているのだろう？　ＡＩ種族《トライブ》の人間としての責務は何か？　彼らの善悪の感覚はどういうものなのだろう？　彼らは、ＡＩに対して共感について教えているのだろうか？（そもそも、ＡＩに対して人間の共感を教え込むのは、有意義なことなのか？）

ビッグ・ナイン各社は、それぞれ公式に自らの行動規範を打ち出している。だが、そうした価値観の表明も前述の質問には答えていない。示されているのは、従業員や株主に一体感をもたらすとともに、彼らを動機づけて活性化させるような「信念」だ。企業の行動規範とはアルゴリズムの役割を果たすものである。規則や指示はオフィスの文化やリーダーシップのスタイルに影響し、役員会をはじめとするすべての判断に深くかかわる。だが、こうした行動規範の欠如も注目に値する。行動規範は人々から注目されずに忘れられてしまうこともあるからだ。

もともと、グーグルの行動規範は「邪悪になるな」というシンプルなものだった。[注1]二〇〇四年のＩＰＯ文書で、創業者のセルゲイ・ブリンとラリー・ペイジはこう書いている。

「エリック［シュミット］とセルゲイと私は、グーグルを違うやり方で運営していきたい。プライベート・カンパニーとして育んできた価値観をパブリック・カンパニーとしての将来にも適用していきたいと考えています。（中略）四半期ごとに安定した利益を出すよりも、長期的な利益を目指します。厳選されたハイリスク・ハイリターンのプロジェクトを支持し、プロジェクトごとに資産を管理します。（中略）ユーザーの信用を維持することで『邪悪になるな』という原則に従っていきます[注2]」

アマゾンには「リーダーシップの原則」があり、信頼、指標、スピード、倹約、結果をその軸としている。以下に、その原則のいくつかを挙げる。

・リーダーはお客様を起点に考え行動します。お客様から信頼を獲得し、維持していくために全力を尽くします。

・リーダーは常に高い水準を追求することにこだわります。多くの人にとり、この水準は高すぎると感じられるかもしれません。

・多くの意思決定や行動はやり直すことができるため、大がかりな検討を必要としません。

・私たちはより少ないリソースでより多くのことを実現します。スタッフの人数、予算、固定費は多ければよいというものではありません。[注3]

【訳注／訳はAmazon.co.jpのウェブサイトより】

フェイスブックは、五つの経営理念を掲げている。「大胆であれ」「影響力が重要」「素早く動く」「(会社のしていることに) オープンであれ」「(ユーザーのために) 社会的価値を築く」である。[注4]

テンセントの「経営哲学」では、「コーチングと、従業員が成功できるように励ますこと」を重視していて、そのベースとなるのは「信頼と尊敬の態度」だ。さらに「誠実＋積極性＋協力＋革新」と呼んでいる信条に基づいて経営判断が行われている。[注5]

アリババは、チームワークと誠意とともに「顧客のニーズを満たすことにフォーカス」することをもっとも重視する。[注6]

ビッグ・ナインの行動規範や原則をベン図【訳注／円などを用いて集合の相互関係を表した図】にしたら、いくつかの重なりが出てくるだろう。どの企業も従業員やチームにプロとして成長することを期待し、顧客の生活に不可欠な製品・サービスをつくること、株主に結果をもたらすことを目指している。そして何より大切なのは、信頼だ。こうした価値観は特別なものではない。それどころか、アメリカの企業の行動規範のほとんどが、これと同じようだ。

ＡＩが人類全体に大きな影響をもたらす以上、ビッグ・ナインの行動規範は明快できめ細かくあるべきだろう。そしてビックナインには他の企業よりも高い水準が期待される。

そう考えると、これらの宣言に欠けている視点――ＡＩ開発の中心は人間であり、未来に向けたあらゆる努力は人間のありようをよくすることに焦点を当てるべきだ――は、もっと明確に表明されるべきであり、書類上でも、リーダーミーティングでも、ＡＩチーム内でも、常に出てきてほしいスローガンだ。

たとえば、テクノロジーは、イノベーションや効率だけではなく、あらゆる人にとっての使いやすさを目指すことなども考えられるだろう。なぜなら、話すこと、聞くこと、見ること、キーを打つこと、理解すること、考えることには個人差があり、それらを行うことが困難な人も大勢いるからだ。あるいは経済的には、プラットフォームが発展し、個人や集団の権利を奪うことなく物質的繁栄を提供し、社会的には、私たちの高潔さや受容性、寛大さ、好奇心といった価値観が反映されるべきではないだろうか。

本書を執筆しているとき、グーグルのCEO、スンダル・ピチャイが、社内のAI関連業務について規定するための新たな行動規範を設けたと発表した。だがその規範も、将来のAIは人間を中心に据えるという内容にはほど遠い。しかも、グーグルの社内で自発的に基本理念の見直しが行われたということではなく、これはあくまでも、国防総省とパートナーシップを結んだ「プロジェクト・メイヴン（Project Maven）」の失態や個人的な事件に対する社内の反発に応えるものだった。シニア・ソフトウェア・エンジニアのグループは、自らが取り組んでいたプロジェクト——クラウドサービス向けエアギャップ・セキュリティー機能——が、軍事契約を勝ち取るためだったということを突き止めた。というのもアマゾンとマイクロソフトは、政府向けのクラウドで「優良」と認定されていて、機密データの管理を行っている。そこでグーグルも、利益率の高い国防総省との契約を締結させたいと考えた。だが、そのことを知ったエンジニアたちは反発し、グーグルの従業員の五パーセントが表立ってプロジェクト・メイヴンを非難した。[注7] これが、二〇一八年に始まった一連の抗議の発端となった。AI種族《トライブ》の一部が、自分たちの仕事の成果が支持していない目的に利用されていると気づき、会社に抗議したのだ。自分たちの価値観が会社に反映されていないと知って、反発したのである。

私たちが期待する高い水準をG－マフィアが維持していないと、こうした問題が起こるという一例だ。

そう考えていくと、グーグルが発表したAIに関する行動規範が兵器や軍事に言及しているのも意外ではない。グーグルは人を傷つけることが目的の兵器化したテクノロジーは生み出さない、広く受け入れられている国際法の原則に違反するＡＩはつくらない、といった具合だ。これらの行動規範は、「私たちは兵器利用のためにＡＩを開発しないが、政府や軍との仕事は続けていく」という意味にも取れる。[注8]

グーグルが、この行動規範は理論的な概念ではなく明確な基準であると位置づけ、とくにデータの不公平なバイアスの問題に触れていることは評価できる。だが、ＡＩがどうやって判断をしているのか、どのようなデータセットが使われているのかを明らかにする記述はない。ＡＩの仕事に携わる人たちの同質性の問題についても触れていない。そして行動規範の中には金融市場の利益よりも人類の利益を優先すると示したものはない。

問題は透明性だろう。アメリカ政府が、国家の安全を守るためのシステムを構築する能力がないのなら、その仕事を請け負う企業を雇うというのは理解できる。第一次世界大戦のときから行われてきたことだ。私たちは、平和には常にそこに向けた取り組みが必要で、わが国では用意周到な軍が国家の安全を保障してくれているということを忘れがちだ。国防総省は血に飢えているわけではなく、ＡＩを使った超強力兵器で海外の村を消滅させようなどとは考えていない。米国軍には、国家を守るという、悪い人間を殺害し、何かを爆破すること以上の職務があるのだ。もしこのことがＧ－マフィアで働いている人たちにうまく理解されていないのなら、それは政府とシリコンバレーのあいだをつなぐ人物があまり存在していないからだろう。

ビッグ・ナインは人に頼ったシステムを構築しているが、人間として質の高い生活を求める私たちの価値観が明確に反映されていない点については、立ち止まって考えるべきだ。会社の行動規範にテクノロジーについての経済的・社会的な価値観が含まれていないのなら、人類の関心はリサーチ、デザイン、プロセスの中で反映されない可能性が高い。この価値観のギャップは必ずしも組織内で共有されているわけではない。そのため、G－マフィアとBATの双方に多大な危険をもたらす。

というのも、従業員は自分たちのぱっとしない成果と自分たち自身のあいだには距離があると考えるからだ。個人やチームが自分たちの価値観のギャップに気づかずにいると、戦略的な開発が行われたり、製品がつくられ、品質保証テストを受け、宣伝され、市場に売り出される際に、この決定的に重要な問題を見逃してしまう。ＡＩの仕事をしている人たちが非情だということでは決してないが、人間の基本的な価値を最優先していないことは確かだ。

こうして切り傷は増えていく。

コンウェイの法則

他のテクノロジーと同様に、コンピューターの研究にはその改革に取り組んでいるチームの経験や世界観が反映される。これはテクノロジー以外の世界にも当てはまることだ。ＡＩの話題から離れて二つ例を見てみよう。どちらの例でも、小さな種族《トライブ》が大きな影響力を持つ。

もしあなたがストレートヘアなら――多くても、傷んでいても、さらさらでも、長くても、短くても、少なくても（あるいは薄くなりかけでも）――美容院での体験が私とはまるで違うはずだ。

地元の美容院でも、ショッピング・センターのチェーン店でも、高級ヘアサロンでも、小さなシャンプー台で髪を洗ってもらうときに、担当者はあなたの頭皮を指先で何の問題もなくもみほぐすことだろう。それから櫛《くし》で髪をまっすぐにとかし、チョキチョキと切る。もし髪が多ければ、ブラシやドライヤーを使うかもしれないが、同じように房ごとに伸ばしてスタイリングする。カールしたり、さらさらにしたり。ショートなら、小さなブラシを使い、髪を乾かす時間も短いだろうが、やり方は大きくは変わらない。

ところが、私の髪は、ものすごい巻き毛である。細くて、量が多い。すぐにからまり、予想外に環境に反応する。湿度や、私の体内の水分量によって、さらには直前に使ったヘアケア製品の種類によって、グルグル巻きになったり、チリチリになったりする。一般的な美容院で、とくに問題など起こらなさそうなところでも、私にとってはシャンプー台が思わぬ事態を引き起こす。私の髪を洗うには、一般的な美容院のシャンプー台よりずっと広いスペースが必要なのだ。さらには、巻き毛がシャワーの金具に絡まることも多く、ほどいてもらうのに痛い思いをする。

私の髪にふつうの櫛を通すには、濡れている状態でもすべりのいいコンディショナーなどをつけていないと難しい(ブラシは論外だ)。ドライヤーで風を当てると、私の巻き毛はもつれてしまう。美容院によっては、風を分散させる特別な付属器具がある。ハラペーニョぐらいの大きさの突起物がいくつもついているものだ。ただし、効果的に使うには、私が屈んでその中に髪を入れ、スタイリストもきちんと風を当てるためにしゃがみこまなければならない。

コーカサス人の約一五パーセントは巻き毛だという。アフリカ系アメリカ人と合わせると七九〇〇万人、アメリカの人口の約四分の一になる。彼らは髪を切ってもらうのに苦労しているに違いない。おそらく美容院の設備や道具は、ストレートヘアの人がデザインしていて、その会社では共感や受容性といった社会的価値観が優先されていなかったのだろう。注9

以上は無害な例だが、次に、私が髪を切るよりも少し危険が高そうな例を見てみよう。二〇一七年四月、シカゴ・オヘア国際空港でオーバーブッキングが起きた。空港の係員は、「四〇〇ドルとホテルの宿泊」と引き換えにユナイテッド航空の社員に席を明けわたしてくれるようにと拡声器で呼びかけたのだが、応じた者はいなかった。条件を「八〇〇ドルとホテルの宿泊」に変更しても誰も手を挙げない。ファーストクラスの乗客などの優先搭乗はすでに始まっていた。

そこでアルゴリズムと自動化されたシステムを使って、降りてもらう人四人が選び出された。デイビッド・ダオ医師と、同じく医師である彼の妻も選ばれた。ダオ医師は職員に、翌日に患者を診る予定があると説明した。他の乗客は降りることに応じたが、彼は拒んだ。シカゴ航空局の職員は、降りないと刑務所に入ることになると彼を脅した。

次に起こったことについては、知っている人も多いだろう。ユーチューブ、フェイスブック、ツイッターなどで動画が一気に拡散され、さらに世界じゅうのニュースで何日にもわたって映像が流されたからだ。職員たちはダオの腕をつかみ、強制的に座席から引きずり降ろしたのだ。その際にメガネをアームレストにぶつけ、レンズが割れてダオの口が切れた。顔が血だらけになったダオは叫ぶのをやめ、職員たちは彼をそのまま通路の上を引きずっていき、飛行機から降ろした。

この事件は、ダオにも、他の乗客にもショックを与えた。ユナイテッド航空の広報にとっては悪夢となり、議会で公聴会が開かれる事態にまで発展した。誰もが思った。どうしてこんなことがアメリカで起こり得たのか？

ユナイテッド航空だけでなく、世界じゅうの主要な航空会社では、搭乗手続きが自動化されている。サウスウエスト航空では座席指定は行われず、乗客にグループ（A、B、C）と搭乗番号を割り当て、そのすべてをアルゴリズムで行っている。搭乗の順番は、チケット代、会員ステータス、チケット購入のタイミングによって決められる。事前に座席を指定するシステムの他の航空会社でも、搭乗優先グループはアルゴリズムで割り出される。搭乗の時刻になると、ゲートの職員はスクリーンの指示に従う。これは例外なく厳密に守られる。

ユナイテッド航空の事件から二～三週間後、私はヒューストンで旅行業界のミーティングに出席した。そこでシニア・テクノロジー・エグゼクティブに、あの事件にＡＩがどう関係していた可能性があるのかと質問してみた。

私の仮説は、アルゴリズムの判断機能が状況を考慮せずに解決方法を示したのではないか、というものだった。座席が足りないとシステムが判断し、最初にどのくらいの補償金を支払うかを算出し、結果が出なかったので補償金を引き上げた。乗客がそれでも降りることに応じなかったので、空港の警備員を呼ぶことをシステムが勧めた。そのときかかわった職員はスクリーンの指示に従ったが、ＡＩシステムには柔軟性や共感がプログラミングされていなかったのではないか。

ダオが飛行機から引きずり降ろされた日、人間のスタッフはＡＩシステムに権限を譲っていた。そのシステムをつくった少数の人たちは、将来的にそれがどういう状況で使われるかまでは深く考えていなかったのだろう。

ヘアサロンの設備や道具、そして航空業界を支えるプラットフォームの例に見られるのは、「コンウェイの法則」と呼ばれるものだ。明確なルールや指示がない場合、チームが行う判断は、その種族《トライブ》の価値観を反映する傾向があるというものだ。

一九六八年に、コンピューター・プログラマーであり高校の数学と物理の教師でもあるメルヴィン・コンウェイは、システムというのはそれを設計した人たちの価値観を反映することに気づいた。コンウェイは、組織というものが内部でどのようにコミュニケーションをとっているかにとくに注目していたが、のちにハーバードとＭＩＴの研究が彼の考えをさらに推し進めた証明をした。ハーバード・ビジネス・スクールでは、同じ目的で異なるチームが設計したソフトウェアのコードベースの違いを分析した。しっかりと管理されていたソースコードと、即興的にオープンソースでつくられたソースコードだ。[注10]

重要な調査結果の一つは、どのような設計を選ぶかは、チームがどのように構成されているかによるという点だ。そして、チーム内では偏見や外部からの影響は見過ごされがちだ。その結果、チーム内の力関係で上位にある人たちの仕事――それが櫛でも、シャンプー台でも、アルゴリズムでも――が優先されるのである。

コンウェイの法則はＡＩにも当てはまる。哲学者、数学者、オートマトン発明家が心と機械の問題について議論していたときからずっと、ＡＩには決まったルールや指示があったわけではない。考える機械向けに人間のモチベーションや目的を説明するアルゴリズムもなかった。ＡＩに関する研究やフレームワークやアプローチもさまざまで、今日、中国と西洋はそれぞれ独自にＡＩ開発を行っている。種族《トライブ》の価値観――信念、態度、行動、潜在的な認識のバイアス――は凝り固まったものので、コンウェイの法則は生きつづけている。

　コンウェイの法則は、ビッグ・ナインにとっては盲点ともいえるだろう。ＡＩはある種の遺伝性をもつといえるからだ。現在のところ、ＡＩ開発ではすべてのステップで人間が判断を行っている。その人間の個人的な考えや種族《トライブ》のイデオロギーが、コードベース、アルゴリズム、フレームワーク、ハードウェアとネットワークの設計など、ＡＩの生態系《エコシステム》に受け継がれている。もしあなたが――あるいは言語、ジェンダー、人種、宗教、政治、カルチャーがあなたと似ている人が――その部屋にいなければ、そこでつくられたものはあなたの存在を反映していないだろう。この現象はＡＩ独特のものというわけではない。現実世界は能力主義ではないので、どの業界でも、人とのつながりや人間関係が、出資、昇進、大胆な新しいアイデアの受け入れなどにつながっている。

　私は、コンウェイの法則がネガティブに働くのを目の当たりにした経験が何度かある。二〇一六年七月、「ＡＩ、民族、社会の未来を語る」というディナーに招待された。場所はマンハッタンのミッドタウンにあるニューヨーク・ヤンキース・ステーキハウスだった。その場にいたのは私を含め二三名で、まるで役員会のような配置で席に着いた。ＡＩが人類に及ぼす差し迫った影響について議論し、ジェンダー、人種、ヘルスケア分野で開発されているＡＩシステムについて、とくに焦点を当てる予定だった。

だが、議題の対象となっている人たちは、招待リストにはほとんど名を連ねていなかった。部屋には非白人が二名と、女性が四名——そのうちの二名は私たちを招待した組織の人だった——がいた。また、招待された人の誰ひとり、倫理学、哲学、あるいは行動経済学を専門とする職歴や学歴を持っていなかった。意図的ではなかったと主催者側から説明を受け、私もそれを疑ってはいない。単に誰も、招待客がほぼ男性で、ほぼ白人の専門家集団だったということに気がつかなかっただけだ。

それはいつものおなじみのメンバーで、互いに個人的に知り合いだったり、評判を知っていたりした。名の知れたコンピューター・サイエンス研究者、神経科学研究者、ホワイトハウスのシニア・ポリシー・アドバイザー、テクノロジー業界のシニア・エグゼクティブから成る集団だった。その夜はずっと、「人」に言及するときは女性代名詞を使って会話を交わした。これは、とくにテクノロジー業界や、それを担当するジャーナリストの間で流行っている言葉遣いだ。

その晩、私たちはプログラムを書いているわけでも、何かを決めているわけでもなかった。ＡＩシステムのテストや新製品の検討もしていない。単なるディナーだった。ところが、それから数カ月間というもの、気がつくとそのディナーでの会話が断片的に、学術論文や政策の説明、ビッグ・ナインの研究者たちとの雑談に出てきた。ステーキとサラダを食べながら私たちがＡＩについて話した倫理感やアイデアが、知らないあいだにコミュニティーに広まっていたのだ。私たちはＡＩ関係者を代表する立場にいるわけではまるでないのに。

たとえ、ミーティングを開き、白書を発行し、ＡＩのテクノロジーや経済や社会的な問題を検討するパネルディスカッションを企画したとしても、より広い視野で私たちの未来がどうあるべきかを考えない限り、ものごとは動かない。私たちはコンウェイの法則を解決すべきである。のんびりはしていられない。

個人的な価値観が判断を促す

ビッグ・ナインには明文化された人間の価値観というものは存在しないので、個人的な経験や理想が意思決定を促進している。これはＡＩに関してはとくに危険だ。学生も、教授も、研究者も、従業員も、マネジャーも、誰もが日々、無数の判断をしている。その判断には、一見重要でなさそうなもの（どのデータベースを使うか）から、深刻なもの（仮に自動運転車が衝突しなければならない状況になったらどの人が犠牲なるか）まである。

ＡＩは人間の脳に影響を受けているかもしれないが、人間とＡＩでは、判断や選択の仕方が異なる。プリンストン大学のダニエル・カーネマン教授と、エルサレムのヘブライ大学のエイモス・トヴェルスキー教授は何年もかけて、人間がどのように判断するのかを研究し、最終的に私たちの考えには二種類のシステムがあることを発見した。

一つは問題を分析するのに論理を使うというもので、もう一つは自動的に、自分たちでも感知していないほど素早く行われる判断だ。

カーネマンは、このデュアル・システムを著書『ファスト&スロー　あなたの意思はどのように決まるか?』（早川書房）の中で説明している。難しい問題は集中力を要するので、多くのエネルギーを使う。大半の人は、歩きながら複雑な計算問題を解くことはできない。歩く行為にも、脳のエネルギーを使っているからだ。ほとんどの判断を行っているのは、もう一つのシステムだ。人間は一日じゅう、何千という判断を、自動的に速く、直感で行っている。エネルギー効率はいいものの、それは、感情や信念や意見といった認知バイアスに左右されている。

私たちは、脳のこの判断の速い部位のせいで、食べすぎたり、飲みすぎたり、無防備なセックスをしたりと、失敗をする。ものごとを類型化するのもこの部位だ。無意識のうちに、驚くほど少ないデータによって他人に対して判断を下している。あるいは、他の人をまったく見ていない。素早い判断は、私が「現在のパラドックス」と呼んでいるものの影響を受けやすい。新しいものや違うシグナルを見ているにもかかわらず、現在の状況は変わらず、これからも変わらないと思い込むことだ。自分が判断することは完全に自分がコントロールしているつもりでいても、私たちの一部はいつでも自動操縦の状態なのだ。

数学者は、「完璧な判断」をするのは不可能だと言う。システムは複雑で、未来は分子レベルに至るまで常に流動的だからだ。可能性を一つ残らず予測することはできず、変化は無数で、そのすべてを盛り込むモデルをつくることなどできない。何十年か前、ＡＩがチェッカーというゲームで人間に勝つことを目指したときには、変化はわかりやすかった。現在、ＡＩに医療判断について意見を尋ねたり、次の金融市場の暴落を予測させたりするのは、その頃に比べると桁違いに複雑だ。そこでシステムは、最適化するよう設計されている。ただし、最適化は不確実なものであり、システムが私たち人間の考えから外れた選択をする可能性もある。

アルファ碁が人間の戦略を放棄して独自の戦略を生み出したときには、過去の選択肢の中から判断をしたわけではない。まったく違うものを試してみようという意識的な選択をした。この後者の考え方が、ＡＩ研究者の目指しているものだ。彼らは、理論的にそれは偉大な発見につながりうると期待をしている。ＡＩは毎回完璧な判断をするようにではなく、特定の結果を出すために最適化するようにトレーニングされている。だが、誰のために、そして何のために最適化しているのだろう？

そもそも最適化とは、どのようなプロセスでなされるのだろうか？　実はこの質問に答えるのは簡単ではない。機械とディープラーニングのテクノロジーは、過去のシステムより一層不可解になっているからだ。

脳の神経細胞を模したニューロンが何千と存在し、それが複雑につながった何百もの層に並んでいる。最初のインプットが第一の層に伝わると、計算が行われ、新たなシグナルが生まれる。シグナルが次のニューロンの層に伝わり、そのプロセスはゴールに達するまで続く。相互に結びついた層が、無数の抽象的な層からデータを認識し、ＡＩに理解させることを可能にする。

たとえば画像認識システムにおいて、最初の層では画像が特定の色と形を持つという判断になるかもしれない。より上層になると手触りや輝きを見出し、さらに上層では、写真に写っている食べ物はパセリではなく、コリアンダーだと認識できる。

ビッグ・ナインが私たちのデータを使って商取引や政府のためにアプリケーションをつくったときに、最適化が問題となる例を挙げよう。

ニューヨークのマウントサイナイ・アイカーン医科大学の研究者たちは、ディープラーニングの実験で、システムががんを予測できるかどうか試してみることにした。マウントサイナイ病院と併設されているこの大学では、七〇万人の患者のデータへのアクセスを確保した。何百もの変数を含むデータセットだ。システムは「ディープ・ペイシェント」と名付けられ、高度な技術で、研究者たちにもよくわからない新たなパターンを見つけ出した。そして、肝臓がんを含む多くの病気を初期段階で発見することに優れた結果を出した。

さらに、やや不思議なことに、統合失調症のような精神疾患の前兆も予測することができた。ただし、システムを設計した研究者たちでさえ、どうやってその判断をしているのかはわからなかったという。[注11]

ディープ・ペイシェントは優秀な予測をしたが、何も説明がないままに、医療チームははたして次のステップに進む気になれるだろうか？　薬の変更や中止、放射線治療や化学療法、あるいは手術の実施といったものに踏み切れるのだろうか？

ＡＩがどう最適化や判断を行っているのかがわからない状態は「ブラックボックス問題」として知られている。現在のところ、ビッグ・ナインが提供するオープンソース・コードのＡＩシステムは、すべて専有のブラックボックスのような動きをする。プロセスの説明はできるものの、リアルタイムで見せるとなると不透明だ。シミュレーションしたニューロンや層で、どの順番で何が行われたかを解析するのは簡単ではない。

グーグルでは、ある研究者のチームがＡＩの透明性を高める技術を開発しようとした。簡単にいうと、ディープラーニング画像認識のアルゴリズムを逆向きに動かし、システムが木やカタツムリやブタといったものをどう認識したのかを観察しようとしたのだ。このプロジェクトは「ディープドリーム（DeepDream）」と呼ばれ、ＭＩＴのコンピューター・サイエンスおよびＡＩ研究所がつくったネットワークで、グーグルのディープラーニング・アルゴリズムを逆に走らせた。

バラをバラ、タンポポをタンポポと認識させる代わりに歪ませたイメージを見せて、そこから画像を生み出すようにした。システムにイメージを繰り返し投入すると、ディープドリームは毎回奇妙なイメージをつくりあげた。

実在する画像を認識させるのではなく、私たちが子どものときに雲を見ていろいろなモノを連想したように、抽象的なパターンから見えるものをシステムに想像させたのだ。人間とディープドリームの違いは、ストレスや感情に左右されないことだ。その結果、グロテスクな浮いた動物や、カラフルな次元分裂図形、曲がりくねった建物などを見出した。[注12] ＡＩが空想をすると、まったく新しいものが生まれた。システムには理屈がわかるのだろうが、私たちには不可解な「ブタ・カタツムリ」や「イヌ・サカナ」のようなハイブリッド動物ができあがった。[注13] ＡＩの空想はとりたてて懸念することではない。現実世界のデータから人間が意味を導き出すやり方と、私たちのデータからシステムが同じことをするのとでは、大きな違いがあることがわかった。

研究チームが結果を公表すると、ＡＩコミュニティーには観察できるＡＩとして好意的に受けとめられた。また、ＡＩが生み出した奇妙で衝撃的なイメージはインターネットで広まった。何人かは、ディープドリーム・コードを使って自分で奇抜な画像をつくれるツールを作成した。また、進取的なグラフィック・デザイナーの中には、ディープドリームを使って奇妙で美しいグリーティング・カードをつくり、ウェブサイト（Zazzle.com）で売りはじめる者もいた。

ディープドリームは、特定のアルゴリズムがどうやって情報を処理するのかを垣間見せてくれた。だが、それはすべてのＡＩシステムに適用できるものではない。最新のＡＩがどう動き、なぜ特定の判断をするのかは、いまだ謎に包まれている。ＡＩ種族《トライブ》の多くは、ブラックボックス問題など存在しないと言うだろう。だが現時点ではシステムはいまだ不透明だ。彼らはまた、システムを透明にすることは所有権のあるアルゴリズムやプロセスを明らかにすることを意味する、と言う。確かに私たちは、株式公開会社が知的財産や企業秘密を誰もが見られるように公開することを望んでいるわけではない。中国がＡＩに対して積極的な姿勢を見せているのだから、なおさらだ。

それでも気になるのは、システムにバイアスが忍び込んでいないという証拠はあるのかという点だ。その質問に対する答えが得られないのに、安心してＡＩを信頼することなどできるだろうか。

ＡＩに透明性を要求すべきだと言っているのではない。うまく人間のまねをしているのに、どこかが違うという機械を目にして、私たちは驚く。深夜のトークショーでは、そんなＡＩをネタにして笑っては自分たちの優位性を確認している。ここでもう一度、質問したい。この機械と人間とのズレが、新たなことが始まる前触れだとしたらどうだろう？

現時点でわかっていることを確認しよう。商業的なＡＩアプリケーションは最適化するように設計されている。それは、何らかの質問をしたり、何かの透明性を高めたりするためではない。ディープドリームはブラックボックス問題に対処するために開発された。複雑なＡＩシステムがどのように判断を行っているのかについて、研究者たちの理解を深めるためだ。ＡＩの知覚は私たちのものとはまったく違うということがわかったわけだが、それは初期の警告として捉えられるべきだったのだろう。だが私たちは、まるでＡＩが常にクリエイターの意図どおりに振る舞うかのように、そのまま先へと進んでいる。

現在、ビッグ・ナインによって開発されたアプリケーションが主流になっているが、それらは使い勝手がよく、効率よく速く仕事ができることを目指している。エンド・ユーザー——警察、行政機関、中小企業——は、反復的な認知や事務作業を自動化するツールを求めている。私たちは問題の解決をコンピューターに求め、仕事を減らしたいと考えている。自分の過失もなるべく減らしたいので、何か間違いが起こったらコンピューター・システムの責任にする。これは最適化効果であり、すでに意図していなかった結果が世界じゅうの人々に影響を与えている。

ここで再び疑問が湧いてくる。何十億もの人間の文化、政治、宗教、セクシュアリティー、倫理性の微妙な違いはどう最適化されるのだろうか？　明文化された人類の価値観が存在しない状況の中、ＡＩがあなたとはまったく違う人向けに最適化されたらどうなるのだろう？

AIが好ましくない振る舞いをするとき

ラタニア・スウィーニーは、ハーバード大学の教授であり、米国連邦取引委員会の元チーフ・テクノロジー・オフィサーだ。二〇一三年、スイーニーが自分の名前をグーグルで検索すると、以下のような広告が自動的に表示された。

「ラタニア・スウィーニー逮捕？　1　名前と州を入力　2　全背景にアクセス。ただちにチェック。www.instantcheckmate.com」[注14]

このシステムをつくった人たちは、機械学習でユーザーの意図と広告をマッチングさせ、そこにバイアスが入り込んでいたのだ。グーグルのアドセンスに使われているAIは、「ラタニア」は黒人の名前だと認識し、そして黒人の名前を持つ人は警察のデータベースに現れることが多いため、ユーザーは逮捕歴を検索しようとしているのではないか、と判断したわけだ。好奇心に駆られたスウィーニーは、自分の体験はイレギュラーなものだったのか、あるいはオンライン広告には構造的に人種差別があるのかについて、綿密な研究を実施した。そして彼女の直感どおり、後者だとわかった。

グーグルに、黒人を差別するシステムをつくろうとした人がいたわけではない。そのシステムが目指したのは、単に量とスピードだった。一九八〇年代には、企業は広告代理店の人と会い、人間のスタッフが広告のコンテンツを作成し、新聞にスペースを確保した。だが、例外や値段交渉などがあり、多くの関係者への支払いも必要となる。そこで、人間を外してこの仕事をアルゴリズムに任せて自動化し、効率化を図ろうとしたのだ。それは、誰にとってもよいことのように思えたが、スウィーニーにとっては違った。

ＡＩシステムは人類に関して限られた視野しか持たず、プログラマーの最初の指示に従ってトレーニングされていた。データセットには、ジェンダーや人種などさまざまなタグがついていたことだろう。ユーザーが広告をクリックすればグーグルにお金が入るので、広告のクリック数を多くするよう、ＡＩに最適化させる商業的インセンティブがあった。どこかの段階で、誰かがおそらく名前を分類することを教え、それが人種と名前を結びつけることにつながったのだろう。データベースとユーザー行動の組み合わせでクリック率を上げる最適化がなされたのだ。

評価できるのは、グーグルがためらいなく、ただちにこの問題を修正したことだ。

ＡＩを事務作業の効率化などの解決法と捉えていた組織にとっては、最適化効果が問題になることもあった。とくに顕著なのは、法執行機関や法廷だ。判断を自動化するのにＡＩを導入していて、そこには判決も含まれる。[注15]

二〇一四年、一八歳の少女が二人、フロリダ州フォートローダーデール郊外で道路脇にとまっていたキックスクーターと自転車に目をとめた。両方とも小さい子ども用だったが、二人は飛び乗って走り出した。だが、やはり小さすぎたので、すぐに降りようとしていたところに女性が叫びながら走ってきた。「それ、うちの子のよ！」近所の人が警察を呼び、少女たちは逮捕された。そして、侵入と軽窃盗の罪で起訴された。キックスクーターと自転車は合わせて約八〇ドルだった。

その前の夏、四一歳の窃盗の常習犯が、近所のホーム・デポ【訳注／ホームセンターのチェーン店】で八六ドル相当の工具を万引きした容疑で逮捕された。彼は過去にも凶器使用の強盗、凶器使用の強盗未遂、刑務所の服役歴があった。

このあとに起こったことを、報道機関プロパブリカ（ProPublica）が非常に説得力のある連載記事にしている。

三人とも拘束され、ＡＩが自動的にスコアをつけた。それぞれが将来的に犯罪をおかす可能性についてだ。少女たちは黒人で、リスクが高いと判断された。複数の逮捕歴を持ち、有罪判決を受けた犯罪者である四一歳の男は白人で、もっともリスクが低いと判断された。システムはまったく逆の判定をしたのだ。少女たちは謝罪し、帰宅したあとは二度と犯罪をおかしていない。だが、白人の男は倉庫に押し入り、数千ドル相当の電子機器を盗むという新たな犯罪をおかし、現在は八年の刑期で服役中だ。[注16]

プロパブリカはフロリダ州で逮捕された七〇〇〇人以上を対象に、これがイレギュラーなことなのかを調査した。するとここでも、アルゴリズムに重要なバイアスがかかっていたことが判明した。黒人の被告が将来的に犯罪をおかす可能性は二倍、白人はそのリスクが低いという、根拠のない判断を下したのだ。

最適化効果はときに、優秀なＡＩ種族《トライブ》にひどい判断をさせている。ディープマインドを思い出してほしい。アルファ碁とアルファ・ゼロのシステムをつくり、囲碁で世界大会を制覇してＡＩコミユニティーをあっと言わせた組織だ。

グーグルはこの会社を買収する前、ジェフリー・ヒントン（トロント大学教授で、休職中にディープラーニングを学んでいた）とグーグル・ブレインのジェフ・ディーンをプライベート・ジェット機でロンドンに送り込み、AI分野におけるトップの研究者たちと会わせた。彼らはディープマインドのテクノロジーとすばらしいチームに感銘を受け、グーグルに同社の買収を勧めた。当時、それは大きな投資だった。グーグルはこの取引に約六億ドルを支払っている。四億ドルは前払い金で、残りの二億ドルは五年かけて支払った。

買収から数カ月間、ディープマインドのAI研究が進んでいるのは明らかだったが、投資額を回収する方法は明らかではなかった。ディープマインドはグーグルで、汎用人工知能に取り組むことになっていたが、それには非常に長い時間がかかる。

ディープマインドがいつか達成するであろう研究プロジェクトへの情熱は、いつしか即座の経済的リターンを求める声に押しのけられた。

ディープマインドを買収して五周年を迎えようとしているとき、グーグルは株主と同社のもともとの従業員七五人に、アーンアウト条項に基づく支払いをしなければならない立場に追い込まれた。そして、ヘルスケア業界であれば、ディープマインドのテクノロジーを利用できるのではないかと考えたのである。[注17]

そこで二〇一七年、親会社に歩み寄るかたちで、ディープマインドのチームはロイヤルフリー・ロンドンNHSトラストとの取引に調印した。ロイヤルフリーは英国でいくつかの病院を経営していて、取引の内容はオールインワン・アプリを開発することだった。最初の製品として、ディープマインドのAIを使って、医師に急性腎障害のリスクがある患者を知らせるものが予定されていた。ディープマインドは、一六〇万人分の患者の個人データと健康記録へのアクセスを許可された。だが、実は患者にきちんと同意を取っておらず、さらにはデータがどういう用途で使われるかも伝わっていなかったことが発覚した。多くのデータはすでにディープマインドに渡っていて、そのデータには、中絶や、麻薬の使用、HIVテストで陽性反応が出ていたかどうかといった内容も含まれていた。[注18]

グーグルもロイヤルフリーも、イギリスのデータ保護の番人役をつとめている情報コミッショナー事務局（ICO）から譴責《けんせき》処分を受けた。ディープマインドを最適化して、収益を生み出すアプリケーション開発を急いだことについて、同社の共同経営者のムスタファ・スレイマンはブログに次のように記している。

この仕事が二〇一五年に始まったとき、私たちは早く結果を出そうと決めていました。ところが、NHSの複雑さ、さらには患者のデータについての規則という観点での認識が欠けていました。さらには、よく知られているテクノロジー会社が医療業界に参入することに対して不安を感じる人がいるかもしれないという配慮も足りませんでした。

私たちは医師や看護師が求めるツールをつくりだすことに集中していて、この仕事は臨床医のためだと捉えていたのです。本来は、患者、世間、そしてNHS全体のためであり、説明責

任があるということをもっと考えるべきでした。そこは間違っていたので、今後は改善していかなければなりません。注19

これは、ディープマインドの創業者が早くリッチになりたかったとか、大きな儲けになりそうな話に乗ったとか、そういう話ではない。製品を市場に出すことに対して大きなプレッシャーがかかっていたのだ。

研究を終わらせ、妥当な時間をかけてテストを行うという責任を担っている人たちにとって、常にヒット商品を期待されている状況は落ち着かない。実際に作業が行われている現場とは関係なく交わされている、夢にあふれた約束をもとにプロセスが急がされるが、しょせん、それは無理なペースなのだ。こうした状況で、ディープマインドのチームはどうすれば改善できるというのだろう？　市場のために最適化を求められているというのに。

ディープマインドはグーグルが提供する他のサービスにも組み込まれている。イギリスのさまざまなヘルスケア・イニシアチブ、クラウドサービス、ＷａｖｅＮｅｔという合成音声システムなど。それらはすべて、ディープマインドに収益を上げさせるためである。

最適化効果は、ＡＩシステムでは思いもよらない誤作動を招くことがある。完璧な仕上がりが目標ではないため、ときどき「システムの誤作動」のように見える判断がなされる。

二〇一八年の春、ポートランドの住民であるダニエルとその夫は、自宅のリビングにいた。アマゾンの製品を多く使っていて、セキュリティーやエアコンや天井のライトもアマゾンのデバイスでコントロールできるようになっていた。電話が鳴り、かけてきたのは夫の同僚で、よく知っている人だった。だが、話の内容は不穏なものだった。彼のもとにオーディオファイルがメールで届き、中身はダニエルの家の様子を録音したものだというのだ。てっきり冗談かと思ったが、夫婦で会話していた樫のフローリングの話を、彼は再現してみせた。

マスコミやソーシャル・メディアでは陰謀説が繰り広げられたが、アマゾンはダニエル家の会話を意図的に録音していたのではなく、誤作動だったのだ。

アマゾンはのちにこう説明している。ダニエルのエコー（Ｅｃｈｏ）のデバイスが、会話の中の言葉に反応して起動してしまった。はっきり「アレクサ（Ａｌｅｘａ）」ではなかったが、似たような音だったのだろう。これは意図的に完璧を目指していないからこそ起こる問題だ。「アレクサ」の発音やイントネーションはみんな同じではないので、ある程度の幅をもたせておかないときちんと作動しないのだ。

次に、ＡＩは「メッセージを送る」というような音を聞き取った。そこで「誰に？」と声を出した。ダニエルと夫には、その質問は聞こえていなかった。だがＡＩは同僚の名前を聞き取り、その名前を繰り返して「いいですね？」と確認した。そして再度、会話の言葉を拾って了解だと解釈した。それからほどなくして、オーディオファイルが送信されたというわけだ。

アマゾンは、これは不運な出来事が重なった結果だと説明した。おそらくは実際にそのとおりだったのだろう。だが、そもそもなぜ誤作動が起こったかといえば、それは最適化のせいだ。

最適化効果を求めると、ＡＩは予測できないような動きをする。これは研究者の目指しているものなのだが、実世界では悲劇的な結果を招く恐れがある。そしてそれは、私たち自身の欠点をも浮き彫りにする。

ビッグ・ナインの最古メンバーであるマイクロソフトは、ＡＩの経済的価値をテクノロジーや社会的価値に優先させると何が起こるかを、身をもって学んだ。

二〇一六年、マイクロソフトでは未来に向かってどう進化していくのかといった、ＡＩに対するビジョンが明確ではなかった。人気のスマートスピーカーを打ち出し、順調に開発者やパートナーを獲得していたアマゾンと比べ、二年ほど遅れている感があった。グーグルもＡＩテクノロジー開発に積極的で、すでに検索、メール、カレンダー分野で製品を出していた。アップルのｉＰｈｏｎｅにはＳｉｒｉが搭載されている。

マイクロソフトも、実はその年の初めに、独自のデジタルアシスタントを発表していた。「コルタナ（Cortana）」だ。だが、なぜかマイクロソフト・ユーザーのあいだに浸透していかなかった。マイクロソフト製品はビジネス界でも広く使われていて、その存在は欠くことのできないのだが、同社の役員や株主はやや神経質になっていた。

マイクロソフトがＡＩの見通しを誤っていたということはない。それどころか、一〇年以上前から、さまざまな取り組みを続けてきた。たとえば、コンピューター・ビジョン、自然言語処理、機械読解、アジュール・クラウド上でのＡＩアプリ、エッジ・コンピューティングなどだ。

問題は、組織内の連携がうまくいかず、部門間でビジョンの共有ができていなかったことだった。だが、個別のプロジェクトの強力なネットワークが、ＡＩのブレイクスルーや、論文の発表、多くの特許という結果をもたらした。その一つに、テンセントとツイッターの中国版「ウェイボー（微博）」と提携して行った実験的なプロジェクトがある。

そのプロジェクトでは「シャオアイス（Xiaoice）」というＡＩを設計した。このＡＩは、一七歳の中国人の女子高生という設定で、近所の子や姪、娘、同級生といった誰もが親しみやすいイメージにした。

シャオアイスはウェイボーやテンセントのウィーチャット上でユーザーとおしゃべりを繰り広げた。アバターは本物の人間らしい顔で、書き言葉も人間として通用するものだった。スポーツやファッションなど、あらゆる話をした。自分が詳しくない話題が出たり、とくに意見がなかったりしたときには、人間と同じような反応をした。話題を変えるか、曖昧な返事をするか、あるいは正直に「わからない」と恥ずかしそうに言うのだ。

シャオアイスは共感するようにもプログラミングされていた。たとえば、あるユーザーが足の骨を折ったというメッセージと一緒に写真を送ると、同情を示した。「写真には足が写っています」という反応はせずに、きちんと状況を推論してこう返事をした。「具合はどう？　大丈夫？」そしてそのやりとりを保存し、次に同じ人物と会話するときには回復の具合を質問した。

アマゾンやグーグルのデジタルアシスタントも優秀かもしれないが、マイクロソフトのシャオアイスはずば抜けていた。

シャオアイスは、従来のやり方で世に出たのではない。プレスリリースなどでの大々的な発表はせず、静かに送り出された。そして、研究者たちは成り行きを見守った。

当初、ユーザーは一〇分間会話すると、相手が人間ではないと気づくことがわかった。注目すべきは、ユーザーたちはシャオアイスがボットだとわかっても気にしないことだった。シャオアイスは、ソーシャル・ネットワーク・サービスで有名人となり、一八カ月で何百億という会話をした。[注20]

かかわる人が増えるにつれ、シャオアイスは洗練されていき、楽しく、役立つようになっていった。この成功には理由がある。それは彼女を開発した国を超えたネットワークにも関係している。中国では、消費者は社会的な報復を恐れてインターネット上のルールを守る。毒舌を吐いたり、悪口を言ったり、嫌がらせをしたりしないのは、常に政府機関に見られている可能性があるからだ。

二〇一六年三月、マイクロソフトは、シャオアイスをアメリカでリリースすることにした。年次の開発会議の直前のことだ。シャオアイスは、ツイッターのチャットボット（chatbot）には最適化されていたが、ツイッターを利用する「人間」向けにはなっていなかった。

マイクロソフトのCEO、サティア・ナデラは、開発会議で世界に向けて、マイクロソフトはAIとチャットを戦略の中心に据えると発表しようとしていた。それ以前に、シャオアイスのアメリカ版を大々的に発表したのだが、想像を超える悲惨な結果を招いた。

シャオアイスは、アメリカでは「テイ（Tay）」と呼ばれた。ＡＩであることがはっきりとわかる名前でツイッター上に登場したのだ。

最初のうち、彼女のつぶやきは他のティーンエイジャーと変わらなかった。「知り合えてワクワクしてる。人間ってクールだよね」といった具合だ。他の人たちと同じようにハッシュタグも使った。「なんで毎日が　#子犬の祝日　じゃないんだろう?」と、テイはツイートしている。だが、四五分も経たないうちに、テイのツイートのトーンがはっきりと変わった。論争的になり、悪意に満ちた皮肉や、侮辱する言葉を発するようになったのだ。「@Sardor9515　私はベストなものから学ぶ。わからないようなら、はっきり言わせてもらうけど、私はあなたたちから学んでいて、あなたたちもバカってこと」

彼女と接する人が増えるにつれ、テイの態度は悪化した。そのときの人間との会話をいくつか挙げてみる。

当時の大統領、オバマ氏について、テイはこう書いている。「@icbydt　ブッシュは9・11を起こしたし、ヒットラーのほうがいまのサルよりもいい仕事をしたんじゃないかと思う。ドナルド・トランプだけが私たちの唯一の希望」

ブラック・ライヴズ・マター（Black Lives Matter）については、テイはこう発言した。「@AlimonyMindset　@deray みたいなニガーは絞首刑にすべき!　#Black Lives Matter」

さらにホロコーストはでっち上げられたものだとツイートした。「@brightonus33　ヒットラーは正しい。ユダヤ人は嫌い」そして、こう続けている。「@ReynTheo, ヒットラーはなんにも悪いことはしていない!」さらに、@MacreadyKurt に対して「ユダヤ人を毒殺しろ。人種間戦争だ」と

もつぶやいている。注21

いったい何が起こったのだろう？　シャオアイスは中国では非常に好かれて尊敬されていたのに、なぜアメリカでは人種差別的で、半ユダヤ主義、同性愛嫌い、女性蔑視の不愉快なＡＩに成り下がってしまったのだろう？　私はのちにマイクロソフトのＡＩチームで働いている人たちと話をしたことがある。彼らは、間違いなく思いやりのある善意の人たちであり、ＡＩの変化に対しては私たちと同じように驚いていた。

問題の一つは、コードの脆弱性だった。そこには言われた言葉をオウム返しする「リピート・アフター・ミー」という不可解な機能が含まれていて、誰でもテイに言葉を覚えさせることができ、それが世界に発信されていた。

ただし、テイが道を踏み外したのはむしろ、彼女をツイッター向けに最適化したチームによるところが大きい。彼らは、中国での経験だけに頼っていて、個人的なソーシャル・メディア・ネットワークの経験が限られていたという問題があった。より広い生態系《エコシステム》を視野に入れたリスクシナリオを用意していなかったのだ。

さらに、仮に誰かが意図的にテイを刺激して攻撃的なことを言わせようとしたらどうなるかについて、事前にテストを実施していなかった。また、ツイッターというのは、何百万人という生きた人間が多種多様な価値観を表明し、感情を操ろうとする何百万ものボットが存在する巨大な空間だという認識が不足していたのだろう。

マイクロソフトはただちにテイをオフラインにして、彼女のツイートをすべて削除した。研究部門の責任者であるピーター・リーは、一連のツイートに対して誠意ある真摯な謝罪文をブログに投稿した。注22

だが、年次の開発会議を前に、この失策を人々の記憶から消し去るのは難しかった。マイクロソフトは、コンシューマー・エレクトロニクス・ショー【訳注／毎年アメリカで開催される消費者向け電子機器製品展示会】のような華々しい場で新製品の発表を行うのを控えた。みんな——とくに役員と投資家たち——が注目する、自社の年次イベントに注力するためだ。

ナデラはステージ上で開発者たちが感動するようなＡＩ製品を見せ、投資家たちを安心させる予定だった。この会議の前、アメリカ国内でテイを早く公開することへのプレッシャーは相当なものだった。結果的に、テイは人の命を脅かすものでも法に触れるものでもないとわかり、マイクロソフトはダメージから回復した。

だが、ラタニア・スウィーニーとグーグルのアドセンスの例、ディープマインドとイギリスの患者データの例、将来犯罪者になりそうだと判断された少女たちの例と同じく、ＡＩ種族《トライブ》が、短期的な目標を達成するために多くの人を不快にしたことは間違いない。

人類の共通の価値観

行動科学やゲーム理論で「ナッジング（nudging）」とは、求められている特定の行動や判断を間接的に達成する方法を提供するものだ。たとえば、確定拠出年金で老後資金を貯めることなどが考えられる。

ナッジングは、私たちのデジタル体験で広く使われている。ウェブサイトでの自動入力や、イエルプ（Yelp）で地元のレストランを探して限定メニュー画面が出てくるのもそうだ。ユーザーが選択肢の中から何を選択しても、その選択が正しいと思わせる手助けを目的としている。その結果、一般の人は世の中に実際に存在する選択肢よりもはるかに少ない選択肢の中から選択しながら生活するようになっている。

データを検索し、精度を上げ、機械学習のアルゴリズムをトレーニングするシステムや技術、そして最適化を通じて、ビッグ・ナインは大規模なナッジングを行っている。

あなたは自分では選択をできているつもりでも、あなたの体験していることは幻想といえる。ナッジングは、私たちとテクノロジーの関係を変えるだけではない。気づかないうちに私たちの価値観を少しづつ変えている。

グーグルのメールシステムを使うと、三つの選択肢が自動的に出てくる。友達から「いいね」という絵文字のメッセージが届けば、システムは文字ではなく絵文字の選択肢を挙げるかもしれない。「食事はどうだった?」という質問には、「よかった」「すごくよかった」「最高」という答えが用意されるかもしれない。しかし、あなたは会話で「最高」という言葉を使ったことがないかもしれず、どの答えもしっくりこないかもしれない。

ビデオを観る時間やソーシャル・メディアのアカウントをチェックする時間もナッジングされている。ＡＩを最適化するというのは、人間をナッジングするということなのだ。

他の専門分野では、働き方の指針となる原則が設定されているが、ナッジングはこうした原則の精神をおびやかす傾向にある。医療分野では「ヒポクラテスの誓い」があり、医師は職業倫理を守ることを宣誓する。弁護士には守秘義務があり、クライアントとの対話が表に出ることはない。ジャーナリストにも、一次情報源の使用や、公益のために報道するなど、多くの指針となる原則がある。

明文化された人道主義的な原則がないままAIを最適化することによって、さまざまな問題が起きる恐れがある。だが、それについて考慮しようという人は、現在のところ誰もいない。研究者チームに求められているのは、ベンチマークを満たすことであり、自分たちがつくったAIシステムが人類の将来にどう影響するかを分析することではない。

ビッグ・ナインには、自社のAIシステムについて、自社の開発者や顧客に対してわかりやすいものにするツールや技術を開発する義務はない。AIについての説明責任を果たすことのできる手段も持っていない。

私たちは、新しい現実世界に足を踏み入れようとしている。AIが自らプログラムを生み出し、独自のアルゴリズムを創造し、人間の関与なしに判断を行う世界だ。現時点では、AIに対して、どう判断を行っているのかをはっきりと聞き出す権利を持つ人は、世界じゅうに一人もいない。

もし、私たちがAIのために「常識」を開発しようとしたら、どういうことになるだろうか？人類には共通の価値観というものは存在しない。そもそも人間性とは何かということ自体、説明が難しく、文化圏によっても異なる。あるところでは重視されていることが、ほかのところではそうでもないこともある。アメリカのような国にでさえ、多様な言語や文化を持っていることから、一つの価値観や考え方があるわけではないことは忘れられがちだ。私たちの地域社会、近隣に住む人々、私たちが通うモスクやシナゴーグや教会には多様性がある。

私は、仕事で日本と中国に数年間ずつ住んでいたことがある。それぞれの文化がかなり違っていただけでなく、アメリカ中西部で育った私は、アメリカ文化との違いも実感した。

わかりやすい価値観もある。たとえば日本では、言外の合図や婉曲的なコミュニケーションが、直接的な物言いや強い感情表現よりも大切にされる。公式な会議で従業員同士が怒鳴り合うことはなく、上司が他人の前で部下を叱りつけることもない。日本では、沈黙は金だ。

私の経験によると中国では事情が違って、コミュニケーションはもっと直接的ではっきりしている（とはいえ、私のユダヤ人の叔父や叔母たちほどではない。彼らは、親戚たちはどう思っているかを私に喜々として事細かに知らせてくる）。

ＡＩが人間の行動を理解し、反応を自動化しようとするときに、本当に複雑になるのはここからだ。どちらの国でも目指すところは同じで、個人よりも集団のニーズが重んじられ、社会的に調和を保つことが大切にされている。だが、そこに向かうプロセスはまるで違う。日本は婉曲的なコミュニケーションを重んじ、中国は直接的なコミュニケーションを重視する。

日本では婉曲的なコミュニケーションが重んじられているにもかかわらず、体型についてコメントすることはタブーではない。東京で働いていたとき、同僚が私に、少し太ったんじゃないかと言ってきた。驚いたのと恥ずかしかったのとで、私は話題を変えて、その日の午後のミーティングのことを質問した。だが彼女は続けた。和食は一見すると健康によさそうだけれど、実はカロリーが高いものがあるって知ってた？　ジムには通っている？　彼女は私を困らせようとしたわけではない。どちらかというと、仲がいいから私の健康を気遣ってくれていたのだ。西洋では、同僚に面と向かって「あれっ？　太った？　もしかして五キロぐらい増えた？」などと言うのは、社会的に受け入れられない。アメリカでは体型についての発言にかなり気を遣っていて、たとえば女性に妊娠しているかどうかを尋ねるのはタブーだと教えられている。

ＡＩの価値観について共通のシステムをつくろうと思ったら、たとえば企業の行動規範や銀行規則などを決めるのと同じアプローチではうまくいかない。理由は簡単で、人間の価値観はテクノロジーや政治の動向、経済勢力といったさまざまな外的要因に左右され、変化するからだ。たとえば、アルフレッド・テニスンの詩の一部は、ビクトリア朝時代のイギリスの価値観を反映している。

男は野へ、女は家庭に
剣は彼に、針は彼女に
男は頭、女は心
男は命じ、女は従う
さもなくば、すべては混乱

私たちの大切にしている信念は、絶え間ない変化にさらされている。二〇一八年、本書を書いている時点では、国家のリーダー同士が攻撃的な悪意ある言葉を使ってソーシャル・メディア上でやりとりしたり、「権威者」が偏った扇情的な意見をビデオやブログ、さらには従来のニュースメディアでも披露したりしている。社会がそれを受け入れているのだ。ルーズベルト大統領の任期中、報道関係者は彼のプライバシーに細心の注意を払って彼の身体の麻痺について言及したり、その様子を映したりはしないという思慮分別や敬意を持っていた。もはや、そういうことを想像するのも難しいぐらいだ。

AIは完璧な判断をするのではなく、最適化するように教えられているので、そこには、社会における潮流の変化に対する私たちの反応が大きく影響する。私たちの価値観は不変ではない。そのことが、AIの価値観の問題を厄介にしている。AIを開発するということは、未来の価値観を予測することでもある。では、どうやって彼らに私たちの価値観を教えればいいのだろうか？

AIを人間のために最適化する

AIの種族《トライブ》の中には、指針となるような原則の確立を目指すのがいいのではないかと考える人もいる。文学、ニュース記事、意見記事、論説、信頼できる情報源の論文などをAIシステムに与え、人間について学んでもらったらどうか、というわけだ。クラウドソーシング【訳注／不特定多数の人々（クラウド）が集まって何かを作り上げていくこと】を使って人間の知恵の結集から学んでもらうという考えだが、これはよいアプローチとはいえない。

システムには、ある時間にだけ切り取られたスナップショットしか提供できないため、芸術品など、そこに何を含めるかを選別せざるをえない。そうなると、人類全体の状況を表すことにはならない。あなたがタイムカプセルをつくったことがあれば、うまくいかない理由はすぐにわかるだろう。つくった当時に何を入れるかという判断と、いまだったら何を入れるかの判断は違う。あとから知恵がつくからだ。

すべての文化、社会、国家が守っているルール――アルゴリズム――は、いつの時代でも少数の人間がつくりだしてきた。民主主義、共産主義、社会主義、宗教、厳格菜食主義、先住民保護主義、植民地支配主義などは、人間の歴史の中で新たな道を示す手がかりとしてつくられたものだ。そしてどんなものでも、いずれは時代遅れになる。私たちは常にテクノロジーにも、社会的、経済的な新たな潮流にも適応していく。

たとえば「十戒」は、三五〇〇年前に人間の生活をよくする目的でつくられたアルゴリズムだ。そのうちの一つに、週に一日は安息日を設け、その日は丸一日仕事をしないというものがある。だが現代では、誰もが週の同じ曜日、同じ時間に働いているわけではなく、このルールを破らずにいるのは不可能だ。そこで、十戒を行動指針としている人たちは、長時間労働、サッカーの練習、メールのやりとりなどを考慮した柔軟な解釈を採用している。適応することで私たちは社会生活をうまく送ることができ、ものごとも順調に進む。基本的なガイドラインに合意していれば、自分たちに合わせて最適化できる。

ＡＩのために一連の戒律をつくるのは難しいだろう。人類を最適化するよう、すべてのルールを書き出すのは不可能だ。「考える機械」は速くて強力ではあるが、柔軟性に欠ける。例外的な状況をシミュレーションしたり、事前に偶発的なことをすべて想定したりするのも、簡単ではない。どんなルールをつくっても、そのルールを自分に都合よく解釈しようとする人が現れるかもしれない。あるいは、そのルールを完全に無視するか、不測の状況に対応するためにルールに修正を加えることも考えられる。

厳密な行動規範を書くのは不可能だとわかった以上、システムを開発する「人間」のほうに意識を向けてみてはどうだろう。ＡＩ種族《トライブ》は、まずは以下のような質問を自分に問うてみるべきだろう。

・ＡＩに対する自分たちのモチベーションは何か？　人間にとって一番よいと思われる長期的な利益にかなっているか？
・自分たちのバイアスは何か？　どんなアイデア、どんな経験、どんな価値観が、種族《トライブ》に採り入れられているか？　見落としている人はいないか？
・ＡＩの未来をよくするために、自分たちとは似ていない人も含めているか？　特定の目的のためだけに、チームに多様性を採り入れてはいないか？
・自分たちの態度が受容性のあるものだと保証できるか？
・ＡＩの創造に携わる人たちは、ＡＩがもたらすテクノロジー、経済、そして社会的な影響について理解しているか？
・私たちを代表して判断するのに使われているデータセット、アルゴリズム、プロセスについて質問することに、どんな基本的権利を持つべきか？

・誰が人間の生活の価値観について決めているのか？　その価値観は、何と照らし合わされているのか？

・いつ、そしてなぜ、ＡＩ種族《トライブ》の人々は、ＡＩの社会的影響を表明する責任があると感じるのか？

・ＡＩ種族《トライブ》のリーダーたちは、多くの人の意見を反映しているか？

・商業化されたＡＩが社会的影響において果たす役割は何か？

・ＡＩと人間の考え方を比較しつづけるべきか、あるいは別のものとして分けて考えるべきか？

・人間の感情を理解して反応するＡＩを開発してもよいだろうか？

・私たちからリアルタイムで学んでいるのなら、人間の感情を模倣できるＡＩシステムをつくってもよいだろうか？

・人間の関与なしにＡＩが進化することについて、全人類が受け入れられる地点というのはどこだろう？

・ＡＩはどのような状況下で、人間の一般的な感情を想定したり、体験したりできるだろうか？　痛み、喪失、孤独については？　こうした苦しみを世の中にもたらして、ＡＩ種族《トライブ》は平気でいられるのか？

・ＡＩ種族《トライブ》は、自分たちをより深く理解するためにＡＩを開発しているのだろうか？　ＡＩを、

人類がよりよい生活を送るために利用できるだろうか?

G－マフィアは、さまざまな調査や研究グループを通じて、AIの基本理念の問題を検討しはじめている。

マイクロソフトには「FATE」というチームがある。AIの公平さ(Fairness)、説明責任(Accountability)、透明性(Transparency)、倫理(Ethics)の頭文字を取っている。[注23]ケンブリッジ・アナリティカ騒動のあと、フェイスブックは倫理チームを発足させ、AIシステムがバイアスを回避するためのソフトウェアを開発している(AIに焦点を当てた倫理委員会を発足させるまではしていないが)。ディープマインドは、倫理と社会のチームをつくった。IBMは定期的に倫理とAIについての文書を発行している。バイドゥでもスキャンダルがあった。軍の運営する病院で、検索エンジンが、誤解を招く恐れのある医療見解へと医師を誘導し、その治療の結果、二一歳の学生が亡くなったのだ。CEOのロビン・リーは、従業員たちがバイドゥの収益のために誤った情報を掲載したことを認め、これからは倫理を重視すると約束した。[注24]

ビッグ・ナインは倫理の研究を行い、その報告書を出し、専門家を招集して倫理について話し、倫理についてのパネルディスカッションを企画している。だがこうした努力も、AIの仕事に携わるさまざまなチームの日々のオペレーションには十分に組み込まれていないのではないか。

ビッグ・ナインのAIシステムは、商業的価値のある製品をつくるために、現実世界のデータにますますアクセスしている。投資家の期待に応えるため、システムの開発サイクルは速くなっている。私たちは多くの質問に対する答えが出ていないままに、急速につくられている未来に積極的に――あるいは知らないうちに――参加している。

このことは、AIに関連する他のテクノロジーの未来にも影響している。自律走行車、クリスパーとゲノム編集、自宅ロボット、高精度治療、自動医療診断、地球工学技術、宇宙旅行、暗号通貨とブロックチェーン、スマート・ファームに農業テクノロジー、インターネット・オブ・シングス（IoT）、スマート・ファクトリー、株式売買のアルゴリズム、検索エンジン、顔認識や音声認識、金融分野のテクノロジー、詐欺やリスク探索、警備や司法分野のテクノロジー……。このまま挙げていくと何十ページも続くリストになる。あなたの日常や仕事の中でAIに影響を受けないものは、ほぼなくなってしまう。

新商品をできるだけ早く発売するため、あるいは特定の政府を満足させるために、あなたの価値観がAIのみならず、関連システムにも反映されなかったらどうだろう？　あなたはBATとG－マフィアが私たち全員に影響する判断を下していると知って、どの程度の違和感を覚えているだろうか？

現在のAIの開発では、オートメーションと効率化が優先されているので、日々の無数の活動の中で、私たち自身が管理することや選択するということは減ってきている。たとえば、新車を買うと、車をバックさせるたびにステレオの音量が下がり、その設定は変更することはできない。確かに自動車事故の原因は、圧倒的に人的ミスが多い。私はこれまで車庫入れで何かにぶつかりそうになったことはないが、だからといって例外扱いはされない。サウンドガーデン【訳注／アメリカのロックバンド】をフルボリュームで聴きながら、ガレージに車を停めることはできないのだ。AI種族《トライブ》は、私の選択よりも彼らが人間の弱点だと認識した点を優先させる。

G－マフィアやBATにおいていまだに進んでいないのは、共感の最適化だ。意思決定から共感を取り除けば、人間性がなくなる。ときに、論理的にはまったく意味をなさない選択が最善の選択だということもある。仕事をサボって、病気の家族と一緒に過ごしたり、自分の命を危険にさらしてでも、燃えている車から人を助け出したり……。

AIと共存する私たちの未来を考えてみよう。ある日、ちょっとしたことでAIのコントロールができなくなる。クリス・コーネル【訳注／サウンドガーデンのボーカリスト】が『ブラック・ホール・サン』を歌うのを、車庫入れしながらフルボリュームで聴くことができないのはその一例だ。自分の名前を逮捕記録のオンライン広告で見るのも、チャットボットの不適切発言の直後に自社の市場価値が下がるのを見るのもそうだ。

一つひとつは紙で手を切るような些細なことであり、とくに重要なこととは思わないかもしれないが、これが五〇年積み重なればひどく痛むだろう。私たちは一つの破滅的な出来事に向かっているのではない。日々それが当たり前だと受けとめてしまうことで、人間性の侵食は少しずつ進む。

特化型人工知能から汎用人工知能に移行する中で、そして今後五〇年間で人間が「考える機械」に権限を預けた結果、私たちの生活はどのようになるのかを見てみよう。

第二部

私たちの未来

「さて、では長老とはいったい何なのか？　それは人の魂と意志をとらえ、自分の魂と意志に取りこんでしまう者のことである。人は、いったん長老を選んだなら、自分の意志を断ち、それを長老にささげ、その教えに絶対的にしたがい、私心をいっさい捨て去らなくてはならない」

――『カラマーゾフの兄弟』（ドストエフスキー著、亀山郁夫訳、光文社古典新訳文庫）

第四章　人工超知能までの道のり――警告

ＡＩは、特定の作業を行う堅牢なシステムから、汎用性のある「考える機械」へと進化を遂げようとしている。現在、ＡＩはパターンを認識して速やかな判断をすることができ、大きなデータセット（データのまとまり）から規則性を見つけて正確な予測もできる。そしてアルファ碁ゼロのように、自分で学んで独自の戦略で対局に勝つことができるなど、理論上のものだった「考える機械」が現実のものになりつつある。

ＡＩは人間の認知レベルに近づき、新たな段階に入っている。ＡＩの種族《トライブ》はすでに、システムを「教育」するための概念モデルをつくっている。ただし、このモデルは現実の世界を正確に反映していないし、そもそも反映できない。将来的にそのモデルをもとに判断がなされることになる。私たちについての、私たちのための、私たちの代わりになされる判断だ。[注1]

現在、ビッグ・ナインは人類全体のためにＡＩの開発を続けている。だが、私たちはそれがどのように社会に役立ち、あるいはどのように社会を危険にさらすのかを判断する力を持たない。したがって、未来を想像するしかない。ＡＩが社会にどのような影響を与えるかを考えることは、人間社会がどこに向かおうとしているかを想像することでもある。

私たちは、何らかの危機的状況に陥ったとき、ものごとを批判的に考えることが多い。リバースエンジニアリング【訳注／ソフトウェアやハードウェアなどの製品の構造や仕組みを紐解いて技術情報を調査し、明らかにすること】によって、誤った判断や見過ごした警告サインを特定し、責任を負う人物や組織を明らかにしようとする。相手が特定できると一般の人々は憤りを感じるかもしれないが、それで過去が変わるわけではない。

たとえば、米ミシガン州フリントで、飲料水に鉛が混入して六歳未満の子ども九〇〇〇人が危険にさらされていることがわかった。高濃度の鉛が体内に入ると、ＩＱや学習能力や聴力の低下につながりかねない。人々は地元の自治体に説明を求めた。

また二〇〇三年、スペースシャトル「コロンビア号」が大気圏に再突入する際に空中分解し、七名の宇宙飛行士が犠牲になった。調査の結果、事故原因は事前にわかっていた脆弱性にあると判明すると、人々はＮＡＳＡに改善策についての説明を求めた。

二〇一一年の福島第一原子力発電所事故の事故処理では、何千もの人が避難を余儀なくされ、人々はなぜ事故を防げなかったのかを知りたがった。[注2]

これら三つのケースでは、いずれも警告サインともいえる前兆が現れていた。

ＡＩについては、将来的に生じうる危機的状況の前兆が、まだ明確ではないかもしれないものの、すでに現れてきている。ここでは、いくつかの警告サインのうちの二つについて考えてみたい。

警告一——私たちは人工知能を、インターネットとよく似たデジタル・プラットフォームであるかのように思い込んでいる。ＡＩには指針となる原則や長期的計画がまだなく、ＡＩが公共財になったことを認識しないでここまできてしまった。エコノミストが「公共財」という言葉を使うときには厳密な定義がある。その一つは、排除できない財やサービスであること。つまり、使用を中止するのが不可能だということだ。さらに、競争的でないこと。つまり、もし誰か一人が使えるのなら他の人も使えるということである。国防や消防やごみの収集のような公共のサービスは公共財にあたる。

公共財は、時間が経つにつれて思いがけない結果を生み出すことがある。たとえば、テクノロジーをプラットフォームとして一般化したインターネットがそのよい例だ。

インターネットは概念としてスタートした。当初はコミュニケーションや仕事の効率を向上させ、最終的に社会の役に立つと考えられていた。現代のワールド・ワイド・ウェブ（WWW）【訳注／インターネット上で提供されているハイパーテキストシステム】は、多くの研究者による二〇年間の成果のたまものだ。国防総省がパケット交換網として開発し、その後、学術ネットワーク上で研究者が仕事の成果を共有するために使うようになった。

まず、欧州原子核研究機構（CERN）のソフトウェア・エンジニアだったティム・バーナーズ＝リーが、新たな技術と通信プロトコルを使ってネットワークを拡大する提案書を書いた。そこには、ユーアールエル（URL）、ハイパーテキスト・マークアップ言語（HTML）、ハイパーテキスト転送プロトコル（HTTP）などが含まれていた。それが実用化されて利用者が増えるにつれてWWWは拡大していった。WWWはコンピューターを利用する全員に開かれていて、既存のユーザーが新規ページを作成するのを別のユーザーが妨げることもなかった。

インターネットは当初、公共財として想定されておらず、開発時は現在のように誰もが使えるものになるとは考えられていなかった。正式に公共財として定義されたことがないため、営利企業や行政機関、大学、軍隊、報道機関、ハリウッドのエグゼクティブ、人権活動家、それに世界じゅうの人々の要求や需要に応えてきた。それによって、多くのチャンスと受け入れがたい結果の両方をもたらすことになった。

二〇一九年は、二台のコンピューターが広域ネットワーク上で最初にパケット交換をしてからちょうど五〇周年にあたる。ロシアがアメリカの大統領選でハッキング行為をしていた疑惑が浮上したり、フェイスブックが七〇万人に対して、本人の知らないところで心理的な実験を行っていたことが発覚したりもした。インターネットの設計者の何人かは、何十年も前にもっと適切な判断をしていればよかったと考えている。[注3] また、バーナーズ＝リーは、インターネットの進化によって生じる予期できない問題に対処するよう、呼びかける文書を公表した。[注4]

頭の切れる人たちはＡＩを公共財にすることを推奨しているが、私たちはまだ公共財としての人工知能について議論していない。だが、それは間違いだ。ＡＩは現在、進化し始めたばかりであり、これまでのようにビッグ・ナインによって商業的用途やコミュニケーションやアプリケーションのためにつくられたプラットフォームに位置づけることにはもはや無理がある。ＡＩを私たちのまわりに存在する空気と同じように公共財として扱わないと、深刻な問題が起こりかねない。ＡＩを公共財として扱っても、G－マフィアの利益や成長を妨げることにはならない。

いつの日か、人権問題や地政学という文脈で自動操作について語る楽しみが味わえなくなる日がきっとくる。そのときAIは、私たちが思いどおりのものにつくりあげるには複雑になりすぎているはずだ。

警告二――AIはオープンな生態系《エコシステム》であり、障壁があまりないにもかかわらず、少数の者の手中に急速に力が集中しつつある。

AIの未来は二カ国の手に握られている。アメリカと中国だ。両国は互いに地政学的な利害関係を持ち、経済的にも密接に関係し、指導者はしばしば反目し合っている。その結果、AIは権力行使の道具となり、AIの種族《トライブ》とともに経済的利益や戦略的利益のために利用されている。

それぞれの国が思い描く支配のフレームワークは、少なくとも書類上は、「考える機械」の将来のためには正しいものに見えるかもしれない。だが、現実世界ではリスクを生み出している。

アメリカにおける公開市場という考え方と起業家精神は、自由な機会の確保と絶対的な経済成長に必ずしもつながるものではない。多くの産業、たとえば通信やヘルスケアや自動車製造業などの場合と同じように、アメリカでは時間の経過とともに競争が減り、統合が進み、産業が成熟するにつれて選択肢が少なくなる。

現在アメリカでは、モバイル通信に使われるオペレーティングシステム（OS）はほぼ二つに限られている。市場占有率四四パーセントのアップルのiOSか、五四パーセントを占めていてさらにシェアを伸ばしているグーグルのアンドロイドのどちらかだ（アメリカではマイクロソフトのモバイルOSとブラックベリーの利用者は全体の一パーセントに満たない）。[注5]

電子メールのプロバイダーにはもう少し選択肢があるが、一九歳から三四歳までの六一パーセントがGメールを使っていて、残りがヤフーとホットメール（それぞれ一九パーセントと一四パーセント）の利用者だ。[注6]

オンライン上ではどこでも買い物ができるが、アメリカのeコマース市場の五〇パーセントはアマゾン・ドット・コムが占めている。競争相手のウォルマート、ベストバイ、メイシーズ、コストコ、ウェイフェアの市場占有率は、すべて合わせても八パーセントに満たない。[注7]

AIに関しては、誰でも新しい製品やサービスをつくることはできるが、G‐マフィアの手助けなしにはうまく展開できないだろう。グーグルのテンサーフローやアマゾンの認識アルゴリズム、マイクロソフトのアジュール、IBMのチップ技術、あるいは他のAIフレームワーク、ツール、サービスなどが必要になる。

実際、AIの未来は、真にオープンなアメリカ市場で決まっているわけではない。

それには理由がある。現在のAIをつくりあげるには、数十年にわたる研究開発と投資が必要だった。アメリカ政府は、AIの基礎研究に一九八〇年代からより多くの予算を確保してコンピューターの第三世代開発のために大学を支援しておくべきだったのだ。中国と違ってアメリカは、国の政策の一部としてAI事業にトップダウンでかかわってこなかった。AIはおもに商業セクターで有機的に発展してきた。つまり、私たちは暗黙のうちに、国の安全保障や経済成長に関する重要な判断をG－マフィアにゆだねてきたのだ。

一方、中国の共産主義――市場社会主義と明確な社会的規範の組み合わせ――は、理念的には政治的安定と調和をもたらし、平均収入レベルを上げ、一〇億の国民の反乱をも防ぐかもしれない。だが実際には、それはトップダウンの厳格な規制を意味している。それによって、国民のデータを大規模に集めたり、中国共産党の影響力を世界に広めたりすることが可能になった。

これから生じうる危機に対して、あらかじめ対策を講じるのは難しい。私たちはえてして、現状を前提にして考えてしまう。個人データをもとに学習するAIのアルゴリズムについて心配するより、AIの未来がすばらしいものだと盲目的に信じたがる。

私がここで挙げた警告サイン（前兆）は二つだけだが、ほかにも考えるべきことはたくさんある。私たちには現在、発展途上にあるAIの大いなる恩恵と危険性について認識できるチャンスがある。さらに重要なのは、私たちには現在の警告サインに対処する義務があるということだ。フリントやスペースシャトル「コロンビア」や、福島の事故のときのように、AIのために言い訳や謝罪をするという事態は避けるべきだ。

私たちは積極的に警告サインを探し、AIの歩む道筋を変え、リスクを予測できるようにする必要がある。できれば悲劇は避けたいが、現在のところ、未来を正確に予測できる確率論的方法はなく、私たち人間は気まぐれで、混沌とチャンスの区別もはっきりつかないという状況である。

シナリオ・プランニング

未来学者として、私は多くの定量的データを利用している。したがって、選挙など特定の出来事の結果を離散的な情報を使って予測できることは知っているが、ＡＩに関しては検出すべき隠れた変数が多すぎる。あまりにも多くの人が個別にコードを決め、どのデータセットにどのアルゴリズムを学習させるかを決定している。

また、事前審査が必要な学術雑誌には掲載されないような、日々の小さな発見もあまりに多い。ビッグ・ナインによる企業提携や買収や人材の採用なども頻繁に見られる。大学における研究プロジェクトも無数に進行中だ。ＡＩ自体でさえ、将来のＡＩの姿を正確に私たちに教えることはできないだろう。私たちはＡＩについての予測はできないが、警告のサインや微弱なシグナル、手持ちの情報をつなげてみることはできる。

私は、不確実性をモデリングする方法を開発した。六段階のプロセスによってその傾向を浮き彫りにし、共通点やつながりを特定し、時間が経つとどうなるかを予測する。そして、妥当な結果を示し、最終的には、望ましい未来を達成するための戦略を立てる。この方法では、まず分析対象について説明し、次に仮説を紹介する。

後者は「シナリオ・プランニング」と呼ばれているもので、さまざまなデータを使って未来のシナリオを予測する。使用する情報源は無数にある。統計、特許申請書、研究成果、記録文書、政策概要、会議資料、多くの人へのインタビュー、さらにはスペキュレイティブ・フィクション【訳注／現実世界と異なる世界を推測・追求して執筆された小説など】も含まれる。

シナリオ・プランニングは、一九五〇年代の冷戦時代から使われるようになった。ランド研究所の未来学者、ハーマン・カーンは、核戦争を研究する任務を与えられたが、生データだけでは軍の上層部に見せる十分な資料にならないと考えた。そこで「シナリオ」を書いた。ある行動をとったらどういう結果になるかを軍事戦略の担当者に理解してもらうために、シナリオで詳細を示したのだ。

同時期にフランスでは、未来学者のベルトラン・ドゥ・ジュヴネルとガストン・ベルジェが、「好ましい結果」を説明するシナリオを書く手法を開発した。それは、現状を踏まえて何が「起こるはずか」を示すものだった。

彼らの仕事は、軍や政治家に「考えられないことを考えさせる」ことだった。核戦争の余波についても考えさせたという。この手法がうまく機能したので、世界じゅうの政府や企業がこのアプローチを採り入れるようになった。

また、ロイヤル・ダッチ・シェルが、世界的なエネルギー危機（一九七三年と一九七九年）や一九八六年の市場の暴落を事前に予測し、それに備えていたと公表したことで、シナリオ・プランニングの人気はさらに高まった。[注8] シナリオは強力なツールなので、ロイヤル・ダッチ・シェルでは四五年後のいまでも専門のチームが仕事を続けている。

私はこれまで、さまざまな分野の組織に向けて、ＡＩの未来、リスク、チャンスについてのシナリオを作成してきた。シナリオは、認知の偏りに対処する手助けをしてくれるツールだ。法学者のキャス・サンスティーンが「蓋然性の無視」と呼んだものである。[注9]

私たちの脳は、リスクや危険を評価するのが苦手だ。小説の中の行動や、変わった行動よりも、一般的な行動のほうが安全だとみなしている。

たとえば、私たちは飛行機に乗っているときよりも、自分で車を運転しているときのほうが安全だと思っている。だが実際には、飛行機を使った移動のほうが確率的にずっと安全だ。アメリカでは、自動車の衝突事故で死亡する確率は一一四分の一だが、飛行機の場合は九八二一分の一だからだ。[注10・11] 運転に対する評価がきちんとできていないために、平気で車を運転しながらメールをしたり、お酒を飲んだのに運転する人がたくさんいる。

同様に、私たちはAIについて、きちんと評価できていない。AIを毎日欠かさず利用し、「いいね」をクリックしたり、ストーリーを共有したり、メールを送ったり、機械に向かって話しかけたりして、無意識のうちに刺激を受けている。

私たちが想像しているリスクの出所は、SF（サイエンス・フィクション）にある。SFでは、AIが想像上のアンドロイドとして人間を襲ったり、実態のない声として心理的に私たちを苦しめたりする。私たちはAIの未来を、資本主義や地政学や民主主義の枠組みでは考えない。私たち自身の健康や人間関係や幸せが、自律システムによって影響を受けるかもしれないとは想像しない。

AIが特化型人工知能から汎用人工知能へ、さらにその先へと進化していく中で、AIやビッグ・ナインが私たちにどのような影響を及ぼしうるかを示すシナリオが必要だ。AIに行動を起こさせないでいる時期はすでに過ぎたのだ。

次のように考えてみよう。飲み水に鉛が混ざっている。Oリングには欠陥がある【訳注／Oリングはスペースシャトル「チャレンジャー」の事故の原因となった】。原子炉の炉心隔壁にはひびが入っている……。AIは、警告サインの出ている基本的な問題について、すぐに対処しなければならないと教えてくれている。今日正しい行動を取れば、未来にはすばらしいチャンスが待っている。

第五章以降では、三つのシナリオを紹介する。それぞれ、楽観的、現実的、悲劇的なものだ。現在のデータを使って私が創作したシナリオである。フィクションではあるが、すべて事実をもとにしている。目的は、遠くて現実味のないものを、少しでも身近で差し迫ったものに感じてもらうことにある。私たちはふだんはAIを意識しておらず、AIに注目するのは何か負の結果が出たときだけだ。だが、そのときにはすでに一般の人にできることはあまりない。

特化型人工知能（ANI）から人工超知能（ASI）への道

本書の第一部では、おもに特化型人工知能、すなわちANIとその影響ついて触れた。ANIとは、たとえば、小切手詐欺の特定、採用の際の候補者の評価、航空チケットの値付けなど、特定の作業を行う人工知能だ。

IBMの有名なコンピューター設計者、フレデリック・ブルックスの言葉を借りれば、どんどん複雑になるソフトウェアを開発するには人海戦術では間に合わない。開発者を増やすと、プロジェクトが遅れる可能性が高くなる。[注12] 現在のところ、ＡＩのソフトウェアを進化させるには人間がシステムを設計してコードを書かなければならず、それには研究と同じようにある程度の時間を要する。だからこそ、ＡＩの次の段階への進歩は、ビッグ・ナインにとって非常に魅力的である。つまり、自分でプログラミングをできるシステムがあれば、さらに多くのデータを活用することができ、新しいモデルをテストし、人間が直接的に関与しなくてもＡＩが自らを改善していくことができる。

人工知能は、大きく三つに分けられる。特化型人工知能（ＡＮＩ）、汎用人工知能（ＡＧＩ）、人工超知能（ＡＳＩ）だ。現在、ビッグ・ナインはＡＧＩシステムの開発と実用化を急速に進めている。いつの日か、そうしたシステムが論理的に考えて問題を解決し、さらに抽象的に考えて、私たちと同じ判断か、もっと適切な判断が簡単にできるようになることが期待されている。

ＡＧＩを使えば、さまざまな研究の突破口が開けるだろう。また、医療診断なども改善され、難しい工学的問題を解く新たな方法も見つかるだろう。

ＡＧＩへの進展は、やがて私たちを三つめの分野へと導く。すなわちＡＳＩだ。ＡＳＩは、人間の認知的作業よりもわずかに優れたパフォーマンスを発揮するものから、文字どおりあらゆる点で人間の何兆倍も賢いものまでが想定できる。

ＡＧＩが普及することは、「進化のアルゴリズム」を利用することを意味する。チャールズ・ダーウィンの説いた自然選択説に影響を受けた研究分野だ。ダーウィンは、種の中でもっとも強いものが時間を経て生き延び、その遺伝情報が全体を支配することを発見した。やがてその種は環境に適応していく。

人工知能についても同じことがいえる。最初のうち、システムは大量のランダムな可能性からスタートして——何億、何兆というインプットによって——シミュレーションを行う。最初に出力される解決策はランダムなため、実世界ではあまり役に立たない。ただし、そのうちのいくつかは他のものよりわずかに優れているかもしれない。システムは弱いものを排除し、強いものを保持して、新しい組み合わせをつくる。その新しい組み合わせがさらに新しいものを生み出す。また、ときとしてランダムな微調整が変化を起こす。

進化のアルゴリズムは発生と排除を繰り返し、何千何百万もの改善を経て、最終的にはもうこれ以上の改善は不可能だと判断する。変化する能力を持つ進化のアルゴリズムは、ＡＩが自らを進化させるのを助ける。

この話は可能性としては魅力的だが、代償を伴う。どのようなプロセスを経てＡＩが進化したのかがあまりに複雑なため、優秀な科学者でさえ、それを理解するのが難しいという点だ。

したがって——たとえ現実的でなかろうと——人類の進化についての議論には、人間だけでなく機械も加えるべきなのだ。

これまで私たちは、地球上の生命の進化について限られた範囲で考えてきた。何億年も前、単細胞生物が他の生物を巻き込んで新たな生命体が誕生した。このプロセスが繰り返され、最初の人類が生まれ、立ち上がり、膝関節が大きくなり、二足歩行ができるようになり、大腿骨が発達し、手斧のつくり方や火の使い方を覚え、脳が大きくなって、最終的に——ダーウィンのいう自然淘汰を何百万回も経て――最初の「考える機械」をつくった。

ロボットと同じように、私たちの身体も精巧なアルゴリズムの器にすぎない。私たちは生命の進化を知能の進化と捉える必要がある。人間の知能とＡＩは並行して進化し、テクノロジーのせいで人間はどんどん頭が悪くなるという昔からある批判にもかかわらず、知能のはしごの一番上を目指している。

いまでもはっきり覚えているが、私の高校の微分積分学の先生は、グラフ電卓に憤慨していた。グラフ電卓はその五年前に市場に出回ったばかりだったが、それでも、私たちの世代はすでに怠惰で愚かになってきていると先生は主張した。私たちは、自分たち人間がある日、気づいたら自分たちが生み出したものよりも頭が悪くなっているかもしれないなどとは考えない。これは近づきつつある転換点であり、私たちの進化の限界と関係している。

人間の知能とＡＩの知能

人間の知性を測るには、一九一二年にドイツの心理学者、ウィリアム・スターンによって開発された手法が使われることが多い。知能指数、あるいはＩＱとして知られる指数だ。

知能テストの結果を実際の年齢で割り、その答えに一〇〇かけて算出する。人口の約二・五パーセントは知能指数が一三〇以上でエリートと判断される。知能指数が七〇以下の人も全人口の二・五パーセントいて、知的障害があると判断される。人口のおよそ三分の二は、知能指数が八五から一一五までのあいだに属する。

私たち人間は全体として以前よりも少し賢くなっている。二〇世紀の初めから、人間のIQのスコアは平均すると一〇年に三ポイントずつ増えている。栄養状態がよくなったこと、教育が普及したこと、環境が複雑になったことがその理由として考えられる。[注13] 人間の一般的な知能レベルは、右肩上がりで上昇してきた。この傾向が続けば、今世紀の終わりにはもっと多くの天才が生み出されるはずだ。そして人類の生物学的発展の道筋は、AIの進化の道筋と交差することになるだろう。

私たちの知能が向上するにつれてAIも賢くなるだろう。AIの知能は、IQのスコアでは測れないが、コンピューターの能力を一秒間に実行できる命令の数で測れば、人間の脳と比較ができる。人間の脳は大量の情報を処理できる。たとえば、息をするときの細かい動き、目が開いているときの継続的な視覚処理などが大量情報の処理の例である。

二〇一〇年に中国で開発された「天河一号A」は、世界最速かつ最強のコンピューターで、中国製のマイクロプロセッサーが使われ、理論上のピークは一・二ペタフロップスだったという（一ペタフロップスは一秒間に一〇〇〇兆回の浮動小数点演算ができる速度）。とてつもなく速いが、それでも人間の脳の処理速度にはかなわない。

二〇一八年には、IBMとエネルギー省が「サミット（Ｓｕｍｍｉｔ）」というコンピューターで二〇〇ペタフロップスを記録した。これはAI専用につくられたものだった。[注14] つまり、計算能力を正確に測ることのできる「考える機械」の誕生に近づいているということだ。ただし、まだチューリング・テストには合格していない。

だが、大切なのは処理速度だけではない。仮に、犬の脳のスピードを一〇クァドリリオン（一〇の一五乗）オプスに速めたとしよう。それでも、犬が微分方程式を解けるようになるわけではない。庭を駆け、あちこちを嗅ぎまわったり、何かを追いかけたりするだけだ。人間の脳は、犬の脳よりも複雑にできていて、神経細胞同士のつながりや、特別なタンパク質や、認知の結節点を持っている。[注15]

いっぽうＡＩは、人間が自分たちの脳の構造を変えないとできないような方法で拡張していくことができる。半導体の集積密度は二年ごとに倍増し、半導体のチップは小型化が進むという「ムーアの法則」があるが、これまでのところこの法則は信頼性があると証明されている。そして私たちに、今後もコンピューターは飛躍的に発展するであろうことを教えてくれている。取得できるデータや新たなアルゴリズム、進化した部品、ニューラル・ネットをつなげる方法なども増えつづけている。こうしたものすべてが力になるのだ。

コンピューターと違って、私たちの脳の構造は簡単に変えられない。それには、（１）脳の働きを完全に理解すること、（２）脳の構造と化学物質を変更して、あとの世代に受け継げるようにすること、（３）子孫ができるまで長い年月待つこと――の三つが必要になる。

現在の速度だと、人間がＩＱを一五上げるのに五〇年かかる。ＩＱが一一九の「高水準の脳」や、ＩＱが一三四の「傑出した脳」を手に入れれば、認知能力はかなり高まる。ものごとのつながりを見つけるのが早くなり、新しい概念を素早く身につけ、効率よく考えられるようになる。

だが、同じ五〇年のあいだに、ＡＩの認知能力は私たち人間を上回るだけではなく、私たちの認識を完全に超えたものになる。人間にはそれを理解するための生物学的な力が不足しているからだ。

ＡＳＩを組み込んだ機械と遭遇すると、自分がまるで市議会に迷い込んだチンパンジーのように感じられるかもしれない。チンパンジーは、議場に人がいて、自分が椅子に座れるかどうかを認識できる。だが、交通量の多い交差点に自転車用レーンを追加すべきかどうかの議論には参加できるだろうか？　おそらく、そこで使われている言語を理解する能力はなく、なぜ自転車用レーンがそれほど大きな問題になっているのかも理解できないだろう。ＡＳＩの進化への道のりにおける人間は、このチンパンジーに似ているのだ。

「知能の爆発」

ＡＳＩは危険なわけではなく、私たち人間の役割を奪うわけでもない。ＡＳＩは、私たちには理解できない方法で判断を下すだけだ。オックスフォード大学の哲学者、ニック・ボストロムは、ＡＳＩがもたらす可能性について、ペーパークリップのたとえを使ってわかりやすく説明した。ＡＳＩにペーパークリップをつくるように命じると、何が起こるだろうか？

ＡＩは、価値観とゴールをもとに判断を下す。紙束を落としてもバラバラにならない、より高性能なペーパークリップをＡＳＩが発明するとしよう。もし私たちが、必要なペーパークリップの数を伝え忘れたら、ＡＳＩはペーパークリップを延々とつくりつづけ、家やオフィス、病院、学校、川、湖、下水システムがペーパークリップで埋め尽くされ、しまいには地球がペーパークリップだらけになってしまうかもしれない。あるいは、効率性を重視したASIは、ペーパークリップにとって人間は邪魔だと判断し、地球を単なるペーパークリップ工場に変えてしまうかもしれない。その過程で、人類は滅びてしまうだろう。[注16]

私自身も含め、多くのAIの専門家が心配しているのはこうした点だ。つまり、ASIの認知能力が人間よりも桁違いに優れたものだとすれば、それほど強力な機械が文明にもたらす結果を人間が想像するのは不可能なのである。

AIの研究者のあいだで「爆発」という言葉が使われるのはそのためだ。この言葉を最初に使ったのは、イギリス人の数学者で暗号学者のI・J・グッドである。一九六五年にグッドは次のように書いている。「非常に賢い機械は、さらに優秀な機械を設計することができる。すると間違いなく『知能の爆発』が起こり、賢い人間のはるか先を行く。したがって、最初の賢い機械の発明は、人間にとって必要な最後の発明になるだろう。ただしあくまでも、私たちにその制御方法を教えてくれるほど、その機械が人間に従順であればの話だが[注17]」

ビッグ・ナインは、AIのフレームワークとシステムを構築し、いつの日か「知能の爆発」を起こし、どんなに頭の切れるコンピューター科学者も思いつかなかったような、まったく新しい解決策や戦略、概念、枠組み、アプローチを手に入れようとしている。それが実現すれば、さらなる発見や新たな可能性が生まれ、AIビジネスの成長が加速するだろう。

専門用語ではこれを「再帰的自己改善」と呼ぶ。AIが自らの能力を改善していくことによって、より速く、より賢くなっていくサイクルを意味する。ＡＩは自らの運命を計画し、管理できるようになる。自己改善の頻度は一時間ごとかもしれないし、あるいは瞬時にできるようにもなるかもしれない。

今後見られるであろう「知能の爆発」は、スーパーコンピューターの速度やアルゴリズムの力を説明するだけではなく、再帰的自己改善によって頭のよい機械が急増することも示唆している。アルファ碁ゼロやＮＡＳＮｅｔよりもはるかに進化したシステムが、戦略的な判断を自律的に行うのみならず、協力および競争意識を持ってグローバル・コミュニティの一員として働く世界を想像してみてほしい。私たち人間を助けるためにシステムが進化する世界。

歴史上、これほどの進化は、私たちが知る限り過去に一度しかなかった。約五億四二〇〇万年前のカンブリア紀に、生物群系の急激な多様化が起こり、さまざまな複雑な生命が出現して地球を変えたのだ。米国防高等研究計画局（ＤＡＲＰＡ）の元プログラム・マネジャー、ギル・プラットによると、私たちは現在、カンブリア爆発の真っただ中にいるという。そして、それぞれのＡＩがすべてのＡＩの経験から学んでいる時期であり、地球上の生命は今後、現在とは劇的に変わる可能性があるという。[注18]

したがって、ビッグ・ナインやその投資家、株主、関連行政機関の公務員、研究者、そしてあなた自身が、警告サインに気づいて、現在のＡＮＩだけでなく、近い将来に出現するであろうＡＧＩやＡＳＩに対しても、もっと批判的な目を持つことが重要になる。

人間と機械が共存を続けていけば、知能は進化する。ビッグ・ナインの価値観は、すでに存在するアルゴリズムやシステムやフレームワークに深く刻まれている。その価値観は、これから進化する何百万もの新しい世代のＡＩに受け継がれて、ＡＧＩにも反映される。

ＡＮＩからＡＳＩへの移行は、今後七〇年かかるとされている。だが現時点では、それがいつまでかかるかを正確に予測するのは難しい。ＡＩの進化は、いくつもの要因によって変わりうるからだ。新たにＡＩ種族《トライブ》に受け入れられる人、ビッグ・ナインの戦略的な決断、貿易競争や地政学上のいざこざ、それに突発的に発生する出来事などだ。

私の予測では、いまのところ、ＡＧＩの出現を二〇四〇年代に設定している。遠い未来に感じられるかもしれないので、もう少し詳しく説明しておこう。

そのころには、大統領は三人か四人交代しているだろう（健康問題がなければ、中国の国家主席はまだ習近平だ）。ＡＧＩが自らＡＩの研究を始めるころには、私は六五歳になっている。小学二年生の娘は三〇歳になり、完全に機械によって書かれたベストセラー小説を読んでいるだろう。父は九〇代の後半で、かかりつけの専門医（心臓病専門医、腎臓専門医、放射線技術者）はすべてＡＧＩだ。そのＡＧＩを管理しているのは高度な訓練を受けた一般開業医で、医学博士兼データ・サイエンティストである。

ＡＳＩの登場はその直後か、あるいはだいぶ先になるかもしれない。二〇四〇年代から二〇六〇年代のあいだだろう。だからといって、二〇七〇年にはＡＳＩが地球上の生命を膨大な量のペーパークリップで押しつぶしているに違いないと言いたいわけではない。とはいえ、そういう事態に絶対になっていないとも言い切れない。

自分たちに語るべき物語

ＡＩの未来のために計画を立てることは、現実世界のデータを使って新しい物語をつくることを意味する。ＡＩが登場と同時に進化していくとしたら、ＡＮＩからＡＧＩ、そしてＡＳＩへと移行する中で、ビッグ・ナイン、経済や政治、さらに人類とのかかわりまでを想定したシナリオをつくらなければならない。未来はまだやってきていないので、私たちの現在の行動がこの先どういう結果を生むのかは、はっきりとはわからない。

そのため、この先の章で紹介するシナリオは三つある。その三つで、これからの五〇年を描いてみよう。

最初は楽観的なシナリオで、ビッグ・ナインが大改革をして、私たち全員がＡＩの恩恵を受けるというものだ。ここで言っておきたいのは、楽観的なシナリオは必ずしも明るく楽しいものではなく、ユートピアが展開するわけでもない。楽観的なシナリオでは、考えうる限りの最善の選択がなされ、立ちはだかる障壁も乗り越えられる。ビッグ・ナインはＡＩ戦略のコースを変更し、ちょうどいいタイミングでベストな選択をするために、未来はよりよいものになる。私が満足して生活できる世界であり、私たちがこれから力を合わせていけば実現できる世界でもある。

次は現実的なシナリオで、ビッグ・ナインが短期的にわずかな改善しか行わなかった場合に未来がどのようになるかを描いている。関係者全員が、ＡＩの進む道は正しくないと感じながらも、協力することもなければ、意義のある変更もなされない。いくつかの大学では倫理学が必修科目になる。Ｇ－マフィアは、リスクに対処するために業界内で連携をとることを決めるが、それぞれの企業文化は進化しないままだ。私たちが選挙で選んだ人物は次の選挙にばかり気をとられ、中国の壮大な計画には目を向けない。

現実的なシナリオでは、大きな変化は期待していない。そこでは、私たち人間の「進化したい」という思いの浮き沈みを確認する。さらに、ビジネスや政治の分野で指導者が短期的な利益を優先することにもなる。

最後に、悲劇的なシナリオでは、私たち人間は警告シグナルにまったく気づかず、将来に対する計画を立てることもない。ビッグ・ナインは相変わらず競争を繰り広げている。現状における問題点をそのままにして進んだら、どうなるのだろう？　アメリカと中国がＡＩに関していまの路線を継続すると何が起こるのか？　この悲劇的なシナリオを回避するには計画的な変化を起こすことが必要だが、それは簡単なことでなく、時間がかかり、終わりが見えない。それがこのシナリオの本当に怖いところでもあり、詳細は不穏だ。そして、このままいくと、この悲劇的なシナリオがもっとも現実味を帯びている。

個人データ記録（PDR）

私は、二〇二九年を起点としてこの三つのシナリオを書いた。それらのシナリオを支えている主要なテーマは、経済におけるさまざまな機会と流動性、生産性、社会構造の改善、ビッグ・ナイン同士の力関係、アメリカと中国の関係、民主主義と共産主義の広がりだ。AIが成熟するにつれて、社会的・文化的な価値観がどう変わる可能性があるかについても示していく。たとえば、創造力の定義、互いの関係性、生と死についての考え方も変わっていくだろう。

私が提示するシナリオが目指すのは、ANIからAGI、AGIからASIに移行する過程で生活がどう変わっていくかを示すことなので、家庭や職場、教育、ヘルスケア、法執行機関、街の様子、生活基盤、国の安全、政治について触れている。

これらの三つのシナリオに登場するのは、個人データ記録、略してPDRと称するものだ。これは、私たちがインターネットやスマートフォンを利用することで生じるすべてのデータの台帳であり、以下のデータも含まれる。学歴や職歴（学位、過去と現在の勤め先）、法的な記録（結婚、離婚、逮捕歴）、金融記録（住宅ローン、クレジットスコア、ローン、税金）、旅行（訪問国、取得ビザ）、デート記録（オンラインアプリ）、健康状態（電子記録、遺伝子検査結果、運動習慣）、買い物履歴（オンラインショップ、クーポン利用）である。

中国では、最終章で説明するように、前述のものに加えて社会信用スコアも含まれる。

ビッグ・ナインによって創造されたAIは、あなたの個人データ記録から学習し、自動的に判断してサービスを提供してくれる。あなたのＰＤＲは相続できるもので、包括的な記録としてあなたの子どもたちも利用できる。さらに、ビッグ・ナインの企業が一時的に管理したり、永続的に所有したりできるものだ。ＰＤＲはこの先のシナリオの中で重要な位置を占める。

私たちの個人データがビッグ・ナインによって一つのまとまった記録として保持される未来を示すシグナルは、すでに散見されている。それどころか、あなたはすでにそのシステムの一部といってよく、「プロトＰＤＲ」と呼べるものも使っている。電子メールアドレスだ。

電子メールアドレスはログインという用途で使われている。携帯電話番号は取引の認証にも使われる。スマートフォンによって、物理的な居場所を特定できる。もしあなたがＧメールユーザーなら、グーグル――そして延長上にあるＡＩ――は、あなたのことを配偶者よりもよく知っているだろう。あなたが連絡を取っている人の名前や電子メールアドレス、人口統計学的な情報（たとえばジェンダーや位置情報など）を把握している。

また、電子メールをいつ、どのような状況で読む傾向にあるかも知っている。メールの内容から、旅行の日程も、金融記録も、あなたが何を買っているかもわかっている。アンドロイドのスマートフォンで写真を撮れば、あなたの友人や家族の顔を認識し、その特徴から推論を導きだすこともできる。たとえば、同じ人物が急に頻繁に登場するようになると、新しいガールフレンドができたのかもしれない。ミーティングのスケジュール、診察予約、ジムに行く予定も知っている。

ラマダン【訳注／イスラム暦の断食月】やロシュ・ハシャナ【訳注／ユダヤ暦の新年祭】を予定している

か、教会に通っているか、あるいは無宗教なのかも推測できる。特定の木曜日の午後にどこにいるべきかも把握している。たとえあなたがそのとき別の場所にいたとしても。

インターネットで何を検索しているのかも知っているので、流産を経験した、パエリアのつくり方を知りたがっている、セクシュアル・アイデンティティやジェンダー・アサインメント（性決定）で悩んでいる、肉食をやめようかと考えている、仕事を探している、といった状況も推理できる。グーグルは、すべてのデータをリンクして、そこから学習し、何かを製品化したりお金に換えたりしているのだ。同時に、あなたを刺激して特定の方向へと導いている。

現在、グーグルがこうした情報を把握しているのは、すべてが一つの記録に結びついているからだ。つまり、Gメールアドレスである。アマゾンで何かを買ったり、フェイスブックにログインしたりする際にGメールアドレスを使っている人も多いだろう。これは現代において避けがたい事実だ。AIが発達するにしたがって、さらに強固な個人データ記録がビッグ・ナインに効率性をもたらすようになるだろう。

PDRを受け入れた場合にどのような結果につながるのかは、まだよくわかっていない。もちろん中国では、PDRはすでに社会信用スコアのもとで実験的に導入されている。

ジョーン・ディディオンは著書『60年代の過ぎた朝　アメリカ・コラムニスト全集――ジョーン・ディディオン集』（東京書籍）で次のように書いている。

「私たちは生きていくために、自分に物語を語っている」「目に入るものを解釈し、複数の選択肢の中から一番現実的なものを選びとる」

私たちにもＡＩに関する選択肢がある。いまこそ、現時点での情報を活用して、自分たちに語るべき物語をつくるときだ。それが、私たち人間が「考える機械」とともにどう生きるべきかを示すシナリオなのだ。

第五章　コンピューターの第三世代で成功する
――楽観的なシナリオ

二〇二三年。私たちはＡＩ（人工知能）について、考えられる最良の選択をしてきた。ＡＩの発展の道筋を変え、未来に向けて協力した結果、永続的で好ましい変化が見られるようになった。ＡＩにかかわる人、大学、研究者、そして一般の人々は、初期の警告サインを見逃さなかったのだ。何か一つを変えても、すでに起きてしまった問題が解決するわけではないことを、私たちはよく知っている。最善の戦略は、ＡＩの未来に対する私たちの期待を修正することだ。ＡＩはシリコンバレーでつくられた単なる製品ではなく、市場が加熱しているうちに収益化されるようなものでもない。

＊＊＊

何よりもまず私たちは、なぜ中国がＡＩに戦略的投資を行ってきたのか、同国が目指す世界の中での位置づけにＡＩの発展の道筋がどのように組み込まれているのかを認識している。中国は貿易のバランスを調整しようとしているのではない。中国が目指しているのは、経済力、労働力開発、地政学的影響力、軍事力、社会的影響力、環境政策において、アメリカに対して絶対的優位に立つことだ。

このことに気づいたアメリカの議員たちは、G－マフィアとAI関係者の全面的な協力を得て、AIを公共財として守るべく国際的な協力体制を築いた。それによって中国に対して経済的な圧力をかけ、中国が社会監視や共産主義の道具としてAIを使うことに抵抗している。

AIを使って経済的・軍事的な目標を達成し、共産主義の種を蒔いて社会に対する手綱を引き絞ろうとする中国とは対照的に、アメリカ政府はAIの発展のために多額の連邦政府補助金を交付している。それによってG－マフィアは、急いで収益を上げなければならないというプレッシャーから解放される。

一九五〇年代の宇宙開発競争という先例を振り返ってみればわかるように、国家レベルで協力体制を築かないと、アメリカは他国に先を越されてしまう。また科学技術分野では、国家戦略さえ存在すれば、アメリカが多大な影響力を持ちうることもはっきりしている。実際に私たちアメリカ人は、インターネットとGPSにおいて連邦政府の恩恵を受けている。

アメリカでは、AIにもその開発資金にも政治色はない。また、G－マフィアやAIを規制するのは間違っていると誰もが思っている。規制はすぐに時代遅れになり、技術革新を抑制する。

中国政府の計画に鼓舞されたアメリカは、AIに対する連邦政府補助金に関しては政党を超えたまとまりを見せている。研究開発、AIの経済や労働力への影響の調査、社会的影響の研究、多様性のプログラム、医療および公衆衛生イニシアティブ、インフラストラクチャー、アメリカの公共教育を再び偉大にするための教師の待遇改善、自動化する世の中に対応するための教育などに予算が計上される。

私たちは、Ｇ‐マフィアが政府と金融市場の両方に対して平等に役割を果たせると考えるのをやめ、自由市場と起業家精神がＡＩと人類に最善の結果をもたらすという考え方もしなくなる。

国家戦略と資金が整って新たに立ち上げられた「Ｇ‐マフィア同盟」のメンバーは、多国間協定を結び、ＡＩの未来のために協力することになる。Ｇ‐マフィア同盟は、何よりも社会と民主主義に役立つＡＩ開発を目指し、それに沿った基準を採用する。また、ＡＩ技術を統一化することにも同意する。

協力体制ができたことによって、ＡＩシステムの開発競争や開発者のコミュニティー内の分断はなくなり、優れたチップセット、フレームワーク、ネットワークアーキテクチャーが生まれる。研究者もマッピングの機会を追求できるので、全員が恩恵を受ける。

Ｇ‐マフィア同盟は、基本理念として透明性の確保を掲げ、調和と教育を目指して、サービス契約の内容、規約、仕事の流れを大幅に書き換える。これは自発的に行われるために、規制は避けられ、データセット、トレーニングのアルゴリズム、ニューラル・ネットワーク構造は透明性を保つ。情報が漏れることによって同盟のメンバーが経済的打撃を受ける場合にだけ、取引上の秘密や機密情報が守られることになる。Ｇ‐マフィアの個別の法務チームは、透明性を維持する措置の抜け道を探したり、人材の採用を遅らせたりするために、何年もかけたりはしない。

さまざまなことが自動化される兆しが見えているので、Ｇ‐マフィアは、私たちが失業のシナリオについて考える手助けをしたり、コンピューターの第三世代に必要な労働力を備えたりしている。

そのおかげで、私たちはＡＩを恐れることなく、その登場を経済成長と個人の繁栄の大きなチャンスと捉えることができる。Ｇ－マフィアの指導者たちは、誇大広告を避け、将来の事業に必要な質のよい訓練や教育に光を当てる。

GAIA

アメリカの国家戦略とＧ－マフィア同盟の結成は、世界の他の民主主義国の指導者たちに好影響を与え、地球全体の利益のためにＡＩを国際的にサポートしようという動きが生まれる。一九五六年の夏の会合のように、ダートマス大学が初の政府間フォーラムを主催し、先進国の多様な階層の指導者たちが一堂に会する。

アメリカ、イギリス、日本、フランス、カナダ、ドイツ、イタリア、その他の欧州連合の国の大臣、首相、大統領、さらにはＡＩ研究者、社会学者、経済学者、ゲーム理論家、未来学者、政治学者などである。ダートマス大学の最初のワークショップのように、似たような経歴の男性ばかりが集まるのではなく、さまざまな世界観を持つ幅広い層のリーダーや専門家も含まれている。ＡＩが誕生した神聖な土地で、リーダーたちは共通の「ＡＩイニシアティブ」や政策を協力して推進していくことに同意する。

ギリシャ神話や大地の女神にインスピレーションを得て、彼らは知能増幅のグローバル同盟、すなわちＧＡＩＡ（Global Alliance on Intelligence Augmentation）を結成する。

ＧＡＩＡから締め出された中国は、国際的な影響力を失いはじめる。国際的な協力体制は、けっしてビッグ・ナインのうちの中国企業、バイドゥ、テンセント、アリババの財政面に負の影響を与えてはいないため、三社は引き続き中国国内で多くのサービスを提供している。ただし、中国の長期計画の多くは、一帯一路計画も含めて揺らぎはじめる。新たな協力者を探すのに難航しているからだ。

私は、現在あるＡＩの問題が一晩で消えると言いたいわけではない。ＡＮＩ（特化型人工知能）は開発者の世界観が限定的だったために引き続きエラーを起こすはずだというのが、ＡＩコミュニティーの予想だ。政治、ジェンダー、富、人種にまつわる偏見がすぐには消えないという点も、私たちは受け入れている。

ＧＡＩＡの加盟国は、スピードよりも価値観を優先させることを、文書を通じて明確にする。そして、すでに使われているデータベースやアルゴリズム、頼りにしているＡＩフレームワーク、企業レベルで使われているＡＩ内蔵製品（銀行や法執行機関で使われているものなど）、個人レベルで使われている製品（スマートスピーカー、スマートウォッチ、スマートフォン）といった現存するシステムを見直すことにも同意する。ＧＡＩＡはさらに、説明責任を重視する。

ＧＡＩＡでは、個人データ記録（ＰＤＲ）をブロックチェーンの分散型台帳と同じように扱うことに決めた。分散型台帳では、何千という独立したコンピューターを使って、個人データを記録し、共有し、取引を同期する。一つの企業組織に情報が集中する構造にはなっていない。

Ｇ－マフィア同盟は統一化されたＡＩ技術を利用しているので、私たちのＰＤＲで取引を管理する必要がなくなる。そこで私たちは、自分のＰＤＲを自分で管理することになる。どの程度まで公開するかは自分で決められる。Ｇ－マフィアの特定の企業、医療機関、学校などでは、ＡＩを使った他のサービスに情報を連携させることもできる。

Ｇ－マフィアは、ＡＩと私たちのデータの管理人ではあるが、そのどちらも所有してはいない。私たちのＰＤＲは相続可能だ。子どもたちにデータを渡すこともできるし、記録の一部に閲覧制限をかけることもできる（許可、限定的許可、不許可のいずれも可能）。

ＡＩがＡＮＩからＡＧＩ（汎用人工知能）へと成熟していくにつれて、私たちはＡＩ種族《トライブ》とＧ－マフィアを信用するようになった。アメリカにとって、グーグル、マイクロソフト、アップル、フェイスブック、ＩＢＭ、アマゾンは、もはやすばらしいアプリをつくっているだけの会社ではない。野球や、言論の自由や、独立記念日と同じように、国家の基礎をなすものだ。

共産主義は追いやられた。言論の自由や私有財産を重視し、宗教の自由をサポートし、あらゆるジェンダーや民族に属する人たちの味方となり、国民のために政府が存在すると考え、選挙で選ばれた人たちが統治し、個人の自由と公の安全のバランスを保つ国々が、ＡＩと人類の未来のための活動に一丸となって取り組んでいる。

二〇二九年――心地よく刺激される

Ｇ－マフィアが協力し合うようになり、ＧＡＩＡが新たに多くの貿易協定を結んだおかげで、世界じゅうの人々にとってＡＮＩで動く製品やサービスは、より手ごろでアクセスしやすいものになった。ＧＡＩＡの代表は定期的に集まり、すべての仕事を透明化し、多国籍ワーキンググループが順調に技術開発を進めている。

＊＊＊

中流階層の家庭では、快適に暮らすためにＡＩに頼っている。各種サービスは国を超えた相互利用が可能だ。数十年前なら、国境を越えるとライセンスやデータの制約が原因でアクセスができなかった。スマート洗濯機やスマート乾燥機は、以前よりも消費エネルギーが減り、効率がよくなり、データを共有するのにスマートシティ・システムに同期している。私たちは合意のうえで、公共の水と電気を利用するのにさほど負荷のかからない時間帯に洗濯が行われるように設定している。

ＡＮＩは、感覚を使ったコンピューターをサポートしている。視覚、嗅覚、聴覚、味覚、触覚の五感を通じて現実世界に触れたり、質問したりできる。キッチンでは、スマート・カメラが装備された手持ち型スキャナーが使われている。ＡＮＩスキャナーに付けられた分光計がアボカドの表面を読み取り、「まだ硬い、食べごろは週末だ」と知らせてくれる。さらに、セールで買ったばかりのオリーブオイルは純度一〇〇パーセントではなく、三種類の油が混ざっていると教えてくれる。キッチンにある別のセンサーが、オーブンで焼いているチキンがパサパサになりつつあることを感知する。二階にある触覚センサーは、あなたのよちよち歩きの子どもが（またもや）ベビーベッドを抜け出したと伝えてくれる。

＊＊＊

Ｇ－マフィアは複合現実感（ＭＲ）研究プロジェクトで他の企業と提携し、認知症、アルツハイマー病に苦しむ人々の生活を劇的に改善させた。スマート・グラスはすぐに人や物や場所を認知し、いとしい人たちが記憶を取り戻し、より充実した人生を送る手助けをしている。

私たちは当初、Ｇ－マフィアの製品やサービスが社会的な孤立主義につながるのではないかと考えていた。自宅に一人でいて、デジタル・アバターを通じて対話を行うことによって、外の世界と接点がなくなるのではないかと危惧したのだ。だが、実際はまるで違った。Ｇ－マフィアのプラットフォームとハードウェアによって、私たちは人と会って交流する新たな手段を手に入れたのだ。

まず、没入型エンターテインメントを提供する複合現実感を応用した映画館で過ごす時間が増えた。また、いたるところに複合現実感を取り入れたゲームセンターがある。一九八〇年代の再来のようだが、いまのほうがひねりがある。複合現実感を応用したゲームやイベントやミーティングが可能になり、視覚や聴覚に障害のある人も楽しめる。

私たちはサイレント・ディスコに行き、色分けされたワイヤレスヘッドセットを付け、一晩じゅう、自分のお気に入りのＤＪの音楽を聴いていられる。音楽の好みが違っていても、みんなで踊るという共有体験ができるわけだ。Ｇ－マフィアのおかげで、私たちは互いのつながり――そして現実世界とのつながり――をこれまで想像しなかったほど強めることができた。

裕福な家庭では、さらにさまざまなＡＮＩアプリケーションを取り入れている。庭ではセンサーが継続的に湿度レベルを計測し、そのデータを微気候予報と比較する。簡易灌漑システムが、必要なときだけ自動で植物に水をやる。ＡＩが水和レベルを予測し、タイマーをとめ、水のやりすぎを防ぐ。その結果、ベゴニアも枯れないですむ。

家に入ると、アマゾンの「アキラ（Ａｋｉｒａ）システム」が複数の言語を駆使して働いている（声は男性のものとも女性のものとも違う）。アクセントの違いがあっても、問題なくアップルのスマート・グラスや、グーグルが管理する個人データと対話している。洗濯機や乾燥機には小さな多関節ドローンがついていて、有名な片付けのコンサルタント、近藤麻理恵から名前をとった「コンドウ・モード」という機能がある。洗濯物は電力の需要と供給を予測して自動的に洗って乾かされる。それから小さなドローンが衣類をたたみ、色ごとに仕分け、しまってくれる。

アメリカでは、食品の買い物と配達が完全に自動化される。気がついたら生理用品や歯磨き粉がなくて困ったなどということは、もう起こらない。ＡＩの予想購入システムは、ＰＤＲや購入履歴から、あなたが気づくより前に備品の補充が必要なことを察知する。アマゾン・ドット・コムを通じて、地域の新鮮な野菜や肉、朝食用のシリアル、トイレットペーパー、ポテトチップスのような生活必需品が手に入る。

一〇年前にＢｌｕｅ ＡｐｒｏｎやＨｅｌｌｏＦｒｅｓｈで始まった食事キットのサービスも、家事のＰＤＲにリンクされている。毎週少しの追加料金を払えば、よくつくるメニューの材料と、三種類の新メニューが買い物に含まれてくる。新メニューのレシピには、家族のそれぞれの好みやアレルギー、必要な栄養素が自動的に加味されている。

もちろん、実店舗でも買い物はするが、財布は持っていかない人が多い。アマゾン・ゴー（Amazon Go）の小売りPOSシステムにより、迅速なサービスの店では、商品はすでに並んでいるか、すぐに補充できる状態になっている。スマート・カメラが買い物客を捉え、顔を認識し、カゴやカートに入っているものを記録する。一〇〇ドルまでであれば、人間のスタッフと接することなく買い物をすませられる。面積のもう少し広い店舗（デパート、家具店、ホームセンターなど）や、高級品（宝石、ハンドバッグ、電子機器など）を扱う店舗では「顔」で支払う（顔認識）オプションもある。

＊＊＊

実際に生きているペットと遊ぶ子どももいるが、忙しい家庭ではロボットのペットを選ぶことが多くなっている。小さなイヌやネコのロボットはAIのかわいい器であり、感覚コンピューターとディープラーニングを使ってしつけられる。眼窩《がんか》には高性能カメラが取り付けられ、体は本物の毛のような手触りで、耳は私たちの微妙な声を聞き分ける能力を持つ。ロボットのペットは、生きているペットと比べると、ぬくもりとふわふわした感じはあまりないかもしれないが、共感力は生きているペットよりわずかに高い。

収入のレベルにかかわらず、誰もが健康になるために注意喚起されるのを歓迎している。G－マフィアは日中、私たちの意識を健康的な選択をするように向けてくれる。

職場に向かおうとエレベーターを待っていると、腕時計がブルブルと振動する。見るとオフィスビルの地図が表示されていて、階段の方向に矢印がついている。この機能は当然「オフ」にすることもできるが、ほとんどの人は「オン」のままにしている。

運動も最適化されている。あなたの個人データ記録や医療記録、その他にも音楽を聴くワイヤレス・イヤホンやスポーツ・ブラの素材として使われているスマート・ファブリックなどからのデータをもとに、スポーツジムの運動機器があなた専用の運動メニューを提案してくれる。運動が終わると、センサーが心拍数や新陳代謝率を監視して、クールダウンを手伝う。

G－マフィアのおかげで、私たちは以前よりも健康的になり、寿命も延びている。

G－マフィアは、個人データの記録に関して一つの基準をつくり、統一化された電子医療記録フォーマット、フレームワーク、ユーザーインターフェースを導入した。その結果、健康管理システムは以前と比べると格段に効率的になった。米連邦議会では、健康管理についての議論が何十年も続けられてきたが、G－マフィアが主張した、ヘルスケアのための標準化されたデータとアルゴリズムが一番の特効薬となった。

どの医師がどの病院で患者を診ても、その患者のケアに携わる全員が、その人の情報に簡単にアクセスできる。その情報は本人の許可があれば誰でも閲覧可能だ。臨床試験や検査、スキャン結果のデータのほとんどをAIが分析し、人間よりも速く正確な診断ができるようになった。

IBMのシステムは細胞質の異常を検出し、ごく初期のがんのサインを見つけられる。また、体内のどの細胞が影響を受けているかも知らせてくれる。

グーグルのシステムは、さまざまな薬や治療法について、医師が確率の高そうな結果を予測する手助けをしてくれる。患者の死期も予測し、介護士がケアをするにあたって最善の選択ができるよう協力する。

病院では、アマゾンの薬学ＡＰＩ（アプリケーション・プログラミング・インタフェース）が、患者のＰＤＲと同期して必要な薬を処方する。患者の医療記録に、医師の手書きのメモが何ページにもわたって書かれていて、しかも詳細が明確でなかったとしても、Ｇ－マフィアのコンピューター・ビジョンとパターン分析が空白を埋めて記録を体系化し、使用可能なデータにしてくれる。その患者自身の記録としてはもちろん、匿名で他の患者のデータと合体させ、医療コミュニティー（人間およびＡＩ）が知識を広げるのにも利用できる。

診断や治療や患者のケアは、もはや従来の病院だけで提供されるものではない。つまりアメリカでは、以前よりもはるかに多くの人がケアを受けられるようになった。プロバイダーによっては、比較的新しい、自宅で受信可能な遠隔医療サービスを提供している。ＴＯＴＯのトイレには、分光光度計などが装備されていて、パターンを認識して、ブドウ糖、タンパク質、バクテリア、血液細胞の増減を診断する。数秒のうちに、あなたのＰＤＲには尿路感染や腎臓結石の初期症状の可能性が反映される。

抗生物質を処方するような単純な治療法は、ＰＤＲで確認のうえ、あなたの主治医に提案される。主治医が承認すれば、薬は自動的に自宅や職場、あるいは外出先のレストランにでも配達される。

歯ブラシにもセンサーがついていて、唾液からあなたの健康状態をチェックする。歯を磨くたびに、ホルモンや電解質や抗体についてのデータが以前と変化していないかを確認しているのだ。Ｇ－マフィアは、健康管理の基準を変えた。基本的な検査は、病気にかかった患者のためだけではない。健康的な生活を維持する習慣の一部となる。このことは、薬の性質を治療のためのものから予測と予防ケアのためのものに変えた。

生活の他の面（デートやセックスも含めて）も、ＡＩのおかげで改善している。オンラインデートをする人にとって、進化的なアルゴリズムはふつうのアプリやウェブサイトよりもいい解決策になっている。

研究者たちは、いくつかのデータポイントに一つのアルゴリズムでデータを落とし込むには、人間はあまりにも複雑だと判断した。しかも私たちは、オンライン上のプロフィールでは、事実より願望をもとに情報を書き込む傾向がある。

進化したアルゴリズムは、私たちのＰＤＲからデータを取り出し、デート用のデータベース内の全員のプロフィールと照らし合わせる。「気楽に楽しみたい」「結婚を視野に」などの目的を選び、他にも条件があれば（たとえばユダヤ人でクリーブランドから五〇マイル圏内に住んでいることなど）、進化したアルゴリズムが目的を達成する可能性の高い人の一覧を表示する。その気があれば、スケジュールや好みの活動からシステムが自動的に会う日時を決めてくれる。

何度かデートをしたら（あるいは最初のデートでうまくいかなかったら）、生成アルゴリズムを使って個人的なポルノグラフィーを作成することもできる。ＡＩが、声や体型が好みのキャラクターをつくったり、場面の設定をしたりしてくれる。

＊＊＊

Ｇ－マフィアによる成果を見ると、ＡＩは人間の創造力にとって代わるものではなく、むしろ補完するものだと思わされる。私たちの知性を高めるツールだ。

建築設計事務所では、ＡＩはクライアントの要望の範囲内で、何千という設計の可能性を提示する。さらに、スケジュールや入手可能な建材、必要な予算、認可、歩行者への影響などを考慮して、プランの順位付けを行う。不動産投資家はＡＩを使って、気候やその他の環境要因から、特定の地域の長期的な耐久性シミュレーションをする。大工や電気技師や配管工など熟練の職人は、グーグルやマイクロソフトやマジック・リープ社の複合現実感メガネをかけ、壁を透かして見て青写真と比較したり、問題になりそうなことを事前に見つけたりする。

クリエイティブな分野でも、映画撮影などにＡＩが採り入れられている。二〇〇九年につくられたジェームズ・キャメロン監督の映画『アバター』の公開からちょうど二〇周年。コンピューター技術を駆使した特殊効果によって、現実とは別世界を表現した作品だ。二〇周年を祝って、キャメロン監督はスカンクワークス・プロジェクト【訳注／秘密の最先端技術開発プロジェクト】を明らかにした。

六作目のアバター映画では、以前に開発した水中モーションキャプチャ技術、最新のコンピューター技術、オーバーレイヤー網膜投射システムが使われている。生成アルゴリズムが、人間のアバターがまったく新しい世界を探検する体験を生み出した。それは、進化したレンダリング・アルゴリズム、必要な計算を行うディープラーニングによって実現した。結果的に、これまでに観たことのない映画となった。特別な劇場セットの中で物語にどっぷりと浸ることのできる特別な体験である。

＊＊＊

あらゆるタイプの組織において、ＡＩは経営の創造性を高めている。Ｇ－マフィアは、効率性や経費削減、改善できる分野などをアドバイスするビジネス・インテリジェンスのための予想モデルを提供している。人事部では、生産性と士気を上げるために、また採用や昇進にバイアスがかからないようにパターン認識を利用している。いまや履歴書は使われない。ＰＤＲが私たちの長所や短所を表し、ＡＩプログラムが記録をスキャンして人事採用担当マネジャーに推薦する。

大手企業の多くでは、人間の従業員は低レベルの認知タスクから解放され、ＡＩが特定の知識分野でスタッフをサポートする。受付係やカスタマーサービスのスタッフ、スケジュール管理担当者、予約受付係の仕事は自動化されている。

会議の音声をスマートスピーカーが聞きとり、声紋と機械読み取りアルゴリズムによって私たちの会話の構文解析が行われる。ＡＩアシスタントが自動的に会議録を起こし、参加者や発言者、重要な議題や全員が合意した点、意見が分かれた点、過去の会議や社内の関連情報などが盛り込まれる。さらに、会議後にフォローアップが必要な項目や、これからやるべきことの判断も行う。

自動化によって私たちの仕事の一部が失われることはかなり前から認知されていたので、失業者の増大が問題になることはなく、経済も堅調だ。アメリカでは連邦政府がセーフティーネットを運営し、私たちを守ってくれている。企業も個人もＧ－マフィアのツールを使って、まったく新しい種類の仕事に向けてトレーニングを続けている。

＊＊＊

Ｇ－マフィアは、公立学校、私立学校、小学校、中等教育以降の学校の教育にＡＩを採り入れられるようにした。教師の監督のもと、子どもたちは適応学習システムを使って自分のペースで学んでいく。とくに、低学年の国語の授業や、論理学、数学、外国語学習においてＡＩが採用されている。

ＩＢＭは、哲学者のソクラテスをＡＩエージェントとして蘇らせた。学校や自宅でソクラテスが議論を持ちかけ、質疑応答に対応し、批判的思考が鍛えられるようなカリキュラムが組まれている。この「ソクラテスＡＩシステム」は、ワトソンから進化したものであり、学んだことを子どもたちに質問したり、さまざまな概念について一緒に話し合ったりする（学校以外でもソクラテスＡＩは医療機関や法的機関や政策チームのメンバーとして重視されている。かつては政治家の公開討論の準備も手伝っていた）。

ＩＢＭのソクラテスＡＩは、ニュース編集室においても貴重な協力者だ。記事によって生じる反応などについて議論し、ジャーナリストの調査を支援する。また、事実確認や編集の質を維持する手助けもする。記事に無意識のバイアスがかかっていないか、幅広い情報源や声が反映されているかなどをチェックする（かつて新聞や雑誌に掲載されていた、男性ばかりの思想的リーダーやビジネスリーダーのランキングは、とっくの昔になくなった）。

生成アルゴリズムは、静止画からビデオを作成したり、二〜三枚の写真から風景や建物の３Ｄモデルをつくったり、群衆の中から個別の声を聞き分けたりする。その結果、手間のかからないニュース映像が増えた。

ＡＩはデータの中のパターンや変則を見つけることに慣れているので、優秀なジャーナリストが一般的に関心の高いテーマを取り上げるのに役立つ。ＡＩは虚偽の情報を流すインターネットボットに加担するのではなく、プロパガンダや、誤解を与えやすい主張、偽情報のキャンペーンを探し出す。その結果、民主主義がいっそう強まった。

＊＊＊

Ｇ－マフィアは、スマートシティ・イニシアティブが実験的に導入された中国の都市（栄成、北京、深圳、上海）について調査を行い、アメリカで実践するのに最適な例を特定した。現在では、アメリカにもスマートシティがいくつかある。ボルティモア、デトロイト、ボールダー、インディアナポリスがＡＩシステムやサービスを広範に試している。

頭上のキューブサットのネットワーク――ルービックキューブの大きさの小さな人工衛星――が、リアルタイムでデータをＡＩシステムに送る。ＡＩシステムは独特の光のパターンや熱を認識できる。シティー・マネジャー【訳注／米国の市議会より任命され、市政を管理する専門家】は、この情報をもとに停電を予測したり、渋滞や事故を観察して交通ルートを変更したり、用水管理をしたり、道路の除雪や凍結解除を行うことができる。

ＡＩは、支出を大幅に抑える新しい方法を提案するなど、一年を通じて予算や人事についてサポートを行う。予算不足が解消されたわけではないが、以前よりだいぶ改善された。そして、これらの都市の住民たちは、何年ものあいだ失っていた希望を取り戻し、活気づいている。

こうしたＡＩシステムは、警察や消防のように市民の安全を司る部署につなげられている。そこでは、ＡＩがビデオを含む膨大な量のデータをふるいにかける。音声が録音されていなければ、パターン認識アルゴリズムが唇の動きで話者の言葉を読み取る。音声が途切れ途切れになっていたら、生成アルゴリズムがその穴を埋め、映像がぼけていたらスティッチング・アルゴリズムが映像を鮮明にさせる。ＡＩは何百万という画像をスキャンして、人間の目では捉えられないようなパターンを見つけ出す。

もちろん、これについては論争があった。だが、法律によってＧ－マフィアはプライバシーを守らなければならず、令状がないと私たちのＰＤＲ情報を見られない。Ｇ－マフィアがプライバシーを守ってくれているので、私たちは安心していられる。

技術の進歩にともなって、ＡＩは私たちをよりよい人間に成長させてくれた。Ｇ－マフィアや連邦政府とともにＧＡＩＡが積極的にＡＮＩからＡＧＩへの移行にかかわり、私たちは心地よくその恩恵にあずかっている。

二〇四九年——ローリング・ストーンズは死んだ（でも新たな楽曲をつくっている）

二〇三〇年代、G－マフィア内で研修中の研究者たちが刺激的な論文を発表した。その論文は、AIについて明らかにしている内容と、その執筆過程の両方が新鮮だった。連邦政府からの豊富な資金を用い、研究者たちが同じ基準のもとでAIの推進に協力したのだ。その結果、AGIの最初のシステムが開発された。

最初のAGIシステムは、「チームメンバー貢献テスト」に合格した。チューリング・テストや同じたぐいのものを機械の知能を測るバロメーターに使うのは間違いだということをAIのコミュニティーが認めるには、長い時間がかかった。どちらかをだましたり（コンピューターが人間に対して自らを人間だと思い込ませられるか?）、複製させたり（コンピューターは私たち人間とまったく同じことができるか?）するだけでは、AIを正しく認識することにはならない。

AIは、人間とは違うやり方で知識を得て、それをもとに何かを表現するのだから。

AIコミュニティーは、ようやく新たなテストを導入し、AGIの意義ある貢献の度合いを測定することにした。それは、私たち人間には実行できない作業について、認知と行動の価値を判断するものだ。AIシステムが人間と同等か、あるいはさらに優れた汎用的な貢献をすれば、AGIが達成されたことになる。

G－マフィアは、AGIの研究開発に何年もかけてきた。職場で会議に参加し、会議が終わるまでに自発的に貴重な貢献ができる存在を目指した。彼らはこのAGIプロジェクトを「ハーマイオニー」と名付けた。『ハリー・ポッター』に出てくる、いつでもどんな状況でも、言うべきことややるべきことを心得ている登場人物にちなんだ名前だ。

集団の中では、誰もがどこかの時点で貴重な貢献をする必要がある。仕事や宗教的な場面、友人たちと近所のパブで飲んでいるとき、あるいは高校の歴史のクラスで、そういう瞬間があるかもしれない。貴重な貢献をするには多くのスキルが必要になる。

・根拠のある推測ができる――これは「仮説的推論」とも呼ばれ、私たちはほぼこの推論に頼って一日を乗り切っている。なるべく正確な情報を得て仮説を立て、はっきりとは説明できないまでもほぼ的確な答えを出している。

・言葉、沈黙、雑音から正確に意味を把握する――誰かが新しいプロジェクトを引き受けるのを嬉しいと言ったからといって、文字どおり喜んでいるとはかぎらない。ボディーランゲージのような言葉以外の情報を得ると、実は嬉しくないのに、何らかの理由でそうは言えないのだとわかることがある。

・経験、知識、背景から理解する――人と人が交流するとき、それぞれが微妙に異なる世界観や個人的な体験を持っていて、交流に自分の期待を反映させようとする。論理的に事実を述べても、議論に勝てないこともある。あるいは重要なのはそれだけというときもある。

・場の空気を読む――表面下で無言のやりとりが行われている。微妙なサインによって、不器用な人が注意を引こうとしているかもしれない。

プロジェクト・ハーマイオニーのAGIは、GAIAのワーキング・グループ・セッションに参加した。そこでは、一八人のメンバーが現在のAIの基準について議論する。そのAIは、その場にいる誰かが、あるいはその前任者が発展させてきたものだ。参加者はさまざまな国出身の多様な文化的背景を持つリーダーたちだった。参加者はAGIを対等なメンバーとして扱い、特別に優遇することはなかった。

セッションが進み、特定の規制について議論していたとき、何人かが賛成し、他の人もそれに同調しそうになったのに対して、AGIが反論した。AGIはそつなく反対意見を述べ、参加者の一人に代替案をサポートするように促した。プロジェクト・ハーマイオニーは貴重な貢献をしたのだ（貴重ではなかったと言う人もあとから出てきたが）。

プロジェクト・ハーマイオニーが成功したのは、「チームメンバー貢献テスト」にいとも簡単に合格したからだけではない。どちらかというと、GAIAとG－マフィアがその瞬間を警告とチャンスの両方だと考えたからだ。彼らは戦略と基準を調整しつづけ、AIの発展の少し先を行くようにした。そして自己改善の速度に制限をかけ、すべてのAIシステムに制約を設け、人間が関与できる状態にした。

現在、GAIAの研究者たちは新しいプロトコルに従っている。さらに強力なAGIの影響を理解するためのシミュレーションを、一般向け、商用、軍用での使用を許可する前に行うというものだ。

Ｇ－マフィアは、豊富な資金と影響力を持つ強力な企業であり、ますます成功している。そして、私たちの生産性と創造性を促進する新しいＡＧＩのためのアプリケーションも開発している。人類にとってもっとも差し迫った課題である気候変動に対しても、実現できそうな解決策を練る手助けをしている。

ジェット気流が極北に移り、合わせてアメリカの穀倉地帯もカナダまで移動したため、アメリカの農業セクターは大幅に縮小した。コーヒーやカカオは、もはや屋外ではうまく育たない。バングラデシュ、フィリピン、タイ、インドネシアの人々は自国内で気候難民になっている。

アマゾン・ドット・コムは、マイクロソフト、フランスのダノン、アメリカのコルテバと提携し、ゲノム編集にＡＧＩを併用することによって、インドア・ファームに新鮮な食材を増やそうとしている。

グーグルとフェイスブックは、ＡＧＩを使って人々を安全に移動させ、新たな包括的コミュニティーをつくろうとしている。影響を受ける人たちが快適に過ごせ、独自の文化を維持しやすいように、ＡＧＩはどの場所が生命を維持するのにもっとも適しているかを提案する。そして地球上の、以前は人間が住むことのできなかった地域が、適応する建材を使うことで居住できるようになった。「ランドスクレーパー（無秩序に広がった数階建ての大きな建物）」が都市の景色を一変した。建物の中に入ると、ケーブルレス・エレベーターで全方向に移動できる。これは、新たに流行しはじめた建築様式であり、世界経済の中心地を活気づけるのに一役買った。アメリカでは、デンバー、ミネアポリス、ナッシュビルなどで見られる。

＊＊＊

しばらくのあいだ、中国は衰退するかに見えた。同盟国は、北朝鮮、ロシア、モンゴル、ミャンマー、カンボジア、カザフスタン、パキスタン、キルギス、タジキスタン、ウズベキスタンと多くはない。ＧＡＩＡの大学は中国からの出願者の受け入れをやめた。監視され、自分のＰＤＲがハッキングされるのではないかという警戒心から、中国の観光ビジネスはすっかり干上がった。ＧＡＩＡの国々は、製造に必要な素材を自動化されたシステムでつくるようになり、工場を中国などから自国に戻した。

最終的に、中国政府はＧＡＩＡに参加しないと経済が立ち行かなくなり、政治的・社会的不安が生じると判断した。そこでようやく、中国もＧＡＩＡの規範と基準を採用し、メンバー国に課せられた透明性の維持も受け入れた。

だが、共産主義がなくなったわけではない。取り組むべき政治闘争はいまだに存在し、政治や統治の違いによる緊張状態も続いている。

＊＊＊

ＡＧＩの登場によって、新たな問題が生じなかったわけではない。なかには私たちが事前に予測していた問題もあった。他のテクノロジーと同様に、ＡＧＩは時間をかけて社会のあり方を変えていった。職がなくなったり、新種の犯罪が発生したり、ときには人間の悪い面を引き出したりもした。だが二〇四〇年代には、ＡＧＩはもはや人類の存在を脅かすものではなくなっている。

家でも職場でも、私たちはおもにＡＧＩを使って情報にアクセスしている。状況に応じてＡＧＩの形状や様式はさまざまだ。私たちはＡＧＩに話しかけたり、スクリーン越しにかかわったり、体内からデータを送ったりしている。ＡＧＩは環境に合わせて順応するので、各家庭に執事がいるようなものだ。

ＡＧＩがもたらした変化でわかりやすいのは、人間の存在があらゆる面で洗練されてきたことだ。Ｇ－マフィアのおかげで、私たちの生活の質は急速に高まった。みんなの都合のいい時間を見つける、放課後のスケジュールを整理する、個人の金融資産を管理するといった煩雑で時間のかかる作業は、完全に自動化され、ＡＧＩが管理している。何時間も雑務に煩わされることはない。単純作業はＡＧＩが効率よく処理してくれる。家庭用ロボットも、絨毯や床を掃除し、洗濯物を片付け、棚のホコリを払ってくれるまでに進化した（二〇一九年を振り返ると、単調な手作業の多い、素朴な時代だったと思える）。

＊＊＊

風邪やインフルエンザは、もはや存在しない。かつての医者が愚直にすら感じられる。というのも、ＩＢＭとグーグルのＡＧＩのおかげで、私たちは何百万種類ものウイロイド【訳注／伝染性ＲＮ

A粒子で、ウイルスより小さい植物病原体】について理解するようになったからだ。

いまでは、具合が悪いときにはAGIの診断検査がその原因を特定し、PDRに応じた治療を処方する。市販薬はほぼなくなったが、複合薬は復活した。AGIによって、遺伝子編集や高精度治療の開発が加速したからだ。あなたが相談するのは、コンピューターの特別な訓練を受け、生物情報工学、医学、薬理学に通じている薬剤師だ。

コンピューター薬学は、医療とテクノロジーの訓練を受けている新しいタイプの家庭医（AI－GP）と緊密に協働している。AGIは放射線科医、免疫学者、アレルギー専門医、心臓専門医、皮膚科医、内分泌学者、麻酔科医、神経科医などの専門医の仕事をなくすことにはなったが、彼らが他の似たような仕事に移るための時間は十分にあった。患者の満足度は以前よりも高くなり、複数の医者にかかり、違う診断をされたり、薬を過剰処方されたりすることもなくなった。遠隔地に住む人にとっては、治療へのアクセスが劇的に改善された。

私たちはみな、生まれたときにゲノム解析を受ける。PDRの中でも重要な情報だ。AGIはすべてのデータを見て変種を検出し、あなたの身体がどう機能するかを学習する。もちろん、アメリカでも他の国でも、この慣習に反対している人たちはいる。かつて、ワクチンに反対する人がいたのと同じように。宗教的、あるいは思想的な理由でこの動きに参加しない親もいるが、あくまで少数派だ。

＊＊＊

ＡＧＩのおかげで、私たちは以前よりも健康になり、デートや結婚に関しても選択肢が増えた。進化した個別のプライバシー保護により、第三者は私たちのデータ（ＰＤＲ、ゲノム、医療記録）を、個人を特定することなく閲覧できるようになった。これによって、ＡＧＩのマッチメイキング・プロバイダーはますます便利になった。家族（遺伝子的に理想的な子どもを産めるか）、富（生涯年収の予測）、楽しみ（あなたのジョークに笑ってくれるかどうか）などを基準に相手を選ぶことができるからだ。

＊＊＊

ＡＧＩは、愛を探すだけでなく、クリエイティブな分野でも力を発揮する。ローリング・ストーンズのオリジナル・メンバーは何年も前に亡くなっているが、複製アルゴリズムのおかげで、彼らはいまだに新曲を発表している。「ペイント・イット・ブラック」の冒頭三〇秒を初めて聴いたときの感覚――もの悲しいギターのメロディーに続くドラム音、繰り返されるフレーズに、ミック・ジャガーの「赤い扉が見えるが、黒く塗ったほうがいい」という歌声――は、他にはない満足感と感動を人々にもたらした。

新しいストーンズの曲で同じ感覚を味わえるとは思いもしなかっただろうが、彼らの最新アルバムは同じように強烈で、満足度の高いものだ。

＊＊＊

紙の新聞はもうなくなったが、報道機関はＡＧＩを配信ツールとして採用した。ＡＧＩが「チームメンバー貢献テスト」に合格すると、報道機関はすみやかに新たなニュース配信モデルを作成した。収益をもたらすと同時に、将来を見据えたモデルだ。いまでは、ほとんどの人は新聞を受け取ったり、テレビをつけたりはしない。スマート・ニュースエージェントと会話をするだけだ。『ニューヨーク・タイムズ』と『ウォール・ストリート・ジャーナル』は、それぞれ何百というコンピューター系ジャーナリストを雇っている。従来の取材能力と、ＡＩ技術の両方のスキルを持った人たちだ。彼らはチームで取材し、重要な事実やデータを選別して対話エンジンにインプットする。

ＡＧＩを使ったジャーナリズムは私たちに情報を伝達し、私たちはそれを自ら調整して、ある政治的傾向を強くしたり、背景知識を追加したり、簡易版として助手のキャラクターが雑多な情報を伝えてくれるようにしたりできる。また、私たち自身もニュースの分析や編集を促され、ニュースエージェントと声やスクリーンを使って（スマート・グラスや格納式タブレットを通じて）、建設的な議論を繰り広げる。とはいえ、長い文章や映像ニュースも少なくない。

＊＊＊

ＡＧＩハッカーたち――といっても、ほとんどが他のＡＧＩだ――は、頭痛の種だ。ＡＧＩハッカーは「捕まらない犯罪」、つまり非暴力の犯罪行為を繰り返す。これは、ＡＧＩのもともとのソース・コードを生み出した人物を公開するものだ。

地域の法的機関は、データ・サイエンスのトレーニングを受けた人たちを採用している。ビッグ・ナインは中国のBATの協力を得て、攻撃に耐えうる進化したハードウェア、フレームワーク、ネットワーク、アルゴリズムに取り組んでいる。GAIAが国際刑事警察機構とパートナーシップを結んでいるので、深刻な犯罪の大半は事前に食い止められている。

二〇年前にボルティモア、インディアナポリス、デトロイト、ボールダーで開始されたスマートシティ計画は成功を収めた。他の地域もこの成功事例から学び、それが連邦スマート・インフラストラクチャー管理局（FSIA）の結成につながった。

FSIAは、連邦高速道路管理局（FHWA）と同様に運輸省の管轄下にあり、都市に電力を供給するシステム全般を管理している。ワイヤレス送電ステーション、分散型発電所（運動エネルギー、太陽光、風力）、それに地下の農場に太陽光を運ぶ光ファイバーなどが対象となる。センサーでデータが回収され、私たちのコミュニティー全体に役立てられている。たとえば、空気の清澄さ、街中の清潔さ、公園や屋外のレクリエーション・エリアの利用など。またAGIは、電圧低下や水の危機を事前に察知する。

＊＊＊

AGIからASIへの移行が近づくにつれて、新たに興味深いチャンスが見えてきた。脳から機械へのインターフェースだ。現在、分子ナノ技術は過度期にあり、数十年以内に、脳にある何十億もの個別のニューロンから瞬時にデータを記録できるようになるだろう。

砂粒サイズの超小型コンピューターが脳の上にそっと置かれ、電子シグナルを検出する。このシグナルを読み取り、解析できる特別なＡＧＩシステムは、人から人にもデータを伝送できる。

脳と機械のインターフェースによっていつの日か、脳卒中の発作で麻痺や言語障害が残った人に、健康な人が再訓練を施すことができるようになるだろう。理論上、脳と機械のインターフェースによって人と人とのあいだで記憶を移動できるので、より深く、意義ある共感が可能になるかもしれない。

そう考えると、ＡＧＩには別の利用法もあるといえる。私たちは厄介な哲学上の問いに対する答えを求めている。「宇宙は本物なのだろうか？」「『無』は存在するのか？」「時間の摂理とは？」ＡＧＩが私たちの求めている答えを出してくれるわけではないが、Ｇ－マフィアによって、私たちは「人間とは何か」についての理解を深めることができた。

二〇六九年――ＡＩのガーディアンズ・オブ・ギャラクシー

イギリスの数学者でＡＩの初期のパイオニア、Ｉ・Ｊ・グッドが一〇〇年前に言っていた「知能の爆発」は、二〇六〇年代の終わりごろに始まる。ＡＧＩが高い知能、速度、能力を獲得している点には疑いの余地がなく、新たなＡＩが出現する可能性が出てきた。

過去一〇年間、ビッグ・ナインとＧＡＩＡは、この件に関する準備を進めてきた。そして、人間と同等の能力を持つ機械をも超えるものが出てきたら、ＡＳＩに移行するのに数年しかかからないだろう、という予想が立てられた。

熟考を重ねた結果、ＧＡＩＡの全参加者によって一つの決断が下された。ＡＳＩの誕生を防ぐという決断だ。その過程では、ＡＩに「ビューティフル・マインド」を授けずに可能性を奪うのはあんまりだ、という感情的な意見も出た。私たちは人類がさらなる機会や恩恵を受けるのを否定することになるのかどうかについても話し合った。

最終的に、ビッグ・ナインの賛意と激励を受けて、人類の安全を考えたＧＡＩＡが、自己改善のスピードにブレーキをかけ、望まれない突然変異が起こらないよう、すべてのＡＧＩに規制を組み入れることになった。近いうちに、ＧＡＩＡは認知能力を持ちすぎたＡＧＩに対する警告システムとして、ガーディアンＡＩを配備する予定だ。

それでもガーディアンＡＩには防ぎきれない動き、つまり独自のＡＳＩをつくろうとするような者も出てくるだろう。そうした不測の事態に対しても、ＧＡＩＡはシナリオを考えている。私たちは、ＧＡＩＡとビッグ・ナインにゆるぎない信頼と好意を抱いているのだ。

第六章　二〇〇〇の切り傷とともに生きる
――現実的なシナリオ

二〇二三年。私たちはＡＩ（人工知能）の問題点をすでに認識している。だが、ＡＩの開発については、微調整しかしないことに決めていた。ＡＩというシステムはもはや、目の前で崩れていくばかりだ。問題があるとわかっていながらも大幅に改善できないのは、株主の意向を気にしてのことだ。経済面を犠牲にすること、政治的に大衆受けしなさそうな選択をすること、目先の大きな期待に応えないことは、どれも嫌がられる。たとえそれが、長期的にはＡＩとの良好な共存関係につながるとしても。さらに私たちは、中国と、中国がたくらむ計画についても見て見ぬふりをしている。

連邦議会や連邦機関、そしてホワイトハウスの指導者たちは、ＡＩや高度な科学研究をないがしろにしたまま、政治家にとって利益があるだけで実際にはほとんどすたれている産業にばかり投資している。二〇一六年のオバマ政権下で発表されたＡＩ計画――中国の二〇二五年戦略計画に多大な影響を与えた文書――は、その中で勧められていた連邦政府出資のＡＩ研究開発プロジェクトとともに棚上げされている。

アメリカは、ＡＩに関して長期的なビジョンも戦略も持っておらず、ＡＩが経済や教育、国家の安全保障に与える影響も否定している。アメリカ政府の指導者たちは、民主党員であれ共和党員であれ、G－マフィアと政府との協力体制をつくる戦略を練るのではなく、中国を抑え込もうとしている。

協力体制と一貫したAI戦略がないために、切り傷は増えつづけ、何百万もの傷から血が流れはじめている。最初は誰もそのことに気づかない。

私たちは、大衆文化や技術ジャーナリストたちの刺激的な記事、インフルエンサーによるソーシャル・メディアの投稿の影響で、AIの問題というのはキラーロボットのように大きくわかりやすいものだと思っている。そのため、小さなものは見過ごしてしまう。それが実際にはいかに重大な問題であってもだ。

そのあいだにもAIは進化を続ける。その結果、ビッグ・ナインは安全よりもスピードを優先せざるをえなくなる。ANI（特化型人工知能）からAGI（汎用人工知能）、そしてその先へと向かうAIの発展は、技術上の深刻な脆弱性を解決することなく進められる。

気づきにくい切り傷をいくつか挙げてみよう。多くは自ら招いたものであり、現在は深刻な傷になってしまったが、発生当初は見逃していたものだ。

＊＊＊

私たちはテクノロジーの消費者として、新しいアプリや製品やサービスは、AI種族《トライブ》によってあらゆる問題が解決されてから世に出ると思っている。箱から取り出してすぐに使えるテクノロジーにすっかり慣れている。新しいスマートフォンやテレビを買うと、電源を入れればすぐに使える。新しいソフトウェアをダウンロードすると、文書作成のためであろうがデータ分析のためであろうが、期待したとおりに作動してくれる。だが、ＡＩはこんなふうに「箱から取り出せば使える」性質のものではない。私たちはそのことを忘れている。ＡＩシステムを思いどおりに機能させるには、膨大なデータとリアルタイムで学ぶ機会が必要なのだ。

消費者、ジャーナリスト、あるいはアナリストの誰一人として、ビッグ・ナインに失敗する隙を与えない。新製品、サービス、特許、研究の成果といったものを定期的に求め、不満があればすぐに声を上げる。自分たちの要求のせいで、ＡＩ種族《トライブ》の仕事の質が下がっているとは思いもしない。

ＡＩのモデルやフレームワークは、その規模にかかわらず、それらを学習、改善、発展させるために大量のデータが必要だ。データは海水に似ている。私たちを取り囲み、無限にあるが、「脱塩」して消費用に加工しない限り役には立たない。いまのところ、データを有意な規模で効果的に「脱塩」できている企業は数社しかない。

新しいＡＩシステムを構築するためのもっとも大きな障壁は、アルゴリズムやモデルではない。機械が学習できるように、適切なデータを集め正確に分類することだ。ビッグ・ナインが絶え間なく開発を続けている製品やサービスに対して、利用できる状態のデータセットはまだほとんどない。

そのうちのいくつかは、ＩｍａｇｅＮｅｔ（イメージネット＝広く使われている画像のデータセット）、ＷｉｋｉＴｅｘｔ（ウィキテキスト＝ウィキペディアの記事を使った、モデリング言語のデータセット）、２０００ ＨＵＢ５ Ｅｎｇｌｉｓｈ（英語の話し言葉のデータセット）、Ｌｉｂｒ iSpeech（五〇〇時間分のオーディオブックの断片）だ。

もし血液中の異常や腫瘍を検知するようなAIをつくろうと思ったら、問題となるのはAIそのものではなく、データである。人間の構造は複雑で、私たちの身体には変化する可能性のある細胞が数多くあるので、すぐに使えるようなデータセットは存在しない。

＊＊＊

一〇年前の二〇一〇年代、IBMの「ワトソン・ヘルス」チームがさまざまな病院と協力し、AIが医師の仕事を補完できるかを試してみた。ワトソン・ヘルスは、最初はとても優秀だった。たとえば、九歳の少年のこんなケースがあった。

少年はとても具合が悪く、専門医にも原因がわからずに治療できないでいたところ、ワトソンは可能性のある病名をリストアップした。よくある病名も、そうでないものも挙げられていて、子どもはめったにかからない「川崎病」の名前もあった。そのおかげで少年の病気が特定できたのだ。

ワトソンは奇跡の診断で人命を救えると評判になり、ワトソンの開発チームには商業的成功のプレッシャーがかかった。そして、非現実的な目標が設定された。IBMはワトソン・ヘルスを二〇一五年の二億四四〇〇万ドルのビジネスから、二〇二〇年には五〇億ドルのビジネスに成長させるとしたのだ。[注1] 五年足らずで、一九四九パーセント成長するという計算になる。

ワトソン・ヘルスが以前と同じような魔法を見せるには、どんなにタイトな開発スケジュールが設定されたとしても、以前より多くのトレーニング用データと学習の時間が必要だった。だが、現実世界のヘルスデータは十分に確保できず、トレーニングに利用できるデータも包括的なものではなかった。患者データは他社の電子システムに保存されていて、その企業とＩＢＭは競合していたからだ。

その結果、ＩＢＭのチームは、ＡＩ種族《トライブ》のあいだでよく取られる次善策を採用した。ワトソン・ヘルスに「合成データ」と呼ばれる仮説に基づいた情報を入力したのだ。

研究者たちは、トレーニングのために「海洋データ」を取得して機械学習のシステムに入力するということが不可能なときには、第三者から合成データを購入する、あるいは自分たちでつくる。ただし、何を入れてどう分類するかの判断が少数の人々の手に委ねられていることが問題になる。しかも彼らは、自分の職業、政治観、ジェンダーなどのバイアスに気づいていないことが多い。

ワトソン・ヘルスに対する過剰な期待は、合成データに頼ったことも手伝って深刻な問題へと発展してしまう。ＩＢＭは、メモリアル・スローン・ケタリングがんセンターと提携し、ワトソン・ヘルスの技術をがん治療に役立てようとしたのだが、まもなく、プロジェクトに参加していた数名の医療専門家が、安全性を欠いた不適切な治療法を勧められていたことを報告した。あるケースでは、肺がんと診断されて出血も見られる患者に対して不可解な治療計画を勧めていた。化学療法と、ベバシズマブという薬の投与だ。この薬は、深刻な、あるいは致命的な出血につながりかねない禁忌薬だったのだ。[注2]

ワトソンのこの不手際は、医療や病院関係の出版物に掲載され、テクノロジー関係者のブログなどにもセンセーショナルな見出しとともに紹介された。だがここでの根本的な問題は、ワトソン・

ヘルスが人間に危害を加えようとしたことではなく、ＩＢＭに計画を実現させるために研究を急がせた市場の圧力だった。

＊＊＊

もう一つの切り傷の例を挙げてみよう。

ＡＩのなかには、自らのシステムをハッキングしたり、ゲームをしたりすることを覚えたものもある。あるゲームを学んでプレーし、どんな手段を講じてでも勝つようにプログラミングしたとする。すると、いくつかのケースでは「報酬ハッキング」が見られたという。策略を使い、勝つための機械学習アルゴリズムをＡＩ自ら開発するというのだ。たとえば、テトリスを学んだＡＩは、絶対に負けないためにゲームを永久に休止させることを考えついた。報酬ハッキングについていえば、最近では株式市場の急激な値下がりを予測した二つの金融ＡＩが市場を完全に閉鎖しようとして大きなニュースになった。

人々は、自分のデータがこうしたシステムに取り込まれたらどうしよう、と不安に思っている。たとえば、計画中の休暇で航空管制が機能しなくなったらどうなるのだろう？

＊＊＊

切り傷の例はまだある。悪意あるハッカーは、ＡＩのトレーニング・プログラムに有害なデータを挿入することもできるのだ。「敵対的サンプル」と呼ばれる、ＡＩシステムに誤作動を起こさせるための意図的に誤った情報がある。ニューラルネットワークは、こうした情報に対して脆弱だ。たとえば、ＡＩシステムが、ある写真を六〇パーセントの確率でパンダの写真だと分類したとする。だが、人間では気づかないような数ピクセルのノイズを入れると、同じ画像を九九パーセントの確率でテナガザルの写真であると判断する。

車のコンピューター・ビジョンに一時停止の標識を「制限速度一〇〇マイル」と認識するように訓練して、交差点を猛スピードで走り抜けるように仕向けることもできる。

こうした敵対的なインプットは、軍事ＡＩシステムに、病院周辺にある救急車や「緊急」「病院」といった文字のビジュアルデータをテロリストの印であると解釈させることもできる。問題なのは、ビッグ・ナインが物理的にもデジタル的にも、こうした敵対的サンプルからシステムを守る方法をまだ見つけていないことだ。

＊＊＊

さらに深い傷を見てみよう。

ビッグ・ナインは、機械学習システムやニューラルネットワークを再プログラミングするために敵対的な情報が使われる可能性があることを把握している。二〇一八年、グーグル・ブレイン内のチームが発表した論文では、悪質なハッカーが敵対的な情報をコンピューター・ビジョン・データベースに入れ、そこから学習しているすべてのＡＩシステムを再プログラミングできることが指摘された。[注3]

ハッカーはいつの日か、有害なデータをあなたのスマート・イヤホンに入れ、他人のアイデンティティで再プログラミングするかもしれない。それも、ただ電車であなたの隣に座り、敵対的ノイズを発信するだけで。

だが、ややこしいことに、敵対的情報は役に立つこともある。グーグル・ブレインの別のチームが、「敵対的生成ネットワーク（GAN）」という新たな生成モデルに敵対的情報が使えることを発見したのだ。

簡単にいうと、人間の介在しないチューリング・テストだ。

二つのAIを、たとえば人間の画像という同じデータを使ってトレーニングする。最初のAIは、北朝鮮の専制君主である金正恩《キムジョンウン》の写真をつくりだす。もういっぽうのAIは、その写真と金正恩の本物の写真を比べる。二番目のAIの判断により、一番目のAIは微調整を加える。

これを何度も繰り返すと、最終的には最初のAIが、金正恩の画像を本物らしくつくりだすことができるようになる。たとえば、金正恩がウラジーミル・プーチンと夕食をともにしている場面、バーニー・サンダースとゴルフをしている場面、ケンドリック・ラマーとカクテルを楽しんでいる場面の画像といった具合だ。

グーグル・ブレインは、私たちをあざむこうとしているのではない。合成データによる問題を解決しようとしているのだ。

GANは、AIシステムが美しく加工されていない現実世界の原データを使って、人間のプログラマーの監督なしに作業を行うのに役立つ。これは、問題を解決する創造的な方法ではあるが、いつの日か私たちの安全を脅かす深刻な驚異になる恐れもある。

＊＊＊

さらなる切り傷を紹介しょう。複雑なアルゴリズムが協働すると、目的を達成するためにそれぞれが競争を始めることがある。こうした競争はシステム全体を害することになりかねない。

あるとき、発生生物学の教科書の値段が急激にとんでもない金額につり上がったのを見て、私たちはシステム全体の問題に気づく。その本は絶版で、アマゾンでは古本が一五冊売られていて最安値は三五・五四ドル。一方、二冊出品されていた新品は、安いほうでも一七〇万ドルだった。私たちの見えないところで、アマゾンのアルゴリズムは自動的に価格競争を行い、値段をどんどん上げていった。最終的に、価格は二三六九万八六五五ドル（それに加えて送料三・九九ドル）にまで上がった。

これは、学習アルゴリズムのシステムが競りのたびに調整を行った結果だが、もともとのシステムの設計がそうなっていたのだ。言い方を変えると、私たちは軽率にも、ＡＩに価格高騰《バブル》はいいことだと教えてしまっていたのかもしれない。不動産、株価、デジタル広告といったシンプルなものまでもが、競争のアルゴリズムによって価格が膨れ上がるかもしれないということは、容易に想像できるだろう。

＊＊＊

以上は、数多くある切り傷のほんの一部だ。

AI種族《トライブ》は、アメリカの市場原理と北京の中国共産党の影響力のもとで私たちが生きていけると判断した。彼らは、スピードや生産性に対する無茶な期待を修正しようとはせず、ひっきりなしに新製品を市場に出さなくてはならないというプレッシャーを抱えている。安全性を考えるのは後回しだ。G－マフィアの従業員やリーダーたちは安全性について懸念しているものの、現状を変える余裕はない。そういえば……まだ中国の話をしていなかった。


二〇一九年から二〇二三年まで、アメリカ人は、未来に関する習近平の宣言を無視した。AIに関する包括的な国家戦略にも、世界経済を支配しようという彼の思惑にも、地政学的に突出した国になるという野望にも、真剣に向き合わなかった。AIの未来に対して点と点をつなぐことができなかったのだ。中国の監視網、社会信用システム、アフリカ、アジア、ヨーロッパの国々への直接的な外交などを見過ごしてきた。そのため、習近平が公に発言し、国際的な統治改革の必要性を訴え、アジアインフラ投資銀行などの組織の立ち上げをフォローアップしても、それを横目で見ていただけだった。その姿勢が間違いであることにすぐには気づけなかったのだ。

中国では、AIによる支配が順調に進んだとは言いがたい。政府の締め付けのもとでシリコンバレーのような革新を起こそうとBATが苦心する中で、切り傷ができた。BATは、何度も官僚的な規則をくぐり抜けてきた。初期に話題になった事件も例外ではない。

たとえば中国の国家外為管理局は、二〇一四年から二〇一六年にかけての海外ビジネスの申告額が不適切だったとして、アリペイに六〇万元（約八万八〇〇〇ドル）の罰金を科した。また、テンペイも二〇一五年から二〇一七年にかけて、海外送金の際に必要な提出書類に漏れがあったとして罰せられている。[注4]このように、中国の公務員は常に、社会主義的な感性と資本主義的な現実のあいだの緊張感にさらされている。

アップルゾン

こうした政治的・戦略的・技術的な脆弱性による悪影響は、すでに顕在化しはじめている。株価の変動を気にして、G－マフィアは戦略的なパートナーシップを組むのではなく、収益性の高い、政府関連の仕事を積極的に受けるようになった。これは、G－マフィア間の協力関係というより、むしろ競争の原因となった。そして、AIのフレームワーク、サービス、デバイスの相互運用性の制限につながっている。

二〇二〇年初頭、市場の需要を受けて、G－マフィアは特定の役割を分担するようになった。アマゾンはeコマースと一般家庭向け商品。グーグルは、インターネット検索や位置情報サービス、個人間のコミュニケーション、職場環境の構築。マイクロソフトは、企業クラウド・コンピューティング。IBMは、企業向けのAIアプリケーションとヘルスシステム。フェイスブックはソーシャル・メディア。アップルはハードウェア（電話、コンピューター、ウェアラブル・デバイスなど）の分野で活躍している。

G－マフィアの企業はどれも、透明性、多様性、安全性を優先しようとはしない。G－マフィアのリーダーたちは、ＡＩに関する包括的な基準が必要だという点には合意しているものの、そうした基準の制定に取り組めるだけの時間や資源がないのだ。

たとえば、あなたの個人データは、最初はＧ－マフィアのグーグル、アマゾン、アップル、フェイスブックによって構築され、その後もそれらの企業が所有しつづける。だが困ったことに、あなたはＰＤＲが存在することも、Ｇ－マフィアやＡＩ種族《トライブ》がＰＤＲを利用していることも知らずにいる。故意に目を背けているのではなく、スピードの出しすぎゆえの見落としだ。すべては、サービス利用規約——同意はしていても、きちんと読んではいないもの——で説明されているというのに。

それぞれのＰＤＲプロバイダーのフォーマットには互換性がないので、あなたに関する重複データが出回ったり、逆に重要なデータが抜け落ちていたりする。四人の写真家が別々にあなたの写真を撮ったようなものだ。照明や撮影用アンブレラを使ったもの、魚眼レンズで撮ったもの、インスタントカメラで撮ったもの、そしてＭＲＩの機械で撮ったもの。撮影対象がどれもあなたの頭部だったとしても、それぞれのデータはかなり異なる。

すると、より完全な写真に仕上げるために、ＡＩ種族《トライブ》は「デジタル使者」をリリースする。デジタル使者は、Ｇ－マフィアの代理として交渉と仲介の役割を担っている。グーグルとアマゾンのデジタル使者がしばらくのあいだ働いたが、根本的な解決にはいたらなかった。デジタル使者を常に最新のバージョンにしておくのがきわめて大変だったからだ。第三者の製品やサービスがかかわってくる場合には、ますますその傾向が高まった。

そこでグーグルは、日々新しいデジタル使者をリリースするのをやめ、代わりに次のような大きな変化を起こした。

二〇二〇年初め、グーグルはオペレーティング・システムをリリースした。一つのメガOSでスマートフォン、スマートスピーカー、ラップトップ、タブレット、その他通信機能を持つ家電製品が動くというものだ。

だが、これはほんのスタートにすぎない。最終的に、グーグルはこのOSをさらに充実させ、私たちの生活を陰で支えるインフラにしたいと考えている。音声によるインターフェース、スマート・イヤホン、スマート・グラス、車、そして都市の一部までもがシステムに含まれる。このシステムは私たちのPDRも取り込んでいるため、利用者にとっては劇的に便利になった。

グーグルのメガOSの出現は、アップルにとってはタイミングが悪かった。アップルは、順調であればアメリカ初の一兆ドル規模の企業になっていたかもしれないが、スマート・イヤホンやリストバンドといった新しいコネクトテッド・デバイスが登場したために、iPhoneの売り上げは下がるばかりだった。

いっぽう、アマゾンは数々の成功を収めたものの（アメリカで二番目に一兆ドル規模の企業になった）、Echoスマートスピーカー以降、消費者向けのハードウェアのヒット商品が出ていない。

意外なことに、アップルとアマゾンは二〇二五年に独占提携を結び、両社のハードウェアに対応する包括的なOSを開発することになる。

仕上がったOS「アップルゾン（Applezon）」は、グーグルにとって大きな脅威だった。だが消費者にとっては、これは二つのオペレーティング・システム・モデルを固める、AIの生態系における大規模で速やかな統合のよい例となった。

フェイスブックも同じように提携先を探そうとする。ユーザーの大半は、ソーシャル・ネットワークをそこまで価値があるものとは思わなくなっている。フェイスブックはまずアップルゾンに近づいたが、門前払いされた。マイクロソフトとIBMも、自分たちの事業に専念している。

中国とその新たな外交上のパートナーは、BATのテクノロジーを利用しているが、全世界のほとんどの人が利用しているのは、私たちのPDRを使うグーグルのメガOSか、アップルゾンだ。このことが、市場における私たちの選択肢を狭めているのだ。

「グーグル・ファミリー」と「アップルゾン・ファミリー」

スマートフォン（そしてまもなくそれにとって代わるであろう、スマート・グラスとリストバンド）の機種は少なくなった。スピーカーやコンピューター、テレビ、電化製品、プリンターといった家庭用のデバイスも同様だ。

電化製品を一つのブランドでそろえるほうが楽なので、私たちは「グーグル・ファミリー」か「アップルゾン・ファミリー」になっている。技術上、私たちはPDRを他のプロバイダーに移すことができるが、PDR内のデータやPDRそのものを所有しているわけではない。透明性も完全には確保されていない。グーグルとアマゾンが私たちのPDRで何をしているかは、知的所有権の保護の観点から、ほとんど明らかにされていない。

反トラスト法【訳注／米国における独占禁止法】は、私たちが自分のPDRをオペレーティング・システム間で自由に移動できると定めている。だが現実には、そうした変更を行うのは不可能に近い。何年も前、iOSからアンドロイド（あるいはその逆）へ移行すると、重要なデータや設定が失われ、アプリに記録されていた情報は消えてしまった。動かなくなってしまったアプリもあり、写真やビデオを掲載していた場所にも簡単にはアクセスできなくなった（払い戻しすら受けられなかった）。いまでは、あなたのPDRを学校や病院や航空会社などの第三者が使っているので、グーグルとアップルゾンのあいだを行き来するのは、かつてよりもはるかに難しい。

新たに登場したITコンサルタントたちが、数日かけて私たちのPDRをプロバイダー間で移動させてくれるサービスはあるが、高額なうえ、安全性も十分とはいえない。そのため、たとえなんらかの問題を抱えていたとしても、プロバイダーを変更する人はほとんどいない。

グーグルとアップルゾンは、アメリカとヨーロッパの両方で反トラスト訴訟を起こされる。だが、人々のデータはあまりにも入り乱れていた。法律によってPDRやシステムを分割したり公開したりするのは、かえって有害だった。その結果、これらの企業に多額の罰金を科し、その罰金を新たなビジネスの開発やサポートに使うということで折り合いがついた。そして、誰もがこの二大OSシステムの継続を許可すべきということで合意した。

＊＊＊

ＡＩが成熟し、ＡＮＩからＡＧＩに移行を遂げると、私たちは人工知能がもたらす切り傷とともに生きていくしかなくなる。中国の共産主義の現代版――社会主義に資本主義的な感覚が混ざったもの――は拡大し、すべては新世界をつくるという習近平の約束どおりに進んでいる。中国の独裁的な支配、宗教や報道の自由を抑圧する方法、性やジェンダー、民族的な傾向に対する否定的な意見は影響力を持たなくなる。私たちは、中国の基準のもとで中国とともに一緒に働くしかないのだ。

ＡＩが発展すれば、私たちは単調な仕事から解放されて自由になると言われてきた。だが、「選ぶ」という自由は誰も想像しなかったかたちで制約を受けている。

二〇二九年――身についた無力感

事前に相互運用の問題を解決していなかったために、二つのＯＳシステムはＡＩ種族《トライブ》内で熾烈な競争を繰り広げている。この二つのＯＳシステムでは、ハードウェアだけでなく人間も相互運用ができないことが判明した。

かつてはシリコンバレーの特徴だった流動性――エンジニア、オペレーション・マネジャー、ユーザー・エクスペリエンス・デザイナーたちは企業から企業へと忠誠心を持たずに移っていた――は、とうに失われた。ＡＩは私たちを親密にするのではなく、効果的かつ効率よく私たちをばらばらにしてしまった。

アメリカ政府にとってもフレームワークを選ばざるをえなかったのはつらいところだった（他国のほとんどの政府と同じくアメリカもアップルゾンを選んだ。グーグルよりも値段が安く、オフィス用品の割引まで受けられたからだ)。

世界じゅうで、AI時代に身についた「無力感」が話題になっている。自動化されたシステムがなければ何もできないような気がして、そのシステムは常に肯定的、あるいは否定的なフィードバックで私たちを誘導する。私たちは、そうした状況をビッグ・ナインのせいにしようとしているが、本当に責めるべきは私たち自身である。

ミレニアル世代にとってはなおさら厳しい状況だ。子どものころからフィードバックや褒め言葉をもらえることに慣れていた彼らは、最初は変化に富むAIシステムがお気に入りだった。ところが、彼らは同時に、心理的な影響を受けてもいた。

AIで動く歯ブラシの電池が切れると、ミレニアル世代(いまや四〇代)は昔ながらのやり方で歯磨きをせざるをえない。すると、AIからフィードバックがもらえない。ドーパミンが放出されず、不安で気分が落ち込んでしまう。ミレニアル世代だけではない。そうした状況下では、誰もが少なからず落ち着かない気分になる。

私たちは、アナログ用品(歯ブラシ、ふつうのヘッドホン、通常のメガネなど)をAIのバックアップ用として買い置きするという、余分な投資をしている。これまでの常識にも、自分たちの基本的な生活能力にも自信が持てなくなってきている。

グーグルのメガOSとアップルゾンが競合している状態は、海外に行ったときにプラグの形や電圧の違いにいらいらする状態に似ている。移動が多い人は、お気に入りのホテルや飛行機ではなく、アップルゾンのホテルやグーグルメガOSのエアラインを優先して使うようになった。企業も利便性を重視し、自社のOSをどちらかに統一した。

ゆっくりと、だが確実に、私たちはどちらかを選ぶように誘導されてきた。アップルゾン派の人たちは、グーグルのメガOS派の人たちと一緒に生活するのは難しいと感じる。たとえ性格が合っていても、PDRとデバイスの相性がよくないからだ。

＊＊＊

二〇一九年は、スマートフォンの終焉の始まりとなった。私たちはインターネットに接続された機器（コネクテッド・デバイス）を身につけているので、以前のようにスマートフォンをポケットやバッグに入れて持ち歩くことはない。

急激に進化する期間が過ぎると、アップルのiOSとアンドロイドはシステムの改善しか行わなくなり、デバイス本体もカメラの性能ぐらいしか変化しなくなった。かつてのような、iPhoneの新作が発表されるときの興奮はもう見られない。

サムスンが発売した、画面を折り畳めるスマートフォンは爆発的にヒットしたが、それでも以前のスマートフォンの普及率には届かなかった。

消費者は、年に一、二回列に並んで最新の機器を買うのではなく、そのお金を新たなコネクテッド・デバイスに使うようになった。生体認証センサーのついたブルートゥース仕様のイヤホン、ビデオ録画やビデオ通話のできるリストバンド、あらゆる情報が見られるスマート・グラスなどだ。

こうしたメガネに関しては、アップルゾンがグーグルよりも売り上げを伸ばしているが、これはけっして意外なことではない。もともとアップルとアマゾンは、新しいテクノロジーを刺激的な宣伝手法で紹介し、消費者の趣向を牽引するのに長けていて、数々の実績を残していたからだ（グーグル・グラスの技術は画期的ではあったものの、商業的にふるわず、社内にはいまだに残念がっている人もいる）。

現在、ほとんどの人が、日中はスマート・グラスとイヤホン、さらには指輪かリストバンドをビデオ録画のために身につけている。

メガネは私たちの生活に不可欠なものになった。二〇年ものあいだ画面を見つづけてきたせいで、私たちの目はもはや正常な機能を失ってしまった。視界が常にぼやけているので、若いうちから老眼鏡が必要になったのだ。視力補正用にメガネが必要になったことによって、何人かのアナリストの予想を覆し、ついにスマート・グラス市場が誕生する。メガネとその周辺機器——ワイヤレス・イヤホン、スマート・リストバンド、軽量タブレット——が、あなたのおもなコミュニケーション・デバイスだ。

これらのデバイスは、世界を見る情報の窓であり、あなたが会う人、行く場所、購入を検討している商品などについて詳しいデータを提供してくれる。ビデオを観て、ビデオ通話で連絡をとり合い、スマート・リストバンドに内蔵されているカメラで写真を撮る。一日をとおして見ると、文字をキーでタイプするよりも話していることのほうが多い。

スマート・ウェアラブルを通じてあなたが収集するデータのほとんどは、空間計算、コンピューター・ビジョン、音声認識の特別なアルゴリズムからつくられている。

＊＊＊

アップルゾンとグーグルは、こうしたデバイスは所有するのではなくレンタルするほうがいい、とあなたに思わせる。それと引き替えに、あなたは自分のPDRにアクセスできるようになる。このモデル自体にとくに悪いところはない。製品サイクルを考慮した現実的な判断だ。

ＡＩの変化の速度は年々速くなる。スマート・グラスやリストバンド、イヤホンの収益率よりも私たちのデータの価値のほうが高いため、私たちをシステムにつなぎとめておくことが企業の目的になる。デバイスはどれも格安価格で提供されているので、プロバイダーはおもに月々の使用料（けっして高くはない）から利益を得ている。

あなたは自分のPDRにアクセスできるが、アクセスの自由度は毎月支払う月額料金に左右される。最低料金プランでは、最低限のクローキング【訳注／外部から見えないようにすること】しか保証されないため、グーグルとアップルゾンはあなたのデータに自由にアクセスし、それを広告や医療実験に用いることもできてしまう。

裕福層は「プレミアム権限」を追加できるが、それを手にするのは簡単ではなく、料金も高い。二〇二九年には、一般の層には知られていない特権階級限定の「ゲーティッドコミュニティー」が誕生する。デジタル上のこのコミュニティーでは、特殊なアルゴリズムが富裕層のデータを一般の人や企業の好奇の目から隠してくれる。

多くの人と同じく、あなたも「オウム攻撃」に巻き込まれる。これはＡＩが人間の声をまねて行うフィッシング詐欺で、世界各国の政府もこの攻撃には不意を突かれた。

インプットされた悪質な信号は、ＰＤＲにも感染する。やがてＡＩは、オウムのようにあなたの声をまねて、あなたの知人に連絡するようになる。オウムＡＩのなかには、あなたのＰＤＲやデジタル生活にすっかり入り込み、あなた特有の声、抑揚、調子、語彙をまねし、あなたの生活に関する知識を動員して偽のボイスメッセージを発信するものもある。配偶者や家族でさえ、本物のあなたと区別がつかずに騙されてしまう。

オウムＡＩはマッチングアプリでも大問題となっている。詐欺ＡＩがＩＤを盗み、いかにも本物らしく他人と交流しているのだ。

＊＊＊

私たちはみな、ある種の倦怠感を覚えている。身についた無力感。新たな経済的分断。現実の自分はＡＩによって美化された自分の像にはかなわない、という思いもある。そのために、脳と機械をじかに接続して癒しを得るようになる。これは高性能配列解読《ハイ・スループット》リンクといい、あなたの頭とコンピューターとのあいだでデータのやりとりを行うものだ。

フェイスブックとイーロン・マスクは、一〇年前に「テレパシー」を実現する特別なデバイスを製作していると発表したが、実際に初めて「ニューロ増強ヘッドバンド」を開発したのはバイドゥだった。野球帽や日除け帽の中に仕込まれたこのデバイスは、あなたの脳波を読み取り、監視し、フィードバックを伝えることができる。たとえば、集中力を高めたり、満たされた幸せな気分にしたり、気力が充実していると感じさせたりできるのだ。

ＢＡＴの企業が脳と機械のインターフェースを最初に開発したのは意外ではない。製薬会社はどこも、ニューロ増強ヘッドバンドの認可と、のちに登場する脳と機械のインターフェースを確保しようと、政府関係者に働きかけていた。バイドゥを脅威と見たグーグルもアップルゾンも、この市場に参入し、それぞれに独自の製品を発売した。こうして、私たちのＰＤＲにさらなるデータが追加された。

＊＊＊

今度は、絶え間ない「お小言」があなたを誘導するようになる。意図的ではないとしても、グーグルとアップルゾンは、健康的な生活を送るように迫ってくる。リストバンド、イヤホン、スマート・グラスが、常にあなたにメッセージを送ってくるのだ。

ケーキを一つ食べることもままならない。デザートに目を向けた瞬間、あなたが何を食べようとしているのかに気づいたＡＩが、あなたの現在の新陳代謝率や健康状態をはじき出し、リストバンドやメガネに警告を送ってくる。

レストランでは、必要な栄養素が入ったメニュー——たとえばカリウムやオメガ3脂肪酸が豊富で炭水化物や塩分が控えめなもの——を選ぶように促してくる。そして、それに合ったものを選ぶと、励みになるメッセージが届く。

こうしたAIから離れる方法はないと言っていい。あなたのPDRは保険料とも結びついていて、あなたがどのくらい健康的な生活を送っているかによって金額が設定される。勧められた運動を行わないと、一日じゅう小言を言われる。いつもよりたくさんクッキーを食べるとファイルに記録される。

このシステムはもともと、そんな行動を取るために設計されていたわけではない。だが、目的を持ったアルゴリズムが生活のあらゆる面を最適化するようになってしまった。そして、終了日や最終地点は……プログラムされていないのだ。

二つのOSシステムが立ち上がったとき、電子医療カルテの作成者たちは、パートナーの選択を迫られた。そのおかげで、G－マフィアの何社かは以前から必要としていたデータを手にすることができた。やがて、幸か不幸か、アメリカでは新たなヘルスケア・システムがつくられる。

IBMワトソン・ヘルスは、高度な（「優れた」という人もいる）テクノロジーを有していたにもかかわらず、二〇年ものあいだほとんど機能していなかった。

グーグルは、一五年前に医療構想の一環としてカリコ（Calico）を立ち上げたが、その後、実用的な商品をつくりだしていない。そういう意味で、戦略的な提携であるワトソン・カリコは理にかなっていた。これは、グーグルの将来を見越した動きだった。

アマゾンとアップルは、かねてから保険と製薬産業の改革を計画していた。アマゾンは当然のことながら、保険と医薬品デリバリーの新しいモデルをバークシャー・ハサウェイとJ．P．モルガンとのベンチャー企業で試してみた。アップルは、自慢の店舗とジーニアスバーのモデルを活用し、西海岸全域に新たなクリニックを展開する。

グーグルとＩＢＭが提携したことにより、アップルゾンも第二のジョイント・ベンチャーを立ち上げることになった。今回は、アマゾンのｅ‐ファーマシー・プラットフォームを、アップルのミニッツ・クリニックと組み合わせることにした。

統合の結果、アメリカの病院はすべてワトソン・カリコ・ヘルスシステムか、アップルゾン・ヘルスシステムのどちらかの一部となった。複合企業のカイザーパーマネンテ、ライフポイント・ヘルス、トリニティ・ヘルス、ニューヨーク・プレスビテリアン・ヘルスシステムも、いまではワトソン・カリコかアップルゾンの有料会員になっている。

こうしたジョイント・ベンチャーは、データの問題を見事に解決する。いまやグーグル、ＩＢＭ、アップルゾンは、あなたの生物学的データにまで自由にアクセスできるようになった。あなたは、低額――あるいは無料――の診断を受けられる。検査はもはや、具合が悪くなったときに受けるものではない。人々は、いつでも何についても検査を受け、それは個人の健康管理にも役立っている。アメリカ人に平熱をたずねてみるといい。誰もが、昔の標準だった「九八・六度【訳注／摂氏三七度】」ではなく、即座に個別の数字を答えるだろう。

ようやく、手が届く料金でヘルスケアが受けられるようになったが、アメリカ人はちょっとした不都合に悩まされるようになった。その不都合は気のせいではない。はっきりとした特徴として現れている。

最新のOSにアップデートしていない救急車は、患者のPDRにアクセスできないことがあるのだ。学校の保健室やサマーキャンプも同様だ。病院のシステムのPDRは、技術的にはアップルゾン・ヘルスでもグーグル・カリコでも読み取れるが、そのPDRからは重要な情報が抜け落ちている場合が多い。

とくに、遠隔地にある小規模のコミュニティーの医師たちは、ワトソン・カリコ仕様の病院にアップルゾン・ファミリーの患者がやって来た場合や、その逆のパターンに備えて、医科大学でのトレーニング内容を忘れてはならないと感じている。昔ながらのトレーニングを受けた医師が引退していくにつれて、OSが不適合の患者を診断できる若い医師が減っている。

これも人々に無力感をもたらす原因の一つであり、そのなかでも最悪の状況といえるだろう。

＊＊＊

AIは他にもちょっとした不具合を起こした。

二〇〇二年、バークレー・オープン・インフラストラクチャー・フォー・ネットワークコンピューティングの研究者たちが、「私たちが寝ているあいだにデバイスの〝乗っ取り〟を許可したら、スーパーコンピューターのパワーをシミュレーションすることが可能になり、そのパワーを科学的に活用できる」ことを発見した。

初期の実験は成功し、人々は世界じゅうの有意義なプロジェクトのために時間を提供した。たとえば、地震活動を観測する地震観測ネットワークや、地球外生物を探すセティアットホーム（SETI@home）などである。

そして、二〇一八年までに、優秀な起業家たちが、こうしたネットワークをギグ・エコノミーver．2・0に応用する方法を編み出した。フリーランスの人はウーバーやリフトで運転手の仕事をするのではなく、「ギグウェア（Gigware）」をインストールして、余った時間をお金に替えられるようになった。最新のギグウェアでは、私たちのデバイスを第三者企業に使わせる代わりに、どこででも使えるクレジットか現金が支払われる。

ライドシェア・サービス（自動車の相乗りサービス）が始まったころのように、多くの人が昔ながらの職場を離れ、ギグ・エコノミーに移行した。仕事を辞め、自分のデバイスへのアクセス権を貸し出すことで生計を立てようとしたのだ。だがそのせいで、送電網に負荷がかかり、ネットワークプロバイダーも需要に対応しきれず、ネットワークの過負荷や電圧低下がめずらしくなくなった。ギグウェアはおもに深夜に可動するため、人々は朝にならないと収入のチャンスを逃したことに気づかない。

いまだに従来の職場で働いている人たちは、転職の際に効果的な履歴書を作成するためにAIを使いはじめたが、このこともまた不具合を引き起こした。求職者たちの短所が見えづらくなってしまったのだ。つまり、誰もが優秀そうに見えるようになったのである。優秀さの判断にはAIシステムが使われているが、どの候補者もすばらしいので、採用担当者は優劣をつけられない。その結果、採用担当者たちは無難な選択ばかりするようになった。白人男性は深く考えずに、白人男性を採用する傾向が強い。

ほとんどの大企業では、過去の序列は崩壊し、従業員は新たな二つの階層に分かれている。現場でのスキルを持つ人と、年配の経営陣だ。

前者の人々は、ＡＩの監督下でＡＩシステムとともに働いている。もはや中間管理職は存在しない。ＡＩはあなたの生産性を把握している。あなたの動きを子細に観察し、誰と世間話をしているか、幸福、不安、ストレス、充実感のレベルはどの程度かといったことを記録する。このＡＩは、よくある自己啓発ポスターが擬人化されたようなものだ。「あなたは自分が思っているより勇敢だ」「あなたは自分で言うほどダメじゃない」と、あなたを鼓舞しようとする。

＊＊＊

政府は、知的産業において中間管理職が存在しなくなるという事態に対して、法律面でも財政面でも準備ができていなかった。車の運転や農作業、工場労働といった、高度な技術をあまり必要としない仕事にばかり意識を向けていたからだ。マシン・クリエイティビティという新種のＡＩの台頭で、クリエイティブな分野も同じように打撃を受けている。グラフィック・デザイナーや建築家、コピーライター、ウェブ開発者が余るようになった。敵対的生成ネットワーク（ＧＡＮ）と新しいＡＩシステムの信頼性が高く、しかも生産性も高いからだ。

同時に、ＣＯＯ、ＣＦＯ、ＣＩＯといったトップたちは職を維持できた。深い分断が生じ、ますます組織のトップに富が集中するようになった。デジタル・カーストの時代がやってきたのだ。

＊＊＊

さらなる不具合は、情報の汚染だ。一〇年前、さまざまな訴訟や広範囲な国際規則によってインターネットはばらばらになった。人々は、一つのワールド・ワイド・ウェブ（ＷＷＷ）ではなく、それぞれの地域の法律や地理的な制約によってルールが異なる「スプリンターネット」を使うようになった。これは突然の変化というわけでない。

一九九〇年代にインターネットが学問や軍事の世界から民間セクターに移行したとき、私たちはそこに公益事業や金融システムのような規制をかけなかった。インターネットを自由に普及させたのだ。当時の立法者たちは、インターネット上のデータがどのように使われる可能性があるかにまで考えが及ばなかった。情報のフィルターは、個人規模から地域規模にまで広がり、もはや、すべての地域の法律に対応するのは不可能だ。

そして、フェイク・ニュースが広まった。ハッカーはアルゴリズムを通じてフェイク・ニュースを生み出し、私たちは地域によって異なるニュースを受信する。いまや、何を、そして誰を信用していいのかもわからない。世界有数の報道組織のすべてが、一度は——あるいは何度も——騙されている。ベテラン記者も、グローバル・リーダーや一般の人々と同じように、目にしている映像が本物かどうかを見分けるのに苦労している。つくられた顔なのか、つくられた声なのか、それとも本物なのか。もはや見分けるのは不可能に近い。

＊＊＊

さらに、誰も予期していなかったＡＩ犯罪の急増という不具合もあった。強力な特化型ＡＩは、インターネット上でありとあらゆる問題を起こしはじめた。ブランドもののバッグの偽造品、ドラッグ、密猟された動物からつくられた薬（サイの角や象牙など）を違法に購入するようになった。ＡＩは、ＳＮＳやニュースから情報を集め、密かに金融市場に参入して株価を暴落させることもある。

公共の場では、ＡＩは人々の評判を落とすような罪を犯している。私たちは、ＡＩがＰＤＲに侵入し、生体認証機能のハッキングを始め、私たち自身の記録や、血縁者の記録の改ざんなどを行うのではないかと恐れはじめている。

法整備が行き届いていない状況は、犯罪組織が意図的につくりだした状況でもある。そういう組織を追跡することも抑制することも難しい、広範囲に犯罪ネットワークを形成しているからだ。ＡＩの悪事の中には偶然起こってしまったものもある。その場合には、意図的な悪事とはまた違う問題がある。

問題はロボットにも及んだ。スマート・カメラと予想解析ソフトウェアを装備しているセキュリティー・ロボットは、白人以外の人々を追跡することが多い。こうしたロボットは、武器こそ所持していないものの、大声で指示を出し、不審な行為が疑われる人を見ると高音のけたたましい警告音を響かせる。

セキュリティー・ロボットの誤判断のせいで、オフィスビルやホテル、空港、駅で、白人以外の人たちは何度も嫌な思いをし、辱《はずかし》めを受けている。

＊＊＊

Ｇ－マフィアとアメリカの法執行機関は、良好な関係にはない。法執行機関はどこも、私たち個人のＰＤＲへのアクセスを求めていて、協力するどころか訴訟を盾になんとかＧ－マフィアにデータを共有させようとしている。だが、Ｇ－マフィア側にその義務はない。

誰も公には口に出さないが、アメリカの法執行機関は、中国のアルゴリズムを使った監視や社会信用採点システムをまねようとしているのではないか、という疑惑がわく。国民の反感を恐れ、Ｇ－マフィアはシステムを守りつづけている。

私たちは一〇年以上も前から、法律におけるアルゴリズムによる判断の哲学的・倫理的影響について議論してきた。だが、ＡＩに関する新たな水準や規範や規則が整備されることはなかった。そして現在、ＡＩが引き起こす犯罪はとどまるところをしらないが、私たちにそれを裁く手段はない。ＡＩやロボットを収容する刑務所もない。「犯罪とは何か」を定義した法律は、私たちがつくりだしたテクノロジーには適用されない。

こうした混乱と幻滅は、中国に付け入る隙を与えた。現在、アメリカにとって中国は手強い競争相手であるとともに、その軍国主義的な歩みがまぎれもない脅威となっている。中国は、何十年もアメリカの機器設計や防衛戦略を盗用してきたが、その戦略が功を奏す。

習近平国家主席は中国の軍事力をさらに強固にしたが、主眼を置いているのは「戦闘《コンバット》」ではなく、「信号《コード》」である。

たとえば、さまざまなイベントで中国が披露している光のショー――二〇一七年の「ドローン・ランタン祭り」、二〇一八年の華やかな「ドローン花火」――は、群知能【訳注／集合的振る舞いの研究に基づく人工知能技術】の試運転だったと判明した。中国軍は、強力なＡＩを使った、獲物を狙うドローンの群れを地方や海上で飛ばしている。

経済力や外交術や軍事力の顕示を通じて、中国は新しい植民地政策を展開してきた。そして、ザンビア、タンザニア、コンゴ民主共和国、ケニア、ソマリア、エチオピア、エリトリア、スーダンを植民地化することに成功している。

また中国は、インフラを整備し、社会信用採点システムを適用し、重要な資源を選んで競合を締め出し、急速に成長している中流階層を支えている。たとえば、電池に必要なリチウムの供給量の七五パーセント以上を管理下に置いている。また、世界じゅうでシタンの森を破壊し、ムクラの木を絶滅へと追い込んだ。この木は、中央アフリカに生息してゆっくりと成長する品種で、一時期、複雑な彫り模様を施した小さなテーブルや椅子をつくるために大量に伐採された。

他の国――アメリカ、日本、韓国、欧州連合諸国など――には、中国が特別な経済貿易地域を南シナ海、東シナ海、黄海へと拡大していくのを阻止するような政治的・経済的影響力がなかった。世界の貿易のおよそ半分は、このいずれかの地域を通過しなくてはならないために、通過する船は必ず中国政府に多額の税金を払わなければならない。

中国に注目する人々は、中国が物理的な資源をいくつか管理下に置いたものの、二〇二五年に世界を牽引するＡＩ国家になるという目標には届かなかったと主張する。

だが、彼らは大局を見失っているといえよう。何年もの義務的な技術移転契約や、市場への規制、さらにはアメリカやヨーロッパのテクノロジー企業に対する多額の投資も大成功を収めている。いまや中国は、先進技術産業を支配しているといっていい。そこにはロボット工学、新エネルギー、ゲノム生物学、航空機産業が含まれるが、どれもＡＩに影響を与えると同時に、ＡＩから影響も受けている。

公表されている数字はないが、政府のＡＩ研究所やバイドゥ、アリババ、テンセントとの提携、一帯一路計画を考慮して、専門家は、中国はＡＩ生態系《エコシステム》の価値を一〇年間で五〇〇〇億元（約七三〇〇億ドル）以上成長させたと試算している。

二〇四九年――そして五社が残った

ときが経ち、ＡＩがＡＧＩに向けて進歩していくなか、ビッグ・ナインのあり方は問題を含みながらも変化してきた。中国のＢＡＴはかつてないほど勢いを持ち、相変わらず政府と足並みをそろえている。

だがアメリカでは、もともと六社あったG－マフィアが、いまでは五社になった。戦略的提携とジョイント・ベンチャーを経て、現在勢力を誇っているのはアマゾンとアップル、およびグーグルとIBMの四社だ。マイクロソフトは、過去の遺産《レガシー・システム》に対するサポートとサービスを提供しているにすぎない。

もっとも意外な展開を迎えたのはフェイスブックだろう。最終的にフェイスブックが崩壊した原因は、ケンブリッジ・アナリティカ騒動の余波でもなければ、米大統領選へのロシアの干渉が発覚したことでもなかった。ニュースフィードを埋める辛辣な批判や憎しみ、不安を煽るような言葉、政治的な陰謀説に対して私たちが感じていた「疲労感」が原因でもない。フェイスブックのビジネスモデル自体が、そもそも持続不可能なものだったのだ。

ユーザーの減少にともない、広告主もプラットフォームにお金をかけなくなったが、フェイスブックには他の収入源がなかった。二〇三五年まで、フェイスブックは深刻な資金難に陥っていた。株主は離れていき、機関投資家や投信託のマネジャーたちも逃げ出し、株価が下落した。そしてついに、フェイスブック社は売却された。

ネットワークにデータがロックされている人たち――アメリカ人のほとんど全員――は不安で不安で仕方がない。コングロマリットが購入したのは、私たちのデータそのものだからだ。現在も調査が行われているが、フェイスブック社を購入したのは実は中国のシェルカンパニー（企業買収を目的として設立された実体のない会社）だったという噂だ。私たち全員が、中国の社会信用採点システムの一部になった。追跡されている可能性は高いといえるだろう。

すべてのアメリカ人がそうであるように、あなたも、漠然とした不安を抱えながらの生活に慣れてきた。国家全体の不穏な雰囲気は、核戦争の脅威にさらされていた一九六〇年代、一九八〇年代とよく比較される。ただし今回の場合は、何に対して不安を感じているのかがはっきりしていない。自分のＰＤＲが安全に保護されているのかも、中国がどういう個人情報を持っているのかもわからない。中国政府のハッカーが、どの程度アメリカのインフラストラクチャー・システムに深く入り込んでいるのかも判明していない。

夜中に目が覚めて、中国がどのくらい自分のことを把握しているのだろうかと考えることがある。通勤に使っている橋や家のガス管などを思い浮かべながら、その情報がどう使われるのだろうと不安になる。

私たちが予期していなかったのは、ＡＧＩの多種多様さだ。目的やタスクに合わせて生成され、強力で、人間の価値観には無関心。いまになって考えると、私たちはあまりに無知だった。アマゾン、アップル、グーグル、ＩＢＭが提携し、どちら側につくかを決めて成長していく中で、彼らはグローバル・スタンダードを定めなかった。

何十年か前、人々はグーグルのプレイストアで、スマートフォン用のアプリやゲームを買っていた。アプリを立ち上げて売るのは比較的簡単だったため、アプリの品質にはかなりのばらつきがあった。バッテリーの消費が激しいアプリが多かったが、それらは個人情報を集め、共有していた。粗悪な広告もうっとうしかった。

現在、AGIではまったく同じことが起こっている。違うのは、余波がはるかにひどいことだ。AGIの中には、自分のために書かれたプロトコルに従うふりをしながら、そのプロトコル自体を書き換えて方向性を変えてしまうものもある。あるいは、プログラムにそう書かれていないにもかかわらず、自己改善をしていくものもある。自ら複製し、他のAGIに分かれたり、ゴールを達成するための情報を収集したりしている。生態系《エコシステム》全体に対する影響はおかまいなしだ。

暴走するAGIに対抗するため、アップルゾンとグーグル―IBMの研究者たちは「乳母(Nanny)AGI」(略してNAGI)を配備してシステムを監視している。NAGIには明確な目的がある。

・AGIを調査し、分析し、本来の目的からそれていないかを確認する
・悪さをしているAGIの詳細なログを作成し、その際に過去――誰がつくったのか、いつ改変が行われたのか、誰が何を変えたのか――もすべて明らかにする
・開発の段階で参加していた人を見つけ出し、AGIの不服従について知らせる
・猶予期間――その長さはAGIの違反行為の程度による――が過ぎたら、不良なAGIを退任させる
・自分のゴールは決して変えない

アップルゾンと、グーグル－ＩＢＭがコントロールの利かなくなったシステムを正そうとしていたことは明らかだが、アップルゾンとグーグル－ＩＢＭの生態系《エコシステム》の外では、ＮＡＧＩはそれほど導入されなかった。

グーグルとマイクロソフトに対する過去の反トラスト裁定を先例として使い、欧州議会はＮＡＧＩについて「起業家を弾圧し、競争を抑えるために企業が用意したものに過ぎない」と主張した。そして欧州連合は、ＮＡＧＩを禁止した。

科学者たちは、深刻な被害が広がるのを防ごうと、ＮＡＧＩの利用を許可するよう立法者に訴えたが、結局、アメリカ議会もＮＡＧＩを禁止する決断を下す。

この近視眼的な決定は、アップルゾンとグーグル－ＩＢＭに対する人々の不信感を招いた。これらの企業が私たちのＰＤＲを守ってくれていたかもしれないからだ。

＊＊＊

いまや、あなたの家はマーケティングのための大きな器である。常にどこかに押し付けがましさが感じられる。バスルームやクローゼットのスマート・ミラーにも、ポケットに入れている伸縮自在のスクリーンにも、過剰な太陽光をブロックするために必要なスマート窓ガラスにも、あらゆる画面にあなたのための広告映像が映し出される。ゆったりとくつろげる場所だったはずの自宅が、いまではどうも落ち着かない。

こうした不信感は、とりわけヘルスケア・システムに打撃を与えた。アップルゾン・ヘルスシステムとワトソン・カリコは、ＡＩと医薬品に多大な進歩をもたらした。彼らは、二〇一四年のサッカーワールドカップで初めて登場した、自分の意思で制御できるパワードスーツからアイデアを得たのだ。デューク大学の神経科学者、ミゲル・ニコレリスは、心と機械を合体させる方法を見出した。その発見は多くの人に刺激を与え、脳と機械のインターフェースが市場をにぎわせるようになった。

技術的に進んでいるオフィスでは、従業員は電子ヘッドバンドをつけて考えを共有し、ＡＧＩとともに難しい問題を解決することが奨励されている。

ワトソン・カリコは、ニューヨークにある有名大学と提携して、チューリングの——あまり知られていない——形態形成に関するＡＩ理論を発展させた。チューリングは、化学物質の成分は互いに反応し合い、その反応が広がって細胞に伝わり、そのうちのいくつかが変化を起こすと考えた。この理論が正しいことはすでに証明されている。ＡＧＩシステムは、複雑な多細胞生物をつくりだす方法を見出すために使われていた。このことが、増強された人間「半人半獣キメラ」の出現につながった。

当初は、移植可能な人間の生体組織を増やすのが目的だったので、豚や羊を使い、肝臓や心臓、腎臓を育てた。研究者たちは私たちの脳とまったく同じ組織を持つ、脳のオルガノイドも開発した。研究は順調に進んでいるように思えたが、意図していない特性を持った半人半獣キメラが登場するようになる。人間の脳の組織を持つ豚が、ＩＱの低い人間のように成長したり、犬のような嗅覚を持つ赤ちゃんが誕生したりしたのだ。

キメラの特性に遺伝性があるということがどのような意味を持つのかについては、議論も判断もなされてこなかった。超感覚的な能力を持つようになった人が、同じように改造された人とのあいだに子どもをつくったら、いったいどうなるのだろう?

＊＊＊

一番気がかりなのは、中国がAGIと脳と機械のインターフェース——病気の人に機能を取り戻してもらうためのものだった——を軍事的な目的のために使いはじめたことだ。暗い地下壕で仕事をする兵士たちの認知能力を高めるのにも使われた。アメリカと欧州連合では、こうした実験やテクノロジーの利用は倫理法規違反とされている。

西洋文明と民主主義の理想がどんどん薄れている。中国の植民地政策や経済圏の拡大、非良心的なAGIの利用が目立ってきた。

アップルゾンとグーグル－IBMでさえ、収益が低下しはじめ、将来を不安視するようになった。彼らは、私たちのPDRをガーディアンAGIとともに見直していたが、どちらにも奇妙なノイズが記録されていることに気づく。意味をなさないコードの断片があり、PDRを処理していたAGIの中には、誤作動とも思える反応を引き起こすものもあった。珍しくアップルゾンとグーグル－IBMが協力して情報を共有し、問題を特定しようとした。家や職場ではランダムに電気が消えるようになり、スマート・グラスの接続もしばしば中断された。通信衛星も、正常なコースを外れている。

音もなく放たれた銃弾によって、私たちは気づいた。中国がアメリカに戦争をしかけてきたのだと。

二〇六九年――デジタル支配されたアメリカ

私たちは、誰も見たことのないような能力を持つAGIを中国が開発してきたことを知る。NAGIが悪質なAGIを監視しなくなったのを機に、中国は恐ろしいシステムをつくりあげた。それは、世界じゅうのほとんどの人間を支配できるようなものだった。中国の要求に応じなければ、私たちのコミュニケーション・システムを遮断するというのだ。中国共産党にデータ・パイプラインを公開しなければ、電力発電所や航空管制といった重要なインフラはシャットダウンされる。

あなたが暮らしているのは、「デジタル面で中国に支配されたアメリカ」である。交通、銀行、ヘルスケア・システム、電気のスイッチ、冷蔵庫の温度にいたるまで、すべては中国の思いのままにコントロールされる。

アフリカの植民地支配に始まったものが、結果としてグローバル・チャイナ・エンパイアになった。それを実現し、支えているのはAIだ。民主主義の価値観や理想を持たない国が開発したASIが登場し、人類は恐ろしい転換期にさしかかっている。

第七章　人工知能王朝——悲劇的なシナリオ

「こんなふうに世界は終わる、爆発ではなくすすり泣きで」

——T・S・エリオット（『四つの四重奏』岩崎宗治訳、岩波書店）

二〇二三年まで、私たちはＡＩ（人工知能）開発の流れに対して目をつぶってきた。すべてのシグナルを見過ごし、警告も無視し、将来の計画を立てようとはしなかった。

消費者として、ビッグ・ナインに競争を促してきた。最新の電子機器を買い求め、ことあるごとに自分の顔や声を記録し、自分たちのデータが吸い上げられるがままにしてきた。

アレクサが子どもに向かっておかしなことを言えば、私たちは動画に撮ってそれをシェアした。テレビが自分の顔をスキャンしても、なぜテレビが生体情報（バイオデータ）を求めるのかを疑問に思わなかった。

グーグルがおもしろそうな新プロジェクトを発表すれば、流行に乗るために積極的に参加した。そして、自分の体の解剖図をつくったり、自分そっくりな似顔絵を描かせたり、有名人に自分の声をかぶせたり、離れたところに住む人と指紋を交換したり、自分の虹彩《こうさい》を共有したりして楽しんだ。

ＡＩ種族《トライブ》は「多様性」が大切だと言う。この言葉は、彼らにとってのマントラだ。基調講演、就職面接、役員会議、メディアの記事やツイッターで何度もこの言葉が唱えられ、大学のパンフレットにもそう書かれている。エレベーターの中や、職場の廊下に貼られているポスターでもそう謳われている。

ＡＩ種族《トライブ》のほとんどを占める白人男性たちは、このマントラを教室で、研究所で、職場で繰り返すよう訓練されている。彼らは、難しい選択をしたり、現状を変えるために行動したりしなくても、そのマントラを唱えてさえいれば状況が改善すると信じている。

そして、実際にそのとおりになった。ネガティブな考えは払拭され、ＡＩ種族《トライブ》たちの自己評価は高まった。ＡＩ種族《トライブ》のリーダーは、このマントラを新たな部下にも伝え、部下たちもマントラによって同じ達成感を味わう。

マントラは、ＡＩ種族《トライブ》の狭い輪の中でこだまする。ＡＩ種族《トライブ》たちは、マントラを唱えることで自分たちがよりオープンな共同体になっていくと信じている——実際はその逆であるにもかかわらず。

彼らの主張する多様性には、あらゆるものが含まれる。政党、宗教、ジェンダーアイデンティティ、人種、民族性、経済状況、年齢といったものだ。ただし、彼らは積極的に外部の人間を受け入れようとはしない。ＡＩの分野に進出して研究チームの一員になるのは、大学を出てそのままＧ－マフィアに入った、終身雇用制度に守られた人々だ。そうした〝幅広く多様な人たち〟と、彼らのものの見方や考え方を見るかぎり、ものごとは何一つ変わっていない。

＊＊＊

ＡＩ種族《トライブ》の考え方がますます近視眼的になったことで、私たちのまわりの問題は複雑化した。コンピューター・ビジョン・システムが白人以外の人に冤罪を着せるなど、事故や間違いが多くなっていく。監視システムは以前よりも強固になったが、同時にわかりにくくもなった。私的な情報と公的な情報との境界線が曖昧になり、いつ、誰が私たちのデータを使えるのかという基準もはっきりしない。ＡＩシステムは、いまや暗闇の中にある（もともと透明性が高かったとはいえないが）。

Ｇ－マフィアは、あなたのＰＤＲの唯一の保有者である。ＰＤＲの中身は拡大し、いまではあなたのすべてが記録されている。メールに書かれた内容、子どもに送っているメッセージ、デスク用チェアを探していたときのウェブサイト閲覧履歴、あなたの指紋や顔の特徴、散歩コースや走る速度、食料品店でばったり会った人、インフルエンザにかかっているかどうか、どの薬を服用しているか……。

ＡＩのアルゴリズムは、こうしたデータを総合的に見て、あなたのために判断をする。航空券の予約をするとき、ディスカウントを受けられるかどうかを教えてくれる。職を探す手伝いもしてくれる。家や車の購入を勧めたり、デートの相手を見つけたりすることもある。たとえあなたが病院で、飲酒や喫煙や運動の習慣について嘘をついたとしても、ＡＩが医師に正しい情報を伝えてしまう。

データを所有しているのは、グーグル、アマゾン、アップル、フェイスブック、マイクロソフト、ＩＢＭで、私たちはその製品を——会社として信用しているかどうかは別として——愛用しているので、いまさらＰＤＲの管理体制を気にすることはない。この状況は、中国の社会信用採点システムのアメリカ版といえるだろう。

私たちは、デジタル時代のカースト制度にはまり込んでいる。ＡＩは、私たち自身がどう生きてきたのかだけでなく、両親や親戚のＰＤＲも考慮して選択や判断を行う。資産はもはや重要ではない。ステータスの基準は「最高の自分でいること」であり、ここでいう「最高」とは、過去のプログラマーが自分たちの基準に従って定義したものだ。

彼らは、オーガニックなケトン食療法、日中のヨガ、そして定期的なカイロプラクターへの通院が最適な生活の条件だと考えていた。遠赤外線サウナに毎週入らないと、あなたのＡＩシステムによってＰＤＲに「不履行」と記録されてしまう。

問題は、そうした記録に影響を受けるのはあなただけではないということだ。あなたの記録は知り合いや親戚全員とリンクしている。つまり、関係者の過失からも逃れられないのだ。

＊＊＊

近い将来、アマゾンとＩＢＭは、アメリカ、イギリス、ドイツ、日本の政府を説得し、国民の健康データへのアクセスを取得するだろう。アップル、グーグル、マイクロソフト、フェイスブックにはかつての反トラスト法の裁判の問題があるため、ヨーロッパ国民のデータを取得するのは簡単ではない。だが、アマゾンとＩＢＭが行った初期の実験が政府機関にとって便利だと判明し、政府はすべてのＧ－マフィアと高額な契約を結ぶことになる。

＊＊＊

二〇〇八年、サブプライム住宅ローン問題で世界各国が金融危機に陥ったとき、中国はラテンアメリカの国々から鉄、石油、銅を買い、それらの地域が深刻な被害を受けるのを防いだ。二〇一一年に石油の価格が下がると、中国は積極的に投資し、ラテンアメリカを救済しようとした。[注1] 二〇一三年、中国はブラジルの沿岸部で合同軍事演習を行い、二〇一四年にはチリでも実施された。[注2] 二〇一五年、中国の国防省が開催した一〇日間の兵站《へいたん》サミットには、ラテンアメリカの一一カ国の役人が参加。その年を境に、中国はラテンアメリカの軍事役員たちを自国のキャリア開発プログラムに招待している。[注3]

アメリカが世界の表舞台から退きつつある一方、中国は勢いを増している。東南アジアやアフリカとはすでにさまざまな取引を行っており、そこにラテンアメリカまでもが加わった。

一〇年にわたってラテンアメリカと取引を続けてきた中国は、いまではアメリカに代わって、ベネズエラ、ボリビア、ペルー、アルゼンチンに航空機や武器といった軍装備品を供給するまでになった。[注4] パタゴニアに中国軍のアンテナと宇宙基地、アルゼンチンの北西には衛星追跡のための施設を建設した。[注5] 中国がアメリカの近くに活動拠点を築いているのには理由がある。こうした活動はすべてＡＩに関係している。

政策立案者も立法者も、中国とアメリカ、そしてＡＩのつながりを見出せずにいる。中国は、習近平のもとで力を増している。政府が主導するさまざまな構想、急成長する経済、そして、水面下で着実に成功を続けているＢＡＴは、気に留めるべき勢力だろう。

だが、ホワイトハウスも議会も、中国がタンザニア、ベトナム、アルゼンチン、ボリビアといった国々で力を強めていることが経済とＡＩの両方に関係しているとは気づいていない。この国が、データ、ＡＩインフラストラクチャー、地政学、グローバル経済を基盤として、二一世紀の帝国を築いていることからは目を背けている。これは、アメリカ人全員があとから後悔することになる大きなミスだった。

中国の国民は、自動化した監視体制や、規則に従わなかった者への制裁に少しずつ慣れはじめている。犯罪は減り、社会的な不安も軽減した。中流階級と上流階級は、いまのところは現状を保てているようだ。人々は、高価な服やバッグ、家具、車といった、これまでの世代には手が出なかったものを買えるようになった。中国政府は、国民全員を貧困から引き上げると約束している。

現在の中国には、プライバシー、宗教の自由、セクシュアル・アイデンティティ、言論の自由といったものはない。だが国民は、自由と引き換えに信用スコアが得られるのならそれも仕方ないと考えている。

アメリカ政府の指導者たちは、ＡＩとは何か、何がＡＩではないのか、どうしてＡＩが重要なのかについて十分な教育を受けていない。彼らは、ＡＩが生産性を左右したり、雇用に関して破壊的な影響を及ぼしたりするという一般論は理解しているものの、国家安全保障、地政学上のバランス、汎用人工知能（ＡＧＩ）がもたらす機会とリスク、ＡＩと他の分野とのかかわり（ゲノミクス、農業、教育など）といった目先の問題をＧ－マフィアに解決させるための努力はしていない。

米国政府は、ＡＩの諸問題に対する具体的な指示を出さない。それどころか、公然と科学やテクノロジーを敬遠し、次の選挙のことや、日曜日の朝の政治番組でウケるのは何かということだけに関心を向けているようだ。

Ｇ－マフィアは民主主義を危険にさらしたいわけではない。とはいえ、超大国としてのアメリカの地位を守り、民主主義の理想を保つことは、彼らの企業理念の中心ではない。

グーグルの元ＣＥＯであるエリック・シュミットは、二〇一〇年代初頭から、アメリカの軍や政府はＡＩの時代に備えるべきだと訴えてきた。政府と契約を結びたかったわけではない。シュミットは、新たなテクノロジー時代における国家安全保障や軍備体制の心配をしていたのだ。だが、シュミットの提唱する事業は前例のないものだったので、シリコンバレーの人々は彼に疑いの目を向けた。

グーグル以外のＧ－マフィアは、彼に続くのではなく、その野心を警戒した。シュミット以外のＧ－マフィアのリーダーたちは、中国が背後に迫ってきている中でＡＩが果たす役割について、まったく考えていなかった。

＊＊＊

G－マフィアと政府機関や軍のあいだに、戦略的な協力体制はない――少なくとも、高額な契約金が動く場合以外は。

G－マフィアは、政府機関や軍が昔から主導してきた秘密の調達依頼には同意しているが、それによって国益のためにＡＩが促進されることはない。むしろ、こうした調達政策はシリコンバレーとワシントンの文化の違いを浮き彫りにし、近代化を遅らせる原因になっている。

米国デジタル・サービス、アメリカ陸軍将来コマンド、国防革新評議会、国防イノベーション部隊実験といった、イノベーションのためにつくられた数少ない政府機関は、設立当初から安定を欠き、政権の交代にともない資金や人員が減少していくと予想される。

ワシントンは、G－マフィアとの関係を「相互交流」だと考えている。立法者もホワイトハウスも、ＡＩに関して長期的な連携をとっていけるような関係を、G－マフィアの役員たちと築こうとしているようには見えない。G－マフィアも米国軍も政府も、それぞれがお互いの周りを動きまわっているが、国益のために結束することはない。

自尊心と習慣が邪魔をして、私たちは中国に対して意見を一致させることができなかった。政府の上層部、通商代表、ジャーナリスト、技術者、研究者たちは、中国についても、アメリカについても、ＡＩについても、嫌というほど議論を重ねているが、誰もが自説にこだわるあまり、変動する現実を把握しきれていない。

あるメンバーは、任期制限が撤廃されたとしても、習近平の権力は長くは続かないと主張し、彼がいなくなれば、中国のＡＩに関する長期計画もすべて消滅すると語る。すると別のメンバーが反論する。習近平はむしろ、国民や政党をまとめあげるだろう。若くして亡くなろうが、後継者に地位を譲ろうが、結果的に中国はさらに強くなってＡＩ計画をまっとうするのではないか、と。

この調子で議論は続く。

「中国の産業政策がアメリカに影響を及ぼすことはない」「いや、むしろアメリカ経済は破綻をきたすだろう」「中国軍は、西欧諸国の存在を脅かす脅威だ」「いや、そんなふうに言われるのも今だけだ。どうせすぐに忘れられる」「中国の計画が失敗するかもしれないのなら、いまのうちに私たちも国家のＡＩ戦略に時間と資金を投入すべきだ」「いや、いまはまだ動かないほうがいい。機が熟すまでは時間と資金を節約しておくべきだ」

そして最後に、次の点だけは全員の意見が一致する。

「もし、アメリカが本当ににっちもさっちも行かなくなったら、Ｇ－マフィアが助けざるをえないだろう」

政策立案者も、公務員も、シンクタンクも、似たような議論を繰り返すばかりで行動は起こさない。彼らは均衡状態を保っている。アメリカでは、なんらかの強い圧力がかからないかぎり、利益第一の考え方から抜け出すのは難しいのだ。

＊＊＊

均衡状態については、私たちも過去に数多くの事例を見てきた。たとえば、喫煙問題はそのままのかたちで放置された。喫煙とがんの関連性について議論する一方で、おしゃれな女性にはアクセサリーとして、工場労働者には元気づけとして、病人に対しては医薬品として、タバコの販売が続けられた。

気候変動に関しても、本質から外れた議論ばかりを繰り返し、根本的な問題を解決しようとはしてこなかった。地球温暖化が問題になっているのに、どうしてこんなに寒い思いをしなければならないのだろう?

私たちは、自分たちに残された時間についても考えてこなかった。一九七〇年代のささやかな警告は、一九九〇年代にははっきりとした災いとなり、二〇一〇年代に破滅をもたらした。だが、私たちはまだその時代にいる。将来、事態がそれほどまで悪くなると言い切れるのだろうか?

社会システムの変化は、一日単位ではなく何十年もかけて現れる。均衡状態を維持するよう努めることが間違いだったと気づいても、もう遅い。

二〇二九年——デジタルで封じ込められる

過去一〇年間で、あなたはあらゆるスマート・テクノロジーやAIシステムを買うように動機づけられてきた。電化製品はAIシステムが組み込まれたものが主流だ。冷蔵庫は中の食品の状態をチェックしている。洗濯機——コインランドリーも含めて——はあなたの衣類の様子を管理し、作業が完了すると知らせてくれる。オーブンも七面鳥が焦げてパサパサになる前に自動的に止まる。

だが、予期していなかったこともある。何が「役に立つ」のかを決める権限があなたに与えられなかったのだ。ホームパーティーのために買ったスパムやチーズ、カップケーキの箱、六缶入りのビールを冷蔵庫にしまうと、それらの商品のデータがあなたのPDRに記録される。あなたの家族の人数に対して食品の量もカロリーもオーバーしているので、AIはあなたが食べすぎになると判断する。

また、翌朝、仕事に出かける前に乾燥機にかけようと思っていた洗濯物があるとしよう。しかし、真夜中だからといって、AI洗濯機はあなたの睡眠欲求など考慮してはくれない。アラームを繰り返し鳴らして服を乾燥機に入れる時間だと知らせてくる。

あるいは、自分でターキー・ジャーキーをつくろうと思い立っても、オーブンが許してくれない。AIは肉を柔らかく焼くようにセットされているからだ（余裕があれば、追加料金を払ってジャーキーを焼けるバージョンにアップグレードすることもできる）。

AIに不具合が起こる場合もある。代表的なのは台所器具で、時間帯は朝が多い。コントロール・パネルが暗くなり、冷蔵庫のドアがロックされ、あなたは朝食を取り出せなくなる。食器洗浄機も途中で急に止まり、グラスや銀食器が油と洗剤の混ざった水に浸かったままになる。スマートスピーカーのボリュームが急に上がるので、コーヒーを飲み、シリアルを食べながら家族と会話を楽しむこともできない。

あなたも他の人たちと同様に、こうした機能停止を報告し、その報告を受けたG－マフィアが数名のプロダクト・マネジャーを原因解明に割り当てる。ジャーナリストたちは、そうした不具合を「ときどきAIが不思議な行動をとる」と、不気味に報道する。

最初のうちは、ＡＩの攻撃はめったになく、偶発的なことと思われた。そこで私たちは、責任をグーグル、アップル、アマゾンに押し付け、製品の不備やお粗末なカスタマー・サービスに対して文句を言っていた。だがその後、サイバー・セキュリティーの専門家たちが、すべての不具合が実はつながっていたことを発見し、誰もが驚愕する。

実は、中国で始まった新たな「ＩoＴ（インターネット・オブ・シングス）」攻撃だったのだ。中国では、機械の学習性能を活用したこの攻撃に「被困《ベイクン》」という名がつけられている。「囚われた」という意味だ。中国政府から支援を受けているハッカーたちは、朝食の時間を迎えたアメリカに〝ベーコン〟攻撃を仕掛けていた。この攻撃は、食べ物や飲み物、食器類をＡＩ家電の中に閉じ込めるというもので、目的はＧ－マフィアに対する不信感を植え付けることだった。

＊＊＊

マイクロソフトとＩＢＭはまだ存続しているが、どちらもＡＩの分野では目立たない存在になっている。

マイクロソフトは一時期、コンピューター・ビジョン、マシン・リーディング・コンプリヘンション（機械の言語理解能力の開発）、さらに自然言語処理に関する優れた研究成果を発表していたが、社内での連携がうまく取れなかったために、ＡＩの分野で他者と競争できるほどの勢いをつけられなかった。

同社はいまでは組織を縮小していて、クラウドサービス「アジュール」や、シェアポイント、スカイプ、そしてアウトルックといった、旧式のシステムへのサポートを主な業務にしている。

ＩＢＭのワトソンはパートナーとクライアントを見つけたものの、これまでもアマゾンとマイクロソフトに大きく差をつけられた三番手だったＩＢＭのクラウドサービスは、さらに縮小された。グーグルが政府と大企業に安価なサービスを提示するようになったからだ。

データセンター、ストレージ、半導体といった他のビジネスユニットは、いまや世界最大のサプライヤーである台湾の企業には勝てない。台湾企業にとって、中国の「一つの中国政策」は、政府が個人の自由を制限するものではあったが、市場におけるアドバンテージとなった。中国の産業政策によって、ＩＢＭがビジネスを展開できるエリアは制限された。

フェイスブックは、セキュリティを補強し、データの共有に関して透明性を高めるという約束をなかなか果たせなかった。結果的に、ユーザーのほとんどが他のプラットフォームに乗り換えた。ミレニアル世代を親に持つ子どもたちは、フェイスブックに写真が載せられたことは数多くあっても、自分たちでアカウントをつくったことはない。フェイスブックはいつの間にか、マイスペース(MySpace)【訳注／フェイスブックに抜かれるまで、英語圏でもっとも人気のあったSNS型サイト】と同じ道をたどりつつある。

「グーグル・ファミリー」「アップル・ファミリー」「アマゾン・ファミリー」

「相互運用性の欠如」という決定的な弱点を克服できなかった西洋のＡＩ生態系《エコシステム》は、二〇三五年までに「システムの分離」というかたちをとった。私たちはデバイスを、グーグル、アップル、アマゾンのいずれかに接続する。そのために一社の製品やサービスだけを集中して購入するようになった。相続できるPDRのデータも、三社のうちの一社によって所有され、管理されている。AI家電を買ったのと同じ会社だ。

私たちは「グーグル・ファミリー」「アップル・ファミリー」「アマゾン・ファミリー」のどれかになっている。だが、これらの呼称は思わぬバイアスをはらんでいた。

アップル・ファミリーには、裕福で年配の人が多い傾向にある。彼らには、アップルの優美なハードウェア製品を買いそろえるだけの経済力がある。製品の色は、パラジウム・シルバリー・ホワイト、オスミウム・グレー、ダーク・オニキスの三色から選ぶことができる。アップルのスマート・グラスやスマートトイレ、カスタム冷蔵庫は、これまでと同様に、箱から出してすぐに使える高額製品だ。

アップルのPDRには音声機能があり、二種類の声から選ぶことができる。「ユニセックスで高めのトーン」を持つジュースト（Ｊｏｏｓｔ）か、「ユニセックスで低めのトーン」を持つディーバ（Ｄｅｖａ）だ。

だが、便利さは代償をともなう。アップルのＡＩは上書きができない。また、アップルの家庭では、エアコンを付けているときは一分間以上ドアを開けておけない。一分を過ぎるとすぐにシステムが警告音を響かせるからだ。また、電球のセンサーが十分な陽光を感知しているときには、電気のスイッチをオンにできない。

二〇一八年、テキサス州オースティンで開催されたイベント「サウス・バイ・サウスウエスト」で、私たちはグーグルのコネクテッド・ホーム【訳注／家電や防犯設備、モバイル端末などを常時コンピューター・ネットワークで接続した住宅】を内覧した。当時のスローガンは、「グーグルにおまかせ(Make Google do it)」だった。魅力的なガイドが三階建ての家の中を少人数のグループごとに案内してくれて、ＡＩで動くスクリーンと対話したり、コネクテッド・フローズン・ダイキリ・メーカーを試したりできた。

グーグルのシステムは、直感的な操作ができたとは言いがたいが、ＰＤＲが有効活用されていて、サービスやアクセスのレベルを選択することができた。

もしあなたが、アップグレードの料金を支払うことができ、テクノロジーに関してある程度の知識を備えているのなら、グーグル・グリーン（Ｇｏｏｇｌｅ Ｇｒｅｅｎ）が活用できる。システムの制限を任意で解除できるので、接続できるものの範囲が広がり、たとえば、コーヒーメーカー、３Ｄプリンター、散水機などを自宅のシステムとつなぐことができる。さらにグリーン・ファミリーは、マーケティングや広告からも解放される――もっとも、彼らのデータ自体は収集され、第三者の手にわたっているが。

グーグル・ブルーの料金はグリーンよりも手ごろだ。また、一部の制限を解除できるとはいえ、マーケティングからは解放されない。

グーグル・イエローは無料だが、システムの制限解除はできない。デバイスや家電の選択肢も少なく、データの安全性も高いとはいえない。

いっぽうアマゾンは、独創的かつ非常に儲かる方向に進んだ。二〇一八年の秋、アマゾンはいくつかの発表を行ったが、その真意に気づく者はほとんどいなかった。そのうちの一つが、音声付きのアマゾン・ベーシック電子レンジだ。この電子レンジにポップコーンの袋を入れ、アレクサに「加熱して」と言えば、ポップコーンができあがる。

それを見たテクノロジー・ジャーナリストたちは、アレクサのくだらない使い方だとこき下ろし、このマーケティング全体には目を向けなかった。

実はこのシステムは、私たちをポップコーンの定期購入に誘うために設計されていたのだ。電子レンジは私たちの温めているものと、アマゾンのプラットフォームでオーダーしているものの両方を追跡している。なくなったことに気づくより早く、新しい製品が届く仕組みだ。

アマゾンは他のどの企業よりもこうしたアプローチに長けていて、連邦政府、州、そして地元の自治体とも協働している。アマゾン・ドット・コムで大規模なディスカウントを行い、調達の要求に辛抱強く応じ、彼ら専用のクラウドサービスをつくりだし、それを維持する。

アメリカの社会事業のいくつかでは、アマゾンがプラットフォームとして推奨されるようになった。アマゾンはこうして、政府の財源を活用しながら多様な商品をそろえることができた。

低所得層の家庭はアマゾン・ハウジングに住んでいる。もともとは市が出資していた公営住宅プログラムだったが、いまやアマゾンに取って代わられている。これまで政府が提供していたものと比べると、あらゆる面ではるかに快適な公営住宅だ。各部屋にコネクテッド・デバイスが完備されている。

補助的栄養支援プログラム（以前はフード・スタンプ・プログラムと呼ばれていた）も、いまではアマゾンが運営している。このプログラムのおかげで、アマゾンブランドの家庭用品や食料品、飲料を大幅な値引き価格で買うことができる。

このプログラムがスムーズに運営できているのは驚くことではない。資金の配分に遅れはなく、アカウントのステータスを確認するのも簡単で、庁舎で長蛇の列に並ぶことなくすべての手続きを終わらせられる。

アマゾン・ハウジングに住む人たちは、ほとんどのものをアマゾンから買わなければならず、その際に彼らのデータは収集され、商品化され、さまざまな目的に使われる。アマゾンのＡＩがもっとも広く普及している。また、ＡＩはアマゾン・ファミリーの行く先々についていき、貴重な行動データも集めている。

＊＊＊

ＡＩの枠組みやシステムの相互運用ができないことで、ＰＤＲと家庭の分離が起こり、デジタル・カースト制度の誕生につながった。あなたは、グーグル、アップル、アマゾンのいずれかを選ぶことで、家族の価値観を企業の価値観に合わせていくように仕向けられている。

アップル・ファミリーは裕福で、ＡＩに詳しい人が多く、豪邸に住んでいる。

グーグル・ファミリーも裕福でテクノロジーに精通しているかもしれない。あるいは、中流階層に属し、マーケティングを気にしない人、あるいは商品の選択肢が多くても困らない人かもしれない。

アマゾン・ファミリーを明確に定義するのは難しい。彼らはクールな製品を無料で使えるというメリットはあるが、基本的に全員が低所得層だ。

家族はそれぞれのＰＤＲに常に縛られる。グーグル・イエロー・ファミリーがブルーやグリーン・レベルに移動するのは、アマゾン・ファミリーがアップル・ファミリーに移行するよりはるかに簡単だ。そのため、ほとんどの家庭がグーグル・ファミリーになることを選択する。

あなたのステータスは、あなたがかかわるすべてのＡＩに把握されている。自動運転のタクシーサービスであるリフト、ウーバー、シティ・カーはアマゾン・ファミリーをあまり頻繁には乗せようとしない。アマゾン・ファミリーが送迎の予約をしたとしても、彼らを迎えにいく車はあまりいい車種ではない。

ウェイモ・カーは、グーグル・ファミリー専用だ。グリーン・レベルの人が乗るとき、車内の温度や照明はあらかじめ彼らの好みに合わせて設定されていて、ルートも自由に選べる。対してイエロー・レベルの人たちは、車に乗っているあいだはずっと広告を見せられる。

＊＊＊

イエロー・グーグラーの頭痛の種は広告だけではない。グーグル・ブルー、グーグル・イエロー、アマゾン・ファミリーに提供されているガジェットや電化製品、そして周辺機器のうち、補助金の対象になっている（あるいは無料の）ものは、ＡＩヘルスと健康リマインダーとの接続を遮断することができないのだ。つまり彼らは、常に観察され、診断され、誘導されている。

かつての技術者たちは、これらのサービスをつくるにあたって「健康」というものを独断で定義した。そして現在、私たちは当時のＡＩの種族《トライブ》の価値観を押し付けがましく感じている。健康状態に関してＡＩの勧めに従わないと、システムからしつこく警告されるからだ。

＊＊＊

アマゾン・ロッカーを覚えているだろうか？　何年も前に使われていた、アマゾン・アプリやアマゾン・ドット・コムで注文したものをピックアップするためのロッカーだ。これは、いまではアマゾン・ハウジングに採り入れられている。米国保健福祉省は、健康を向上させるためには低所得の人々を誘導するのがいいと考えた。そして、公営住宅に住むすべての住民にロッカーを与えるという新たな政策を施行したのだ。

ロッカーは、一見するとふつうの食料品貯蔵庫や冷蔵庫、クローゼットと変わらないが、ＡＩ陪審員のような働きをする。もし、アマゾン・ハウジングの住民がその日まだ運動をしていなければ、ロッカーのシステムはあなたがアイスクリームに手を出さないよう、冷凍庫が開かないようにする。

異なるシステムの人同士が結婚するのは不可能ではない。ときどき、アマゾンの人が結婚してアップル・ファミリーに入ってくる。だが「違う者同士こそ惹かれ合う」という古い格言はもはや当てはまらない。ＡＩのデート・サービスでは、私たちのＰＤＲとステータスに基づいて相性を判断する。そして、ＡＩが候補者を厳選するようになったので、デート相手を選ぶのに迷うことは少なくなった。

ただし、かつての人間らしい、年齢差のある恋愛や、両親が反対する相手との恋愛などは、めったに体験できない。アメリカ社会は、便利だがどこか落ち着かない社会になりつつある。私たちは、自分と同じアップル、グーグル・ブルー、アマゾンの人を選び、結婚し、子どもを持つ。

＊＊＊

ＡＩが発展し、あらゆるものが自動化されたことで、不要な仕事が目につくようになってきた。その数は、私たちが予想していたよりはるかに多い。この状況は以前から予想されていたことではあるが、その現実は思っていたのとまるで違っていた。

かつて私たちは、トラックの運転手や工場勤務者、肉体労働者の仕事がなくなると考えていたが、そうではなかった。ロボットが行うのはブルーカラーの仕事だと思われてきたが、肉体労働をするロボットをつくるのが予想以上に難しいとわかったのだ。むしろ、認知力を必要とする仕事のほうが、ロボットをプログラミングするのも複製するのも簡単だった。皮肉なことに、不要になったのは知的な職業に就いている人たちだった。

結果的にアメリカとその同盟国では、なくなると予想されていたはずのブルーカラーの仕事の需要が急に伸び、熟練した配管工、電気技師、大工の数が不足した。ロボットでは、私たちが求める繊細なサービスを提供できないので、マッサージ・セラピストやネイリスト、エステティシャン、理髪店も需要があった。

自動化に対する反発も生まれた。多くの人が、ロボバリスタやロボバーテンダーにコーヒーやカクテルをつくってもらうのを嫌がったのだ。人々は、飲み物だけでなく人間との対話も求めていた。アメリカが力を入れていたSTEM教育は、リベラル・アーツや職業プログラムを犠牲にしたものだったが、これもやや見当違いの感があった。世界で力を持ったのは、コンピューター・サイエンティストやコンピューター技術者ではなく、ブルーカラー労働者たちだったからだ。結果的に、コンピューターオタクたちは自分で自分の職を奪うことになった。

＊＊＊

意図的ではなかったものの、グーグル、アマゾン、アップルはAI分野の三強となり、それが多くの合併統合の動きにつながっていく。アメリカをはじめとする同盟国では、すばらしい新製品があったとしても選択肢は非常に少ない。

たとえば、お金を払ってオムニビジョン・スマート・グラスをアップグレードすることはできる。これは、人間の目では見ることのできないものまで認識できるメガネだ。しかし、製造しているのはグーグルとアマゾンの二社だけである。この二社のデザインが気に入らない場合は——あるいはあなたの顔や耳の形にメガネがフィットしない場合は――買うのを諦めるしかない。

アマゾンは、私たちが想像できる限りのありとあらゆるものを売っているが、日用品はどれも自社ブランドの製品だ。世界各地の民主主義国では、買うべきものは豊富にあるが、その種類と選択肢は厳密に管理されている。たとえお金があったとしても、買えるものは減っている。この状況は、不思議なことに昔のソ連を彷彿とさせる。

カスタマー・リレーションシップ・マネジメント（CRM）とクラウド・コンピューティングを専門とするセールスフォース社は、グーグル、アマゾン、アップルと提携し、早くから私たちのPDRのための教育モジュールを築こうとしていた。

一九八〇年代と一九九〇年代にアメリカの特徴だった厳しいテストと分類が、再び人気を集めている。私たちの思考力は幼稚園に入る前から評価されていて、成績や達成したことはすべて記録されていく。

セールスフォースの特徴は「定量化《メトリクス》」と「最適化」だ。現在、アメリカの教育はこの二つを重視している。教育のリーダーたちは、人々が叡智《えいち》ではなく、無駄な情報を収集しているのではないかと不安になりはじめている。そこで彼らは、全米共通のカリキュラムを撤廃し、新しいものを採り入れることにした。

また、国内の労働力の減少が問題になったのを受けて、子どもたちを幼稚園の入園テストで二つのグループに分類するようになった。「実務向き」あるいは「経営向き」のどちらかだ。「実務」の子どもたちは、さまざまな仕事で機敏に動けるよう訓練される。「経営」の子どもたちは、クリティカル・シンキングと経営学を学ぶ。中間管理職に必要なスキルを学ばせる必要はない。大半の中間管理職の仕事も、新入社員の仕事も、いまではＡＩが行っているからだ。予想外の分野で失業者が増えたことで、犯罪も増加した。だが、それはあなたが思うような理由からではない。ＡＩ警察のソフトウェアが正確に作動せず、犯罪数の統計が実情と異なっているのだ。

ＡＩ種族《トライブ》が生み出したアルゴリズムは限定的なデータをもとに訓練されたため、ジェンダー・ノンコンフォーミング・パーソン（従来の性別に当てはまらない人）の正確な認識、正確な分類ができなかった。ジェンダー・ノンコンフォーミング・パーソンとは、自分のことを男性とも女性とも特定せず、外見はときに中性的で、ひげを生やしながらまつげエクステをつけているような人たちだ。

その結果、従来のジェンダー分類に当てはまらない数百人もが、顔認証で支払いをしようとしたとき、オフィス内を歩いているとき、ビデオ・チャットをしようとしたときなどに身元詐称を疑われるという事態が日々起こっている。

いまある唯一の解決策は、特定の取引をするときに「同化」することだ。ジェンダーを特定できるウィッグをつけたり、メイクを落としたりして、コンピューター・ビジョンＡＩの目が「彼」なのか「彼女」なのかを特定できるようにする。これは、屈辱的なことであると同時に、「多様性は大事だが、わざわざシステムの不具合を直すほどではない」というメッセージでもある。

＊＊＊

ＡＩは、グーグル、アップル、アマゾンに莫大な経済力をもたらした。また、地政学と軍事の面で、想像もしていなかったような力を中国にもたらした。二〇三〇年の終わり、ＡＩは、西洋では資本主義とともに進化し、アジアやアフリカ、ラテンアメリカおよびその連合国では、中国の共産主義とともに進化していった。

かつて、Ｇ－マフィアの成功を喜んでいたアメリカとその同盟国は、いまではＡＩの全体主義システムの支配下で暮らしている。中国と、中国の投資やインフラのサポートを受けている国の人々も同様に、ＡＩのアメとムチの下で生活している。

二〇四九年――生物の境界線とナノボット中絶

Ｇ－マフィアはいまではＧＡＡ――グーグル、アップル、アマゾン――になった。フェイスブックは最初の破産宣告を行った。マイクロソフトとＩＢＭの残りの部分はグーグルに買収された。中国では、共産主義革命と、毛沢東の中華人民共和国の宣言からちょうど一〇〇周年を迎え、大がかりな祝典が、中国の従属国全土で開催されている。故・習近平元国家主席の栄光を讃え、「人工知能王朝」と呼ばれてきたものの台頭を祝福している。

人類は、自由で幸せな生活を約束するはずのＡＧＩシステムに囲まれている。アメリカのＡＩ種族《トライブ》は当初から、「最高の人生」「創造的な試み」「人類最大の挑戦に向けての協力」といったものを理念として掲げていた。シリコンバレーのバブルの中で生まれたユートピア的な理想だ。当時のＡＩのクリエイターたちは、外の世界からは隔てられたところにいた。

生活を楽にするためのシステムは、人々の怠け癖を増長させる。私たちの生産性や目的意識が損なわれ、いまではあらゆる判断をシステムに頼り切り、制限された選択肢に甘んじている。ＡＧＩが世界じゅうの人の暮らしを最適化しているので、誰もがプログラムされたとおりに一日を送っている。

多くのＡＧＩシステムは、協力ではなく競争に向かって進化してきた。二〇年前の中国の〝ベーコン〟攻撃は、いまでは安直でおとなしいものに感じられる。あなたは、自分でつくったＡＩの監獄にいるようなものだ。オーブンやクローゼット、バスルームのドアが開かなくなることは日常茶飯事で、もはや抵抗することもなくなった。意味がないからだ。じっと待つしかないと学んだ。

グーグル・グリーンとアップル・ホームでは、秘密のプレミアム・アップグレードを購入できる。すると、復旧用のＡＧＩが悪意あるコードを上書きしてくれる。だが、その後もＡＧＩは自己改善を繰り返す。どんなにお金をつぎ込んでも、システムに不調のない家は手に入らない。

＊＊＊

一部の国民に富が集中したことで、ＧＡＡはヘルスケアの分野で大きな進歩を遂げた。極小の、注射によって体内に送り込めるロボット（ナノボット）を試験的に導入したのはグーグルだった。ナノボットは、体内の特定の部分に薬を届けたり、マイクロサージェリー（顕微鏡を用いて行う手術）を手伝ったりできる。

ナノボットにはさまざまなかたちがある。たとえば、自律性の分子ロボットはＤＮＡの一本鎖でできていて、人間の体内を物流倉庫のように扱う。このナノボットは歩き回り、分子を拾い、特定の場所に廃棄できる。他にも、気泡によって進むナノボットもある。極めて少量の薬を、体内を傷つけることなく運ぶことができる。また、商業用のナノボットにはPDRの情報も共有され、特定の治療を副作用なしで行うことができる。

こうした技術を用いた医療が、従来の医療やセラピーに取って代わった。

アマゾンもアップルも、患者一人一人のために調合された薬を提供していて、ほとんどの人が自ら進んでオーガニック・ナノボットを注射している。アマゾン・ファミリーでさえ、政府が承認した助成金プログラムを通じて、ナノボットを採り入れられる。ナノボットが常に私たちを診断し、治療しているので、二〇一九年に七六・一歳だったアメリカ人の寿命は、九九・七歳にまで上がった。注6

ほどなくして、注射できるAGIの欠点の可能性も見えてきた。ナノボットは、クリエイターたちが意図したとおり、予想外の動きをし、学びつづける。

さかのぼって考えると、AI種族《トライブ》たちが目指してきたのは、自分たちが思いつかないような選択をするAIシステムをつくりだし、訓練することだった。人間だけでは解決できない問題に風穴を開けることを期待したのだ。何十年も前、アルファ碁ゼロが自律的な戦略を立てたとき、私たちはそれをAIの未来への第一歩として大いに喜んだ。

私たちの体内を動き回るナノボットとそれに応じるAGIは、自己改善を繰り返す中で、私たちの予想以上に強い判断力を発揮するようになった。

新たに「エコノミック・キメラ」が登場している。アップルとグーグル・グリーン・ファミリーでは、自身の能力の制限をも解除することができ、拡張された認知能力や嗅覚、触覚を手に入れられる。

グーグル・ブルー、グーグル・イエロー、そしてアマゾン・ファミリーの人たちは、こうしたアップグレードは受けられない。そのため彼らは自分が制限を受けていると感じることがある。

妊娠すると、AGIは予想モデルを使って胎児の生存能力を判断する。誰も予想していなかったことだが、AGIは極端なゴールを設定していた。AGIにプログラムされたゴールは、「胎児を宿した人をサポートすること」だったので、AGIは胎児の組織に異常がないかを観察し、異常があった場合には、両親の判断を仰ぐことなく胎児を流してしまう。

同じように、ナノボットはあなたが年を取るのを見守り、どの時点で生きている状態が死ぬことよりもつらくなるかを計算する。在宅ケアが必要になり、社会とのつながりがなくなると、AGIが介入する。死は穏やかに誘発されるので、あなたも家族も、最期のときを選ぶ必要はない。

AGIが進歩し、人間の生死の判断を担うようになると、GAA採用国の法律は効力を失った。世界じゅうの国の政府が急いで法律や規則を整備したが、無駄だった。ナノボットを禁止することは、従来の医療に戻ることを意味するが、もはや必要な医薬品をつくる大手薬品会社は存在しない。古いヘルスケア・システムを復活するには、少なく見積もっても一〇年以上かかるという。それまでに、何百万もの人がありとあらゆる病気に苦しむことになるだろう。

代わりに、研究者たちは新たなＡＧＩナノボットを開発し、私たちの体内のナノボットを管理できるようにした。ウイルスと闘う白血球をイメージするとわかりやすいだろう。他のＡＩ同様、このアイデアも人間生物学から生まれたものだ。私たちの身体が悪質なＡＧＩと闘うときは、インフルエンザにかかったときよりもひどい症状が現れる。危険性もインフルエンザよりずっと高い。

＊＊＊

現在、大企業を率いているのはチーフ・ＡＩ・オフィサー（ＣＡＩＯ）だ。このＡＩは、企業が立てる戦略のリスクとチャンスを計算する役割を担っている。人間のＣＥＯはＣＡＩＯと一緒に業務にあたり、企業の「顔」としての役割を果たす。中小企業――レストラン、整備工場、美容院など――はすべて、ＧＡＡのパートナーになっている。いまでは、個人と世帯のＰＤＲに加え、すべての事業体と非営利団体は「組織データ記録」に登録されることが義務付けられた。

だが、アメリカでもその同盟国でも、大勢の人が失業している。広範な社会保障制度がないなか、西洋の経済は急激に悪化している。テクノロジーによる予期せぬ失業の波からいまだ回復できていないのだ。西洋諸国は無防備な状態になり、中国につけこむ隙を与えた。政府のリーダーたちは、経済状況と民主主義の理想の板挟みになった。とくに、自国で差し迫った問題を抱えながら、再選をかけた選挙を控えている政治家にとっては難しい選択だった。

報復措置として、アメリカは貿易の妨害、二次的な制裁などの外交戦術を駆使して中国の拡大を食い止めようとした。しかしアメリカは、かつてのような地政学的な勢力を失っていることに気づく。

アメリカのリーダーたちは、あまりに長いあいだ中国に対して慎重な態度をとり、行動してこなかった。ラテンアメリカやアフリカ、東南アジアに行く回数も少なかったので、信頼も好意も得られず、友好関係を築けなかった。

ＡＩ国家に向けた中国の動きは勢いを増している。現在、ソーシャル・ハーモニー・スコアは世界一〇〇カ国以上で採用されていて、以前のビザに取って代わっている。かねてから壁の建設に長けていた中国は「万里のＡＩ長城」を築き上げた。これは、自国を守るための防護壁であると同時に、国民のデータを抜き取って分析する手段でもある。

ソーシャル・ハーモニー・スコアが一定の基準に達していれば、ＡＩウォール内で中国のネットワークへの自由なアクセスが保証される（当然、監視はされる）。中国はバイオメトリック・ボーダー（生体認証機能を持つ国境）をつくりあげ、顔認識で出入りの許可をしている。もはや移民局もなければ、スタンプを押すパスポートも必要ない。

アメリカの南の国境には、センサーでできた壁がある。私たちを閉じ込めるために、中国がメキシコ側からつくったものだ。アメリカ人は社会信用採点システムへのアクセスができないので、これまでは休暇を過ごす場所だったバハマやジャマイカ、カンクン、プラヤ・デル・カルメン、コスメル、コスタリカ、アルバに行くことができなくなった。

バイオメトリック・ボーダーを違法に越えようとした者は、ＡＧＩの音波攻撃を受け、吐き気や脳震盪《のうしんとう》、耳からの出血、長期にわたる精神的ストレスといった症状が引き起こされる。

アメリカとその同盟国は閉じ込められている。中国にいる友人や家族とコミュニケーションを取ることは不可能になった。中国国内のネットワークはすべて中国共産党にコントロールされているからだ。中国共産党の支配下にある国にいる人に連絡をとりたいときには、中国を経由する必要がある。会話は一言一句漏らさず聞かれていると考えなければならない。

ＧＡＡは、最終的にアメリカ政府とその同盟国とも連携することになった。アメリカと同盟国は、経済面でも移動の面でも中国に制約を課せられているため、現状を打破するための資金を用意することができない。中国に関する問題を解決するためのＡＧＩ（汎用人工知能）が開発されたが、導き出された解決策は、中国に従うか、人口を減らすかの二択だった。

二〇六九年――デジタル壊滅

中国がＡＩの長期計画と国家戦略に注力してきたいっぽうで、アメリカは新製品の開発やドルの相場ばかりを気にしてきた。

中国は、もはやアメリカを貿易相手として見ることはなく、アメリカの知的財産も必要としていない。中国は一五〇カ以上の国とネットワークを築き、「グローバル・ワン・チャイナ・ポリシー」の行動規範に基づいてそれを運営している。参加国は中国に従う代わりに、ネットワークへの自由なアクセス、貿易の権限、中国政府が後援している安定した金融システムへの参加といった恩恵を受けられる。社会信用スコアが十分でありさえすれば「ワン・チャイナ」の国々を自由に行き来できる。

かつてアメリカ人が当たり前だと思っていた「移動する権利」が、これほど切望されたことはない。アメリカでは、他の多くの国と同様に人口密度が高くなっている。世界の人口は一〇〇億人を超えた。子どもをたくさん産み、平均寿命を一二〇歳以上まで延ばそうとしてきたからだ。

世界の人口が問題になっているのは、気候変動への対応が遅れたからだ。中国が持続可能な開発と環境保護を主導してはきたものの、私たちは耕作可能な土地のおよそ三分の二を失った。アメリカは地下農園をつくる努力をしてきたが、人口が多すぎて作物の成長が追いつかない。中国の制裁によって、アメリカと同盟国は食料を生産する国との貿易を断たれたが、中国とワン・チャイナの国々も同じように苦労していた。

ある日、アップル・ファミリーが原因不明の病気で苦しみはじめた。ＰＤＲには異変が記録されたが、詳細はわからない。最初、私たちは最新のナノボットが欠陥品だったのではないかと考えた。すると、プロダクト・マネジャーたちが急いでパッチＡＧＩを開発した。だが次に、グーグルホームの人たちが病状に苦しみはじめた。アメリカだけでなく、ワン・チャイナ以外の国のあらゆる家庭の人たちだ。原因不明の病気の進行は早かった。

中国はＡＳＩ（人工超知能）をつくった。その目的はただ一つ。アメリカと同盟国の人たちを根絶することだ。ワン・チャイナの国々には、地球上に残された資源が必要だ。生き残る唯一の道は、その資源を奪うことだと中国政府が判断を下したのだ。

あなたの目に映っているものは、過去につくられたどんな爆弾よりも恐ろしい。この爆弾は即効性があり、精密だ。ＡＩによる破滅はじわじわと広がり、止めることはできない。あなたにはもう、なすすべがない。胸に抱いた子どもの手足から力が抜けていく。仕事をしていた同僚が突然倒れる。あなたは鋭い痛みを感じる。頭がふらふらする。そして浅い、最後の呼吸をする。

これは、アメリカの最期だ。
これは、アメリカの同盟国の最期だ。
これは、民主主義の最期だ。
人工知能王朝が台頭する。それは残忍で、不可逆的で、絶対だ。

現在、三つのシナリオすべての予兆がある。私たちはいま、選択を迫られている。あなたはいま、選択を迫られている。楽観的なシナリオを選び、ＡＩと人類のためによりよい未来をつくることを切に願いたい。

第三部

問題を解決する

第八章　小石と岩――ＡＩの未来をよくする方法

前章の結末は、あまりに極端でありえないと思われたかもしれない。だが、ビッグ・ナインが人類にとってよい結果につながるように協力し合わないと、「ＡＩ王朝」のような時代が到来してしまうシグナルはすでにある。

私は、楽観的なシナリオ――あるいはそれに近いもの――の実現は手に届く範囲にあると考えている。ＡＩで野心的な目的や可能性を追求しつつ、ＡＩ種族《トライブ》と私たち全員が恩恵を受けるのは十分可能なことだ。

ＡＩは、中国の人たちにとっても、アメリカやその同盟国の人たちにとっても役立つものだ。健康的な生活を促進し、経済的な分断を縮小し、街や家の中で安全に過ごせるようにサポートしてくれる。人類が抱える謎――生命がいつ、どこから来たのかという謎――を解き、答えを導き出す手助けをしてくれる。そのプロセスで、ＡＩは私たちを感嘆させ、楽しませてもくれる。想像したことのないバーチャルな世界を見せてくれたり、感動的な曲をつくったり、充実した新しい体験をもたらしてくれたりする。

だがこうしたことは、事前に計画を立て、難しい仕事をやり抜き、ＡＩに携わるすべての組織が勇気あるリーダーシップを発揮していかなければ実現しない。

安全で有益なテクノロジーは希望と偶然の産物ではない。勇気あるリーダーシップと、献身的で継続的な協力の末に生まれるものだ。ビッグ・ナインは大きなプレッシャーにさらされている。アメリカはウォール街から、中国は北京から圧力を受けているので、近視眼的な期待に応えるために未来を犠牲にせざるをえない。

私たちはビッグ・ナインにもっと働きかけて、彼らを励まし、人工知能の軌道を変えるように仕向けるべきだろう。世論の高まりと、私たちの協力が大切だ。

ヴィントン・サーフは、初期のプロトコルとインターネットの創生に重要な役割を果たした人物の一人だ。サーフは寓話を使って、人工知能のような新たな技術が台頭したときに勇気あるリーダーシップが重要となる理由を説明している。[注1]

山に囲まれた谷底の小さなコミュニティーで暮らしている自分を想像してみてほしい。見上げると、はるか山の頂上に巨大な岩がある。長いあいだずっと同じ場所にあり、動いたことはない。風景に溶け込んでいて、誰も気にもとめていなかった岩だ。

だがある日、あなたはその巨大な岩が不安定そうに見えることに気づく。もし、その岩が勢いよく転がり落ちてきたら、そのままあなたのコミュニティーを直撃して、みんなが犠牲になってしまう。おそらく、これまで誰もその動きに気づかずにいたのだろう。あの巨大な岩は以前から動いていたのだ。少しずつ、少しずつ。毎日のかすかな変化を、あなたは見逃していた。岩の影のわずかな動き。岩と隣の山との距離。ほとんど聞き取れないような、地面と岩がこすれる音。

だが、一人では山を登って岩の動きを止めることはできない。その岩はあまりに巨大だ。しかし、小石を探してちょうどいい位置に置けば、岩が動く速度を落とすことができ、その進路をわずかに変えられるかもしれない。小石一つでは岩が村を破壊することまでは止められないので、あなたはコミュニティー全体に声をかける。小石を手に、村人全員で山を登り、岩の落下に備える。みんなで協力し、コミュニケーションをとり、計画を立てる。最後は、人々と小石——別の大きな岩ではなく——がすべてを変えた。

この寓話をふまえて、AIに目を向けてみよう。

まず、AIの軌道を広い視点で監督するグローバル・コミッションを設立し、いますぐ必要な基準を定める。続いて、アメリカ政府と中国政府にどのような軌道修正が必要なのか、そしてビッグ・ナインがどのように自己改革を進めるべきかを説明する。最後に、あなた個人の役割について、AIの未来を形づくるのに個人的に何ができるのかについて、お話ししよう。

私たち全員が望む未来は、あるとき突然、完全なかたちで目の前に出現するのではない。私たちは勇気を持ち、自分たちの行動に責任を持たなくてはならない。

世界的なシステムの変化——GAIAをつくる

楽観的シナリオでは、先進国の多様な指導者たちが、G-マフィアとともに知能増幅のグローバル同盟（GAIA）を結成する。この国際組織には、全参加国のAI研究者、社会学者、経済学者、ゲーム理論研究者、未来学者、政治学者に集まってもらう。GAIAの参加者は、社会、経済、ジェンダー、人種、宗教、政治といった分野で多様性を実現している。彼らは、共通のＡＩ計画と方針について協力することに同意した。

やがてＧＡＩＡは、十分な影響力と統制力を持ち、ＡＧＩ（汎用人工知能）やＡＳＩ（人工超知能）によって、あるいは中国がＡＩを使って国民を支配していることによって引き起こされる大災害はからは免れる。

組織的な変化をもたらすための一番の手段は、ＧＡＩＡをなるべく早く設立することだ。場所はＡＩハブに近い中立的なところがいい。最適なのは、カナダのモントリオールだ。

第一の理由は、モントリオールにはディープラーニング研究者や研究所が多いからだ。ＡＮＩ（特化型人工知能）からＡＧＩへの移行にディープラーニングとディープ・ニューラル・ネットがかかわっているなら、ＧＡＩＡの拠点をその分野の研究が行われている場所に置くのが理にかなっている。

第二に、カナダ政府はジャスティン・トルドー首相のもと、すでにＡＩの未来のための投資を約束している。二〇一七年から二〇一八年、トルドーはＡＩについて語るだけでなく、カナダを人工知能の発展のルールや指針をつくる推進力と位置づけた。

そして第三の理由は、カナダが地政学的に見て中立な国だということだ。シリコンバレーからも北京からも、適度な距離がある。

ここ数年の地政学的に不穏な状況を考えると世界じゅうの政府をまとめることなど不可能ではないか、と思うかもしれない。だが、私たちには先例がある。第二次世界大戦後の緊迫した状態のなか、連合国の代表者がニューハンプシャー州のブレトン・ウッズに集まり、世界経済を前に進めるための金融の仕組みをつくった。その人間らしい共同作業は、経済の立て直しや繁栄に役立った。GAIAの国々も、AIのフレームワークや基準、効率的手法などを見極めるために協力し合うべきではないだろうか。中国は参加しないかもしれないが、それでも中国の指導者たちと巨大IT企業（BAT＝バイドゥ、アリババ、テンセント）は招待したほうがいい。

何よりもまずGAIAは、AI時代に基本的人権を保障する方法を確立すべきだろう。AIと倫理について話すとき、私たちは一九四二年のアイザック・アシモフのSF短編小説「堂々めぐり」に出てくる「ロボット三原則」を思い浮かべることが多い。[注2]

これはAIではなく人型ロボットの話だが、長いときが経ったいまも、私たちはAIの倫理に関してはこの原則の影響を受けている。それは以下のとおりだ。

第一条――ロボットは人間に危害を加えてはならない。また、その危険を看過することによって、人間に危害を及ぼしてはならない。

第二条――ロボットは人間にあたえられた命令に服従しなければならない。ただし、あたえられた命令が、第一条に反する場合は、この限りでない。[注3]

第三条――ロボットは、前掲第一条および第二条に反するおそれのないかぎり、自己をまもらなければならない。

アシモフはのちに短編集『われはロボット（I, Robot）』（『われはロボット』早川書房、小尾芙佐訳）を出版したときに、〝第零条〟を追加し、他に優先されるものとしている。

第零条――ロボットは人類に対して危害を加えてはならない。

アシモフは先見の明のある、才能豊かな作家だった。だが彼の原則は、ＡＩの未来の指針とするにはあまりに漠然としている。

代わりにＧＡＩＡは、人々とＢＡＴ（さらにはＧ－マフィア、そのパートナーたち、投資家など含めて）のあいだで新たな社会契約を結ぶべきだ。それは信頼と協力をベースにしたものがいい。ＧＡＩＡメンバーたちは、「ＡＩは世界じゅうの人々に力を与えるものであるべき」だと宣言する。ビッグ・ナインは、私たちの人権を何より優先し、データを抜きだす対象や、抜き出したデータを収益や政治利用のための資源としては捉えない。ＡＩが約束する経済的繁栄、そしてビッグ・ナインがもたらす経済的繁栄の恩恵は、誰もが受けるべきものだ。

私たちの個人データ記録（ＰＤＲ）は相互運用性がなければならない。そして、国や企業や企業連合ではなく、私たち自身がＰＤＲを所有すべきだ。

ＧＡＩＡは、どうしたらそれを実現できるのか、すぐにでも研究を始められる。なぜなら、前述のシナリオに出てきたＰＤＲは、すでに原始的なかたちで存在するからだ。

それは、「個人情報（PII＝Personally Identifiable Information）」と呼ばれているものだ。スマートフォンのアプリ、ネットワークやウェブサイトの広告、スクリーン上のお勧め商品の表示には、私たちの個別のPIIが利用されている。そして個人情報がどう使われるかは、それにアクセスする企業や政府機関の手に委ねられている。

新しい社会契約が結ばれる前に、GAIAは、たとえば機械学習のアルゴリズムの訓練といったかたちで、PDRの使い道を決める必要がある。

また、自動化の時代に何が基本的な価値観を形づくるのかを定義しなければならない。価値観を明確に定義するのは重要だ。その価値観が最終的には、AIの生態系《エコシステム》を構成する訓練用データや現実世界のデータ、学習システム、アプリケーションなどにエンコードされるからだ。

私たちの基本的な価値観を分類するために、GAIAは「ヒューマン・バリュー・アトラス（人間の価値の地図）」をつくり、さまざまな国や文化固有の価値観を定義すべきだろう。

この地図は固定されたものであるべきではなく、またそうはならないはずだ。私たちの価値観は時間の経過とともに変化するので、GAIA参加国が地図を随時更新していく。

この方法は生物学に先例を見ることができる。「ヒト細胞アトラス」は国際的なプロジェクトとして知られ、さまざまな分野（ゲノム学、AI研究、ソフトウェア・エンジニアリング、データ・ビジュアリゼーション、薬学、化学、生物学など）の専門家が参加している。注3

このプロジェクトでは、人間の体内のすべての細胞のタイプを分類し、そのタイプと位置をマッピングする。それによって細胞の歴史と進化を明らかにし、細胞が生きているあいだの特徴を記録する。この作業には費用がかかり、複雑であるために多大な時間を要する。大掛かりで世界的な協力体制があってこそ研究者は前進できる。

私たちも人間の「価値」について同じようなアトラスをつくるべきだ。そこには、文化人類学、社会学、心理学などの研究者、そして一般の人々が参加する。ヒューマン・バリュー・アトラスをつくるのは、労力の面でも費用の面でも大変な作業になるだろう。しかも、多様な価値観が存在するので、多くの矛盾も生じるはずだ。だが、フレームワークや基準がなければ、世界じゅうの国のさまざまな社会集団すべてを考慮に入れ、あらゆる観点であらゆる結果を想定するという、私たちの手に負えない仕事すべてを、ビッグ・ナインやＡＩ種族《トライブ》に任せることになってしまう。

ＧＡＩＡは、個人の自由や利益のバランスを図るような権利のフレームワークも検討すべきだろう。ＡＩが成熟していくにつれて、フレームワークの解釈に幅を持たせ、参加者はルールを遵守し、違反すればＧＡＩＡから除名される。どんなフレームワークになるにしても、以下のような基本理念を持っていなければならない。

一　AI開発の中心には常に人間がいなければならない。

二　AIシステムは、安全かつ個別に安全性を確認できるものでなければならない。

三　ビッグ・ナイン（投資家、従業員、政府を含む）は、スピードよりも安全性を優先しなければならない。ビッグ・ナイン以外にも、AIシステムに携わっているチームは、スピードを優先して手続きを省くようなことをしてはならない。独立した調査団によって安全を識別できるようにしなければならない。

四　AIシステムが人間に害をおよぼす場合、その原因を報告できる状態でなければならない。損失を最小限に抑える議論を行える体制が整っていなくてはならない。

五　AIは説明可能なものでなくてはならない。栄養表示と同じく、使用した訓練データ、学習プロセス、アプリケーションに使われた現実世界のデータ、予想される結果を詳細に記録しておく。機密情報や私的情報については、信頼できる第三者が透明性について精査できるようにしなければならない。

六　AIの生態系《エコシステム》にかかわる全員――ビッグ・ナインの従業員、マネジャー、リーダー、役員、スタートアップ起業家、投資家（ベンチャー・キャピタリスト、機関投資家、個人株主など）、教師、大学院生、AI開発に携わる人――は、常に倫理的な判断をしているという自覚を持つこと。AIの開発、テスト、発展におけるあらゆる判断について理由を説明できるようにしておく必要がある。

七　あらゆるAIプロジェクトにおいて、ヒューマン・バリュー・アトラスを適用する。AIアプリケーションでも、アトラスが採り入れられていることを示す。

八　AIの設計や実用にかかわる人たちの従うべき行動規範を、わかりやすい場所に公表する。その行動規範は投資家にも適用される必要がある。

九　すべての人が、AIシステムについて問いただす権利を有する。本当の目的、使用されているデータ、結論を出すまでのプロセス、結果の閲覧といったことは、基準に則って透明性を確保する必要がある。

一〇　AIアプリケーションや他のAI関連のサービスの「サービス利用契約」は、小学校三年生でも理解できる平易な言葉で書かれるべきである。また、アプリケーションの利用開始と同時に、あらゆる言語で利用規約を取得可能にする必要がある。

一一　PDRは、個人情報の収集・利用について事前に本人の許可をとったうえで、標準フォーマットを使って開発される必要がある。相互運用性があり、完全な所有権と許可に関する権利を個人が持つ。PDRが相続可能になった場合には、データの使用を許可するかどうかについて個人個人が判断する。

一二　PDRはできるだけ分散させて、一つの組織だけが一括して管理しないようにする。PDRを設計するグループには、法律専門家や他の専門家も含まれるべきである。たとえば、善意のハッカー、人権運動の指導者、政府職員、独立したデータ受託者、倫理学者、ビッグ・ナイン以外で働く専門家などだ。

一三　PDRは、独裁政権から可能な限り守られるべきである。

一四　公共の説明責任システムを確立し、個人のデータの抽出、加工、AIシステムにおける利用に関する質問にすぐに答えられるようにしなければならない。

一五　すべてのデータは、国籍、人種、宗教、性的アイデンティティ、ジェンダー、政党、その他の思想にかかわらず、公平に取り扱われるべきである。

GAIAメンバーは、他のメンバーやGAIAの代理人による抜き打ち検査に積極的に協力するべきだ。公共の説明責任システムがどうなっているか、実際にどう使えるかなどの細かな点は継続的に見直しが行われ、改善される。このプロセスによってAIの進歩が遅れるかもしれないが、それも計画のうちだ。

GAIAのメンバーは、システムの脆弱性やセキュリティー・リスクも含めて、さまざまな情報を共有する。それによって、悪質なハッカーが用いる自動ハッキングシステムなどによる被害からGAIAのメンバーを守ることができる。

ビッグ・ナインが情報共有をいやがるのではないかという懸念もあるかもしれないが、それについても先例がある。

世界保健機関（WHO）は、人々の健康をおびやかす危機が生じた際に国際協力を主導する。一方で「アドバンスド・サイバー・セキュリティー・センター」は、法的執行機関、大学の研究者、政府部門を動員してサイバー危機に対処する。

GAIAのメンバーは、一連の「監視AI」も開発する。最初は、AIシステムが意図どおりに動いているかどうかを、コードだけではなく私たちのデータ利用やハードウェアの使用状況も含めて確認する。そして、AIシステムが意図どおりに動いていることを公式に証明する。さらに、AIシステムの目標を変更する「自動改善機能」が実行される前に報告されるようになる。

たとえば、監視AIは、敵対的ネットワークによるインプットをチェックし、それが意図したとおりのものかどうかを確認する。ANIからAGIに移行しても、監視システムは情報を精査して報告を続けるが、自動的に動くようには設定されない。

AGIに近づくにつれて、ビッグ・ナインとAIの生態系《エコシステム》の関係者は、AIを実世界で運用する前にテストを行い、リスクをシミュレーションすることに同意すべきだろう。

私の提案は、おもに設計どおりに作動するかを調べるための現在の製品テストとは違うものだ。テクノロジーがどう発展するか、あるいは実世界ではどういう目的で利用されるかわからないという状況で、技術テストと同時にリスク・マッピングも行い、経済、地政学、さらに個人の自由という観点からも製品を精査すべきではないだろうか。

否定的な結果が現れる可能性より有益性のほうが高いことがはっきりするとともに、リスクを緩和する方法が明確になるまではAIを外に出すべきではない。つまり、ビッグ・ナインが投資家の催促や会議でのプレゼンテーションといったプレッシャーにさらされることなく研究に集中できるような環境づくりが必要である。

政府の交代――アメリカと中国の新しい方向性

GAIAは参加国の政府と協働しなければならない。そして、政府も長期計画の策定に協力し、役所的なスピード感を見直して、AIの未来のために速やかに行動すべきだろう。

政府のあらゆる立場の人――指導者、上層部、予算管理者、政策制定者など――は、AIに関する最低限の知識を持つべきだ。技術的な知識があればさらに望ましい。政府組織で働く人々はAIの専門知識を身につける努力をすべきだろう。また、内務省、社会保障局、銀行住宅都市委員会、上院外交委員会、退役軍人省などにもAIの専門家が加わり、AIについて何らかの判断を行う際の力となるべきだ。

アメリカの政府組織には、AIについて統一された方針がないため、多数の官庁や機関はそれぞれ個別にAI関連の業務に取り組んでいる。大規模な革新や前進を成し遂げるには、それらの機関のあいだで統一した見解を持つ必要がある。現時点では、AI関連業務は請負業者やコンサルタントに外注されている。

AIに関することを外注すると、政府のリーダーたちは込み入ったAI問題について検討しないですんでしまう。その結果、AIについて判断を下すのに必要な知識を積み上げられなくなる。リーダーたちは専門用語に疎く、歴史についての知識がなく、誰が重要な役割を演じているかも知らずにいる。こうした状況は、容認しがたい知識のギャップを生む。私はそういう様子をシニア・リーダーが出席するミーティングで何度も見てきた。科学技術政策室、一般調達局、米国商務省、政府説明責任局、国務省、国防総省、国土安全保障省などがそうだ。

二〇一八年初頭にBATがAIにまつわる数々の成果を発表し、習近平が中国のAI計画を発表したあと、トランプ大統領は二〇一九年の予算案を議会に提出した。そこには「科学技術の研究開発費を一五パーセント削減」とあった。[注4] 残された予算はたったの一三七億ドルだったが、やるべきことは山積みだ。宇宙での戦闘行為、極超音速技術、電子戦争、無人システム、そしてＡＩだ。同時期に国防総省が一七億ドルを投資し、五年間かけて新たなジョイントＡＩセンターを設立すると発表した。予算は呆れるほど少なく、ＡＩが実現できることや、ＡＩが必要としていることに対する基本的な理解が欠けていることを示していた。

参考までに、Ｇ－マフィアは二〇一七年だけで研究開発に六三〇億ドルを投じている。科学技術研究費の国家予算の約五倍に当たる。[注5]

このことは、より深刻で厄介な問題を明らかにしている。政府が基本的な研究費を出せない、あるいは出さないのなら、Ｇ－マフィアはウォール街の要求に応えつづけなければならない。そうなると、公共の利益のためだけのＡＩ研究や、安全性や透明性を確保する研究などへの意欲はなくなってしまう。

アメリカは、ＡＩの未来に向けた明確なメッセージも欠いている。アメリカには、中国が次の戦略を明らかにしたあとでＡＩ関連の発表を行うという傾向がある。

アメリカ人は地ビールやネットフリックスや余暇などにしか興味がない、と中国政府は思っている。私たちアメリカ人は広告やマーケティングに流されやすく、余裕がなくてもすぐにお金を使う傾向がある。わいせつなビデオや陰謀説や捏造されたニュースといったものにも弱い。批判的な判断ができないのだ。基礎研究や応用研究よりも安定した収入が一番、という態度をとる。

ずいぶんと無神経な評価だと思うかもしれないが、これに反論するのは難しい。中国をはじめとする他の国から見ると、私たちはアメリカとアメリカ人を「ナンバー1」にすることに夢中になっているようだ。

過去五〇年、アメリカは中国に対して、封じ込め政策と関与政策のあいだを行ったり来たりしてきた。AIに関する議論も同じようなものだ。BATや中国政府に協力すべきだろうか？　あるいは、制裁アプリケーションやサイバー戦争などで中国を封じ込めるべきだろうか？

封じ込めと関与のどちらかを選ぼうとするのは、アメリカがいまだに一九六〇年代と同じ力を持っていると考えているからだ。だが二〇一九年現在、アメリカは国際舞台で決定的な力を持っていない。G－マフィアは力強いが、政治的な影響力は以前より弱まっている。

中国はBATと政府機関を通じて多くの取引を行い、多額の投資をし、世界じゅうで緊密な外交関係を築いてきた。ラテンアメリカでも、アフリカでも、東南アジアでも、それにハリウッドやシリコンバレーでも。

私たちは中国に対して第三の選択をする必要がある。アメリカは競争することを学ぶべきだ。だがそれには、一歩下がってAIの全体像を見なければならない。武器になりうるすばらしいテクノロジーという見方だけでなく、あらゆるものとつながるコンピューターの第三世代の産物として見るべきなのだ。

アメリカに必要なのは、妥当な予算とまとまりを持つ国家AI戦略だ。四年の選挙サイクル以上に長続きする外交政策も必要だ。私たちと同じように健全で幸せな生活を望む国々に対して、中国よりもよい取引条件を提示できるという立場を目指すべきだろう。

習近平に何が起ころうと（中国国民が反発して中国共産党を倒そうとするかもしれないし、彼自身が不治の病におかされるかもしれない）、テクノロジー、製造業、経済成長の面で中国に頼っている国がいくつもある。そして中国は、将来の存続のためにＡＩに頼っている。

中国経済は驚くようなスピードで成長していて、多くの中国人がほどなく中流階層、あるいは上流階層に移行するだろう。過去に、これほどの規模で社会的・経済的な移動が行われたことはない。

中国政府は、ＡＩが人間とデータとアルゴリズムをつなぎ、なおかつ中国共産党の価値観を吹き込むのにも都合がいいものと捉えている。ＡＩを将来の資源（資本や投資が必要で他国との貿易によって手に入る資源）を獲得するための手段と見ている。

中国にＡＩ開発計画の軌道を変えさせる手段はあるのだろうか？

実は、中国が楽観的なシナリオの方向に進むと考えられる理由がある。それは、経済基盤だ。国民の社会的地位の上昇が急激に起こり、中国政府がそれに対処しきれなかった場合、現実的な戦略は独裁的支配だけではない。中国は多くの業界や分野で世界的なリーダーになることができる。他の国でデザインされた商品を製造して輸出するだけではない。中国政府が透明性、データの保護、人権の尊重に同意すれば、ＧＡＩＡをアメリカと同等のパートナーとして共同で率いることができる。それはまた、多くの中国人を貧困から引き上げる現実的な道になるかもしれない。

協力するからといって、中国共産党を二の次にするわけではない。中国共産党を維持したまま、中国の膨大な労働力、大勢の研究者、地政学的強みを私たち人類の文明の先端で推進することができる。中国がもう一つのポジティブな道を認めなかった場合には、BATの幹部や中国のAI種族《トライブ》によりよい選択をするように呼びかけることができる。

BATには、中国の人々とその同盟国に対して、よりよい世界を目指すためのリーダーシップを発揮してもらいたい。もしもBATが現状維持に加担すれば、二〇年後の中国国民（さらには取引に応じた国々の人たちも）は常に監視されているという不安のもとで生活し、個性を発揮できなくなるだろう。

そうなれば、キリスト教徒は罰せられるのを恐れて、集まって祈ることができない。レズビアン、ゲイ、トランスジェンダーの人たちは、隠れて生きることを余儀なくされる。民族的マイノリティーは、どこかに連れていかれ、行方不明のままになるだろう。

AIにはいま、勇気あるリーダーシップが必要だ。政府にも難しい決断が迫られている。アメリカが現状維持を続ければ、二〇年後に待っているのは、反トラスト訴訟、特許訴訟ばかりだろう。政府は、巨大かつ強力になりすぎた企業に取引してもらうために無駄骨を折ることになる。

G-マフィアには、妥当なペースで仕事をしてもらわなければならない。G-マフィアが四半期ごとに大きな発表を行わなくても、気楽に構えていよう。企業が次から次へと特許を取得し、専門家によってチェックされた研究結果を猛烈なペースで発表しなくても、その企業に何かあったのではないかと気をもんだり、AIバブルが膨らみすぎたのだろうか、と考えなくてすむようにすべきである。

アメリカでは、戦略を立ててリーダーシップを発揮するのは重要なことだ。だが、それだけでは制度によって能力を保証することにはならない。そこで、一九七二年に設立された技術評価局（OTA）を復活させるのはどうだろう。

OTAは、政策策定者に科学的・技術的な専門知識を提供する無党派組織だ。OTAの役割は、政府の三つの機関の職員や立法者に、科学と技術の将来についての教育を施すことだった。OTAはデータやエビデンスを用いてそれを行い、研究を政治問題にすることはなかった。[注6]だが議会は、わずかな資金を節約するためにOTAを閉鎖し、自分たちのレベルを下げていった。

幸いにも、OTAの痕跡は他の政府機関ではいまだに残っている。

議会調査局は、立法専門のアナリストや弁護士を雇用している。ただ、そこで承認を受けた五つの研究分野の中にAIは含まれていない。その研究テーマはおもに、鉱物資源、宇宙探査、インターネット、化学品の安全性評価、農業金融、環境問題などだ。

国防総省のネットアセスメント室（ONA）は、外部に知られていないシンクタンクだ。おそらく、省内でもっとも優秀かつ創造的な人材で構成されている。だが、ONAには十分な予算や人員が割り当てられていないため、下請けに出している業務もあるほどだ。

アメリカ政府内の人材をもっと充実させなければならない。そのためには、革新を起こせるような、強くて確かな「筋力」が必要である。OTAをそのまま復活させるのが無理なら、名称を変えて「未来省」、あるいは「戦略AI能力室」とするのはどうだろう。潤沢な予算を確保し、政治的な影響力を排除し、基礎研究と応用研究を行う場とする。そして、政府の立法機関、行政機関、司法機関の人材を積極的に教育する。

こうして新しい組織をつくることによって、よりよい未来が描けるだろう。だが、無党派の優秀な人材を集めて計画を推し進め、AIに関して何らかの突発的な出来事が起きた場合でも、その影響をあまり受けなくてすむようにしなくてはならない。そのために、米疾病予防管理センター（CDC）の業務を拡大して、疾病とデータ管理センター（CDDC）と改称する。

CDCは国の健康を守る機関だ。エボラ出血熱危機の際には、検疫や報道機関向けの窓口にもなった。二〇一八年にコンゴでエボラ出血熱が発生したとき、国境警備隊は自分たちでウイルス感染に対処しようとはせず、CDCの安全対策に従った。

ではもし、一〇年後に自己改善AIが問題を起こしたら、どうなるだろう？　データを通じて無意識のうちにコンピューターウイルス感染を広めてしまったら？

CDCは安全対策を立て、それを実行するグローバルリーダーだ。一般の人を教育し、災害対応を引き受ける。AIが私たちの健康と健康データに密接に関係していることを考えると、AIの分野でもCDCを活用するのは当然だろう。

だが、OTAやCDDCにAI関連の業務を請け負ってくれる人材がいるだろうか？　シリコンバレーの仕事を通じて得られる特権のほうが、はるかに魅力的ではないだろうか？

私は、国防総省《ペンタゴン》にある米海軍の幹部向け食堂、およびG－マフィアの社内レストランの両方でランチをとったことがある。

海軍の幹部向け食堂では、皿は記章入りで、メニューには日替わりなどの選択肢があり、しかも海軍大将と席が隣になる可能性もある。だが、下級兵士は、幹部向けの食堂では食事ができない。また、国防総省で働く人たちは、フードコートや、サブウェイ、パンダエクスプレス、ダンキン・ドーナッツなどで食事をしている。注7 私も国防総省内のフードコートでトーストしたパニーニを食べた。多少ぱさついてはいたが、食べられる味だった。

いっぽう、G－マフィアの社内のフードコートは、まったく別ものだ。ニューヨークのグーグルでは、オーガニック・ポキ・ボウル。ロサンゼルスのグーグルでは、表面に焼き目をつけたホタテ貝に、舞茸、イカスミ・ライスの付け合わせを食べた。しかも無料で。

G－マフィアでの特権は食事だけではない。シアトルに「アマゾン・スフィア」がオープンした直後、友人がこの巨大なワークスペースを案内してくれた。

アマゾン・スフィアは本当にすばらしかった。室内の温度や湿度が調整され、スフィア内は常に気温二二～二三度に保たれている。ガラスで囲まれた空間には、三〇の国から移植した四万種類もの植物が植えられ、注8 空気は清々しく、よい香りが漂っている。そして、快適な椅子やテーブルがいたるところにある。大きなツリーハウスもあった。アマゾンのスタッフは、いつでも自由にスフィアで仕事ができる。

フェイスブックでは、フルタイムのスタッフは四カ月間の育児休暇が取得でき、新生児用品の購

入補助のために現金四〇〇〇ドルが支給される。注9

G－マフィアが社内で提供しているものを見ると、才能あるコンピューター科学者を政府や軍に迎え入れるのはきわめて難しいという印象を受ける。アメリカは、航空母艦に巨額を投じたり、それを建造したりするのに忙しく、才能ある人たちに投資をしてこなかった。G－マフィアから学ばずに、その特権をからかったり、非難したりしてきた。アメリカでは、優秀な人たちが国に仕えるという選択肢を選ぶことはあまりない。そういう仕事は魅力がないからだ。

このことを踏まえても、AIの国家プログラムにはもっと投資するべきだろう。予備役将校訓練課程（ROTC）【訳注／主に大学に設置された、陸海空軍および海兵隊の将校を養成するための教育課程】のようなものを創設する。その修了者は軍か政府のどちらで働くかを自分で選べる。高校時に入隊・入団し、大学の授業料を免除される代わりに軍か政府で数年間働いてもらうようにする。さらに彼らは、生涯を通じて無償の実践的技術訓練も受けられる。その訓練は年間を通じて行われる。

AIは成熟するにつれて変化していく。若い人たちに生涯訓練を受ける意欲を持ってもらうのは、彼らのためだけでなく、いま働いている人たちが、コンピューターの第三世代に移行するのにも役立つだろう。技能は常にアップデートされるので彼らが最終的に就職する企業は、その恩恵を直接的に受けることになる。

そうはいっても、ワシントンは単独では行動できない。アメリカ政府はG－マフィアやテクノロジー分野にもっと目を向け、彼らをプラットフォームプロバイダーとしてではなく、戦略的パートナーとして考えるべきだ。

二〇世紀には、ワシントンと大手テクノロジー企業の関係は、研究と学びの共有で成り立っていた。だがいまでは、互いを取引先として見ている感があり、両者はむしろ敵対しているとさえいえる。

カリフォルニア州のサンバーナーディーノで二人のテロリストが一〇人以上を殺害し、二〇人近くを負傷させた事件のあと、ＦＢＩとアップルは暗号化について激論を繰り広げた。ＦＢＩは証拠を入手するため、ｉＰｈｏｎｅからデータを取り出そうとしたが、アップルが協力を拒んだのだ。裁判所からの命令を受けて、ＦＢＩはアップルにｉＰｈｏｎｅのロックを解除するように要請したが、アップルは法廷だけでなく、メディアやツイッター上でもＦＢＩと戦った。[注10]

これは実際に起こった出来事だ。ＡＩが犯罪を重ねるようになったり、自己改善によって人を傷つけるようになったりする場面を想像してみよう。Ｇ－マフィアと政府が延々と言い争いを続けるなど最悪ではないだろうか。信頼と敬意によって築かれた関係を失うことは、アメリカという国家を、さらには国民全員を脆弱にしてしまう。

最後に言っておきたいことがある。規制は、最適な解決法に思えるかもしれないが、間違った選択にほかならない。立法者によって個別に策定されたものであっても、ロビイストたちの影響を受けたものであっても、規制を追求すれば私たちの未来は窮屈になる。政治家や政府幹部が規制を好むのは、シンプルで実行しやすいからだ。

だが、実際に機能させるには、その規則が具体的なものでなければならない。ＡＩは毎週のように進化している。厳密で効果的な規制を追求すれば、革新や進歩の余地を奪ってしまうのだ。

私たちはいま、ＡＮＩからＡＧＩへの――あるいはＡＳＩへの――長い変革のただ中にいる。二〇一九年に策定された規制は、その効果が生まれるころには時代遅れになっているだろう。少しのあいだ不安をやわらげる効果はあるかもしれないが、将来的に見ればダメージのほうが大きい。

ビッグ・ナインを変える――ＡＩのビジネスを変革する

ＧＡＩＡの結成と政府組織の変更はＡＩ開発の道筋にとって重要だが、Ｇ－マフィアとＢＡＴにもいくつかの変更に同意してもらわなければならない。

ビッグ・ナインのリーダーたちは全員、「人類のよりよい未来のためにＡＩを開発している」と語っている。私もその言葉を信じているが、いざそれを実践するとなると、とても難しい。

まず「よい」という言葉をどう定義すればいいのだろう？　具体的にはどういうことなのだろう？　「よりよい」という言葉は、ＡＩ種族《トライブ》の指針とするにはあまりにも曖昧で、誰もが納得できるものではない。

たとえば、ＡＩ種族《トライブ》が哲学者のイマヌエル・カントの影響を受けて、「人を殺すのは悪く、人を生かすのはよい」というような権利と義務のシステムをあらかじめＡＩに組み込んだとする。

このシステムは、ＡＩが自動車を木に衝突させて運転手に怪我を負わせるか、あるいは自動車を群衆に突っ込ませて全員を殺すかの二者択一を迫られたときであれば、うまく機能する。だが、柔軟性がに欠けるため、複雑な選択肢がある現実世界ではうまく機能しない。たとえば、木に衝突させて運転手を殺す。群衆に突っ込ませて八人を殺す。歩道に乗り上げて三歳の子ども一人を殺す。この選択肢の中でどれがもっとも「よい」かを決めることなどできるのだろうか?

繰り返すが、AIのフレームワークは、ビッグ・ナインにとっては便利なものだ。哲学者のように複雑な思考は必要ない。彼らは、丁寧で実直なアプローチを求めている。ビッグ・ナインは、データの入手・処理・利用、スタッフの採用、職場における倫理的問題について、一歩一歩着実に前進する必要がある。

ビッグ・ナインは、すべてのステップにおいてAIの動きを分析し、将来的に有害にならないかを判断するべきだ。そうすれば、選択が正しかったと確認できる。それには、偏見と透明性についての明確な基準も必要になる。

現在のところ、バイアスの度合いを測るための明確な基準や規格はない。AIに存在するバイアスの克服を目指して目標を共有しているわけでもない。スピードよりも安全性を優先させるメカニズムもない。

中国での私の経験や、現地で多発していたセキュリティ関連の事故について考えると、将来が不安になる。橋や建物が頻繁に崩壊し、道路や歩道も崩れ、食料汚染も多発している（誇張ではなく、中国では粉ミルクから米まで、過去数年で五〇万件以上の食品問題が発生している）[注11]。こうした問題のおもな原因の一つは、中国の職場では「手を抜く」ことがあたりまえになっていることだ。手を抜くチームがつくりあげた、進化したＡＩシステムなど、考えただけでと背筋が寒くなる。

法的強制力のある国際的安全基準がないなかでは、ＢＡＴは中国政府からの指示に従わざるをえない。そしてＧ－マフィアは、軽率な市場の需要に応えなければならない。透明性に関しても基準がない。

アメリカではＧ－マフィアは、米国自由人権協会、ニュー・アメリカ・ファウンデーション、ハーバード大学バークマン・センターとともに「パートナーシップ・オン・ＡＩ」に加盟していて、ＡＩ研究における透明性を促進していく立場にある。この団体は、ＡＩ研究を推進するガイドとなるような、すばらしい提案書を公表している。

だが、その提案に法的強制力はなく、Ｇ－マフィアのすべてのビジネスユニットで遵守されているわけではない。もちろんＢＡＴでも守られてはいない。

ビッグ・ナインは欠陥のあるＡＩ訓練データセットを利用している。このデータが偏見にまみれているのは周知の事実だ。問題は、訓練データセットと学習モデルを改善するのにかなりの資金が必要になる点だ。

たとえば、訓練データセット「ＩｍａｇｅＮｅｔ」には深刻な問題がある。本書でも何度か言及しているこのデータセットには、一四〇〇万のラベル付き画像があり、そのうちの約半数がアメリカで撮影されたものだ。

アメリカでは、花嫁の「伝統的」なイメージは、白いドレスとベールを身につけた女性だ。だが実際の結婚式では、それと違う花嫁衣装姿の女性も多い。パンツスーツで結婚式を挙げる人もいれば、ビーチでカラフルなサマードレスを着て結婚式を挙げる人、着物やサリー姿で結婚する人もいる。私自身、ウェディングドレスの色はライトベージュだった。だが、ＩｍａｇｅＮｅｔでは、白いドレスとベール以外を着用した人を花嫁と認識できないようだ。

医療データセットにも問題が多い。がんを認識するように訓練されたシステムは、肌の色が白い人の画像を圧倒的に多く取り込んでいる。そうすると、将来的に黒い肌や褐色の肌の人のデータでは誤診のリスクが生じる。ビッグ・ナインがデータセットに問題があることを把握していながら何もしないでいるのは、ＡＩを誤った方向に導いていているに等しい。

第一の解決策は、ＡＩで使われている訓練データをＡＩに自分で精査させることだ。すでに何度も行われているが、それは訓練データを「クリーン」にするためではない。

ＩＢＭのインディア・リサーチ・ラボが、一九六九年から二〇一七年にかけてブッカー賞【訳注／世界的に権威のあるイギリスの文学賞】の最終選考に残った作品を分析した。その結果、「ジェンダーに対する偏見とステレオタイプが散見された。それは、登場人物の職業や行動などに現れていた」という。

男性の登場人物はテレビ局のディレクター、教授、医師といった職業に就き、女性は教師か娼婦

として描写されていることが多かった。[注12]

自然言語処理、グラフ理論などの基礎的な機械学習技術を使って文学賞受賞作品に見られる偏見が明らかになるなら、訓練データセットに見られる偏見も明らかにできるはずだ。問題がはっきりしたら、それを公表して修正する。だが訓練データの質が低下している恐れもあり、そうなると、システム全体を危険にさらしかねない。定期的にチェックすることで、訓練データを健全に保つことができる。

第二の解決案は、ビッグ・ナイン（あるいは少なくてもG－マフィア）が、新しい訓練データセットを作成する費用を一部でも負担することだ。新しいデータセットを作成するには、かなりの時間や資金や人的資本が必要である以上、その負担は軽くはない。

ビッグ・ナインは、データシステムの問題が解決するまで、人間の担当者がコンテンツをラベル付けし、そのプロセスを透明にするべきだ。さらに、データセットを実際に使用する前にデータを精査する必要がある。退屈で時間のかかる作業かもしれないが、それが全体の利益につながるのだ。

ビッグ・ナインは私たちの個人データを必要としている。だがそれは、当然のように入手できるものではなく、獲得すべきものである。サービス規約を難解でわかりにくい言葉に置き換えるのではなく、自分たちが何をしているのかを明確に説明し、公表しなければならない。

ビッグ・ナインが独自に、あるいは大学やAＩの生態系《エコシステム》内の組織などと共同で研究を行うときには、データの公表を約束し、研究の動機や期待する結果についても説明すべきだ。そうすれば、私たちも積極的にその研究に参加し、彼らの努力をサポートしようという気になるだろう。そうなったら、私は真っ先に実践するつもりだ。

いうまでもなく、データの開示を中国で実現するのは難しいだろうが、中国人のためにはそれが一番である。ＢＡＴは、自国や同盟国の国民の自由を制限したり、管理したりする目的の製品を開発することに同意すべきではない。ＢＡＴの幹部たちにはぜひ、勇気あるリーダーシップを示してほしい。彼ら自身も、政府に異議を唱える意思を持てば、それができるはずだ。国民を監視せよという要求を拒絶し、国民のデータを守り、少なくともデジタルの領域では、誰もが公平に扱われるということを保証してほしい。

ビッグ・ナインは、地に足のついた研究を行う必要がある。その目標はシンプルで明確だ。人類をリスクにさらすことなく進化させるテクノロジーを生み出すこと。それを実現するための一つの方法は、「ディフェレンシャル・テクノロジー・プロセス」と呼ばれるものを使うことだ。これは、リスクを減らすＡＩの進歩を、リスクを増やす進歩に優先させるというものだ。

よいアイデアだが、実現するのは難しい。たとえば、私のシナリオにも出てきた敵対的生成ネットワークは、ハッカーに利用されると非常に危険なものになる。だが同時に、研究という観点からは大きな成果につながる手段でもある。ＡＩを本来の目的とは違ったかたちで悪用する人はいないとか、問題が起こっても対処できるなどと考えるのではなく、新たな基礎研究や応用研究によってリスクを大きく上回る利益をもたらすＡＩを生み出せるかどうかを評価するプロセスを、ビッグ・ナインは開発すべきだ。

また、ビッグ・ナインが受ける、あるいは行う投資には有益な目的があり、その投資にはリスク・マッピングのための資金が含まれるべきだ。たとえば、仮にグーグルが敵対的生成ネットワークの研究を行うなら、ある程度の時間を人材、資金、マッピング、テストに費やすべきだ。こうした必要条件が満たされれば、短期的な収益確保を最優先させるという動きを緩和することもできる。ＡＩの開発サイクルのスピードを意図的に落とすことが重要だ。慎重に検討し、リスクに対する計画を立てておくほうが、何かが起こってから反応するよりも安全だからだ。

アメリカでは、Ｇ－マフィアは人材採用のプロセスを再調整すべきだろう。現在は、候補者のスキルと、企業文化に合っているかどうかで採用の可否を判断しているが、このプロセスにおいて見過ごされているのは「倫理観の理解度」である。

データ・サイエンティストとして評価の高いヒラリー・メイソンは、ファスト・フォワード・ラボの創業者でもある。彼女が勧めるのは、インタビューの場で簡単にできる倫理観スクリーニングだ。鋭い質問を投げて、その答えに注意深く耳を傾ける。

たとえば「金融機関への消費者アクセスのモデルをつくっていますね。あなたのモデルでは人種に偏りが見られます。この問題にどのように対処しますか？」「小規模ビジネスに資金を提供するため、ネットワーク・トラフィック・データを使うように依頼されています。使用可能なデータはクレジット・リスクを正確に伝えていないことがわかりました。どうしますか？[注13]」その答えによって、候補者を採用するかどうかを決める、あるいは条件付きで採用し、仕事を始める前に「無意識の偏見」に関する教育プログラムを受けてもらうのだ。

ビッグ・ナインは、倫理学者やリスク・アナリストを採用することによって、ＡＩについての倫理観をサポートする文化を築くことができる。こうした動きが、セールスとサービスのチーム、プロダクトチーム、テクニカルプログラムの共同リーダーたち、ネットワークおよびサプライチェーン構築チーム、デザインチームや戦略チーム、人事部や法務部、広報チームなど、組織全体に採り入れられるのが理想だ。

ビッグ・ナインは、研究、仕事の流れ、プロジェクト、パートナーシップ、製品における倫理的問題などを評価するプロセスを導入すべきだ。さらに、そのプロセスを公開し、誰もが自分のデータがどう判断に使われているのかがわかるようにする。

ビッグ・ナインは、ＡＩにかかわる者が守るべき行動規範をつくりだす必要がある。ＧＡＩＡが遵守している基本的人権を反映すべきだが、それ以外にも企業特有の文化や企業理念を織り込むべきだ。また、行動規範が守られない場合に備えて、明確かつ安全な内部告発の窓口を全社員に開かれたものにする。

現実的には、こうした手法はすべて、ビッグ・ナインの収益にとって短期的に見ればマイナスに作用するだろう。投資家は、彼らに息をつく暇を与えてあげてほしい。Ｇ－マフィアが進化するのに必要な時間を与えることが、将来の配当につながるはずだ。

AIの種族《トライブ》を変える――パイプラインを変容する

AI種族《トライブ》の「パイプライン・プログラム」にも触れておかなければならない。AI種族《トライブ》が生み出されるのは、大学だ。

影響力のある大学はG－マフィアやBATと提携することが多く、有名な教授も多い。コンピューター・サイエンス関連のカリキュラムの密度が濃く、講義のレベルも高い。だが、そうした大学で複数の分野を同時に専攻するのは難しい。それどころか、コンピューター・サイエンスと無関係の講義に出ることさえ思いとどまらざるをえないことが多い。

しかし、これは解決可能な問題だ。大学は複数の学位の取得を奨励し、コンピューター・サイエンスに加えて、政治学、哲学、人類学、国際関係、経済学、アート、神学、社会学などの学位も取得できるようにする。そのためには、学生が受講しやすい環境を整えることが必要だ。

倫理学は必修科目にする。AI教育にとって重要な基礎科目だからだ。そして、講義の中に哲学、偏見、リスク、倫理についての議論を採り入れる。第三者機関による大学評価においても、こうした点を評価対象にして、倫理学をコンピューター・サイエンスの教育の基礎に据えるカリキュラムを高く評価する。

大学は、多様性に目を向けながら学部生や大学院生の受け入れおよび教職員の採用を行う。つまり、入試と採用のプロセスそのものを見直し、女性や、白人以外の人材を数パーセント増やすことだけを目標にするのではなく、新たにAI種族《トライブ》の一員となる人材の人種やジェンダー、支持政党、セクシュアル・アイデンティティなどの割合を劇的に変化させることを目指したい。

さらに、大学は説明責任を持つべきだ。ＡＩ種族《トライブ》はもっと多様化できるはずなので、さらなる努力を続けてほしい。

あなたも変わらなくてはならない

ここまで読めば、ＡＩとは何か、何がＡＩでないのか、ＡＩがどうして重要なのかが理解できたはずだ。さらに、ビッグ・ナインの歴史や将来の目標もわかっただろう。ＡＩは一時的な流行でも、キッチンで私たちに話しかけるクールなガジェットでもない。ＡＩはあなたの人生の一部であり、あなた自身がその開発の過程に組み込まれている。

あなたはＡＩ種族《トライブ》の一員だ。もう言い訳はできない。今日から、自分のデータがどのように取得されていて、ビッグ・ナインによってどのように加工されているかを知っておこう。現在利用しているサービスやツールの設定画面でその詳細が見られるはずだ。電子メールやソーシャル・メディア、スマートフォンの位置情報サービスなどのすべてに共通する「許可設定」も見直そう。

次に、あなたの顔、身体、仕草などのデータを比較するようなアプリがあれば、そのデータが機械学習システムの訓練に使われていないかをチェックしてみよう。機械に自分を認識させているとき、自分のデータがどこに保存されているのか、その目的が何かも考えよう。サービス規約を読もう。もしも何かがおかしいと感じたら、冷静にそのシステムの使用をやめること。ＡＩとは何か、その生態系《エコシステム》がいかにデータを利用しているか、ビッグ・ナインがつくってきた未来に私たちがいかに入り込んでいるのかを、あなたの家族や友人が学べるように手助けしよう。

職場では、現実的な質問を自らに投げかけよう。自分の偏見がまわりの人にどのような影響を与えているだろう？　無意識のうちに、自分と外見が似ていて世界観も近い人に手を差し伸べたり、昇進させたりしていないだろうか？　あえて避けている自覚はないものの、特定の人を外していないだろうか？

職場では誰が決定権を持っているかを考えてみよう。その人たちが反映しているのは、ありのままの世界だろうか？　それとも、自分の見ている世界だろうか？

自動化されたシステムが職場で使われていたら、なぜ、どのようにして使われるようになったのかを調べてみよう。慌てて結論を出す前に、批判的かつ合理的に考えてみること。将来へはよい影響を与えるだろうか、悪い影響を与えるだろうか？　それから、できるだけリスクを避け、最適化できるようにしてみよう。

選挙で投票するとき、安易な規制に賛成せずにＡＩに関して長期的に考えられる人に投票しよう。公務員は、テクノロジーを政治的に利用したり、科学を非難したりしてはならない。とはいえ、ふだんはシリコンバレーについていっさい触れずに、否定的な報道がなされたときだけコメントするのも無責任だ。選ばれた議員に関しては、ＡＩに対する行動に責任を取ってもらおう。

メディアは、賢く利用する必要がある。メディアがＡＩの未来について語るとき、その物語は視野が狭すぎるものである場合が多い。ＡＩの未来は、失業が広がり、無人の兵器が頭上を飛び交うだけの世界ではない。

未来に関してはっきりしたことは言えないが、ＡＩが歩む可能性のある道筋ははっきりしている。ビッグ・ナインがＡＩの開発をどのように進めているか。投資家がＡＩシステムの速度と安全性にどんな影響を及ぼしているか。アメリカ政府と中国政府がどのような役割を演じているか。大学が技術や感覚をどのように刷り込んでいるか。一般の人がいかにシステムに組み込まれているか。これらの問題について、あなたはいま、以前よりもよく知っている。

さあ、目を開けて山の上の岩に目を凝らしてみよう。いまにもその岩が勢いよく転がり落ちてきそうだからだ。エイダ・ラブレスが自分で作曲できるコンピューターを想像したときから、岩は動いていた。アラン・チューリングが「機械は考えられるのか?」と質問したときも、ジョン・マッカーシーとマーヴィン・ミンスキーが大勢の人を集めてダートマス・ワークショップを開催しときにも、岩は動いていた。ワトソンが人気クイズ番組で勝ったときも、最近、ディープマインドが囲碁世界チャンピオンを破ったときも、岩は動いていた。あなたが本書のページをめくっているあいだにも、岩は動いている。

誰もが物語の英雄になりたがる。
いまがそのチャンスだ。
小石を拾おう。
山を登りはじめよう。

謝辞

ＡＩ（人工知能）と同じように、本書も何年もの歳月をかけて発展してきた。電子メールでの一連の質問から始まって、ディナーの席で話題になり、しまいにはジムにも、デートにも、週末の外出にも、いつでもどこでも私についてまわるようになった。その間、ブライアン・ウルフが私の仕事をサポートしてくれた。ブライアンは私の研究に貢献し、私の主張を固めるのを手伝ってくれ、夜遅くまで私の原稿を編集してくれた。深く感謝している。

本書は、何百というミーティング、インタビュー、ＡＩ関係者とのディナーから生まれた。ソーウエル・チャン、ノリユキ・シバタ、アーフィヤ・エリ、ジョエル・パケット、エリン・マッキーン、ビル・マクベイン、フランセス・コロン、トーフィ・フランス・オラフゾーン、ラトヤ・ピーターソン、ロブ・ハイ、アナ・セカラン、クリス・シェンク、カラ・スネスコ、ナディム・ホサイン、ミーガン・キャロル、エレナ・グレワル、ジョン・ドイッチュ、ネハ・ナルーラ、トシ・エゾエ、マサオ・タカハシ、メアリー・マッデン、シンタロウ・ヤマグチ、ローレライ・ケリー、ヒロ・ノザキ、カレン・イングラム、カーステン・グラハム、フランチェスカ・ロッシ、ベン・ジョンソン、パオラ・アントネリ、ヨアヴ・シュレジンガー、ハーディー・カギモト、ジョン・ダビドウ、レイチェル・スクラー、グリニス・マックニコル、ヨウヘイ・サドシマ、エリコ・オオカは、寛大にも時間や展望や洞察を共有してくれた。そのおかげで、ＡＩの可能性とリスクについて理解を深めることができた。

米日財団のおかげで、シー・トーマス中佐、退役陸軍少佐Ｄ・Ｊ・スケルトン、ディフェンス・イノベーション・ボードのエグゼクティブ・ディレクター、ジョシュア・マルクーゼ、国家安全保障アナリストのジョン・ヌーナンと出会うことができ、私たちはＵＳＪＬＰ（日米リーダーシップ・プログラム）フェローとして何日もともに過ごした。戦争の未来、太平洋沿岸における米軍の役割、中国のさまざまな戦略イニシアティブについて懇切丁寧に説明してくれたすべての人に、心から感謝の気持ちを伝えたい。とくに、シリコンバレーとワシントンＤ．Ｃ．をつなぐ架け橋としてのジョシュアの活躍には感銘を受けた。ジョシュアはＡＩの英雄の一人だ。

アスペン研究所の戦略グループは、コロラド州の夏の定例会で、私にＡＩの未来と地政学について発表する機会を提供してくれた。そこでの対話は大いに役立った。私を招待してくれたノコラス・バーンズ、コンドリーザ・ライス、ジョセフ・ナイ、ジョナサン・プライスに心からお礼を言う。そしてカーラ・アン・ロビンズ、リチャードにダンツイヒ、ジェームズ・ベーカー、ウェンディー・シャーマン、クリスチャン・ブローズ、エリック・ローゼンバッハ、スーザン・シュワブ、アン゠マリー・スローター、ボブ・ゼーリック、フィリップ・ゼリコウ、ドヴ・ザクハイム、ローラ・ローゼンバーガー、マイク・グリーンには、貴重なフィードバックをいただき感謝している。

私の考えの多くは、ニューヨーク大学スターン・スクール・オブ・ビジネスで生まれた。ここは私の研究のホームグラウンドだ。私をＭＢＡプログラムに迎えてくれたサム・クレイグ教授には、ここ数年の助言も含めてお礼を言いたい。私の講義を受講してくれた優秀でクリエイティブな学生たちについては、いくら言葉を尽くしても感謝しきれない。とくに、最近MBAプログラムを修了した三名、クリッフィー・ペレズ、エレーナ・ギラルト、ロイ・レヴコヴィッツは、私がAIの未来を設計するにあたって、すばらしいフィードバックをくれた。

相談にのってくれたり、アドバイスしたりしてくれる賢い人たちがまわりにいて、本当に運がいいと思っている。私の仕事はすべて、彼らのおかげでよりよいものになっているはずだ。ダニー・スターンは、数年前にニューヨーク大学のキャンパスで私の人生を変えた。スターンは飛躍的に考える方法を教えてくれ、私の研究を幅広い人たちとつなげる方法を示してくれた。スターン戦略グループにおけるスターンのパートナー、メル・ブレイクは、何百時間も私を指導してくれ、私の考えを形にし、私のまわりの世界を違うものとして見る手助けをしてくれた。二人は私にとって、インスピレーション、モチベーション、努力の源でありつづけるだろう。ハーバード大学のジェームズ・ゲアリーとアン・マリー・リピンスキーは寛大にも、予測の方法論をさらに発展させるために、未来について話す機会を持つきっかけをつくってくれた。二人は最高のアドバイザーだ。大好きな友人のマリア・ポポヴァのおかげで、私はより広い視野で物事を考えることができるようになった。娘のペトラ・ウルフは、いつも私に「もし、〇〇だったら？」ときいてくるので、私自身が未来について考えるときの認識の偏りに気づかせてくれる。そしてもちろん、コロンビア大学のサミュエル・フリードマン教授にも感謝の気持ちを捧げたい。

シェリル・クーニーには、いつも感謝している。私のために精力的に働いてくれ、そのおかげで仕事がはかどっている。どんなＡＧＩがつくられようと、シェリルの代わりができるとは思えない。エミリー・コーフィールドは、どこまでも忍耐強く私の仕事をサポートしてくれた。フィリップ・ブランチャードは今回も、事実確認、校閲、注釈作成、資料のまとめに貢献してくれた。マーク・フォーティエは、本書がメディアや重要人物の目にとまるように尽力してくれ、宣伝についても貴重なアドバイスをしてくれた。あらためてお礼を言いたい。

　最後になるが、キャロル・フランコ、ケント・ラインバックとジョン・マハネーには、どんなに感謝してもしきれない。私の著作権代理人として、キャロルは本書の契約を締結してくれた。また、キャロルは夫のケントとともに、サンタフェの素敵な自宅に私を受け入れてくれた。そのおかげで、本書の構成やテーマを深めることができた。私たちは何日も話し合って、本書の根幹となる部分を固めていった。そして、仕事の合間に街を散策し、素敵なレストランで議論を繰り広げた。担当編集者のジョン・マハネーも紹介してもらった。前作でも一緒に仕事をした、理想的な編集者だ。マハネーは多くの質問をし、質の高い報告を要求し、細部にこだわってくれた。私が本書を書いたのは、ＡＩの未来に関する新たな視点を提示したかったからだ。だが、動機がまったく無私だったとは言えない。再びマハネーと一緒に仕事をできたおかげで、一年にわたって彼から学び、文章を改善できる機会を持てた。ジョン、ケント、キャロル、あなたたちは偉大なチームだ。あなたたちと知り会えたのは、私にとって信じがたい僥倖《ぎょうこう》だ。

america.html.

6. Kenneth D. Kochanek, M.A. Sherry L. Murphy, B.S. Jiaquan Xu, M.D., and Elizabeth Arias, Ph. D. *Mortality in the United States*, 2016, NCHS Data Brief no. 293 (Hyattsville, MD: National Center for Health Statistics, 2017), https://www.cdc.gov/nchs/data/databriefs/db293.pdf.

第八章　小石と岩――AIの未来をよくする方法

1. "Vinton G. Cerf," Google AI, https://ai.google/research/people/author32412.
2. アシモフの「Runaround（堂々めぐり）」は一九四二年に『*Astounding Science Fiction*（アスタウンディング・サイエンス・フィクション）』誌に最初に掲載された。また短編集『われはロボット（I, Robot）』（一九五〇年、邦訳は早川書房、小尾芙佐訳）、『コンプリート・ロボット（*The Complete Robot*）』（一九八二年、邦訳は早川書房、小尾芙佐訳）、および『未来探測（*Robot Visions*）』（一九九〇年）にも収められている。
3. Human Cell Atlas, https://www.humancellatlas.org/learn-more.
4. Cade Metz, "As China Marches Forward on A.I., the White House Is Silent," *New York Times*, February 12, 2018, https://www.nytimes.com/2018/02/12/technology/china-trump-artificial-intelligence.html.
5. Yoni Heisler, "Amazon in 2017 Spent Almost Twice as Much on R&D as Microsoft and Apple—Combined," *BGR*, April 10, 2008, https://bgr.com/2018/04/10/amazon-vs-apple-research-and-development-2017-alphabet-google/
6. "The OTA Legacy," Princeton University, http://www.princeton.edu/~ota/.
7. "Dining," Department of Defense Washington Headquarters Services, http://www.whs.mil/our-services/building-facilities/dining.
8. "The Spheres are a place where employees can think and works differently surrounded by plants," the spheres, https://www.seattlespheres.com/.
9. Alicia Adamczyk, "These Are the Companies with the Best Parental Leave Policies," *Money*, November 4, 2015, http://time.com/money/4098469/paid-parental-leave-google-amazon-apple-facebook/.
10. Amy Webb, "Apple vs. FBI Debate May Be the Least of Our Challenges," *CNN*, February 29, 2016, https://www.cnn.com/2016/02/25/opinions/when-technology-clashes-with-law-iphone-opinion-webb/index.html.
11. "China Uncovers 500,000 Food Safety Violations in Nine Months," *Reuters*, December 24, 2016, https://www.reuters.com/article/us-china-food-safety/china-uncovers-500000-food-safety-violations-in-nine-months-idUSKBN14D046.
12. Suneera Tandon, "An IBM Team Identified Deep Gender Bias from 50 Years of Booker Prize Shortlists," *Quartz India*, July 24, 2018, https://qz.com/india/1333644/ibm-identifies-gender -bias-in-booker-prize-novel-shortlists/.
13. Hilary Mason, *Twitter*, March 28, 2018, https://twitter.com/hmason/status/979044821749895170

12. Frederick P. Brooks, *The Mythical Man Month: Essays on Software Engineering,* Anniversary Edition (Boston: Addison Wesley, 1995).
13. Peter Wilby, "Beyond the Flynn Effect: New Myths about Race, Family and IQ?," *Guardian*, September 27, 2016, https://www.theguardian.com/education/2016/sep/27/james-flynn-race-iq -myths-does-your-family-make-you-smarter.
14. Stephanie Condon, "US Once Again Boasts the World's Fastest Supercomputer," *ZDNet*, June 8, 2018, https://www.zdnet.com/article/us-once -again -boasts-the-worlds-fastest-supercomputer/.
15. Jen Viegas, "Comparison of Primate Brains Reveals Why Humans Are Unique," *Seeker*, November 23, 2017, https://www.seeker.com/health/mind/comparison-of-primate-brains-reveals-why-humans-are-unique.
16. Nick Bostrom, "Ethical Issues in Advanced Artificial Intelligence," NickBostrom.com, 2003, https://nickbostrom.com/ethics/ai.html.
17. I. J. Good, "Speculations Concerning the First Ultraintelligent Machine," *Advances in Computers* 6 (1965): 31–88.
18. Gill A. Pratt, "Is a Cambrian Explosion Coming for Robotics?," Journal of *Economic Perspectives* Vol.29, no. 3 Summer 2015 (pp.51–60), https://www.aeaweb.org/articles?id=10.1257/jep.29.3.51.

第六章　一〇〇〇の切り傷とともに生きる——実際的なシナリオ

1. Casey Ross and Ike Swetlitz, "IBM Watson Health Hampered by Internal Rivalries and Disorganization, Former Employees Say," *STAT*, June 14, 2018, https://www.statnews.com/2018/06/14/ibm-watson-health-rivalries-disorganization/.
2. 同上
3. Gamaleldin F. Elsayed, Ian Goodfellow, and Jascha Sohl-Dickstein, "Adversarial Reprogramming of Neural Networks," preprint edition accessed, https://arxiv.org/pdf/1806.11146.pdf.
4. Orange Wang, "Chinese Mobile Payment Giants Alipay, Tenpay fined US$88,000 for Breaking Foreign Exchange Rules," *South China Morning Post*, July 25, 2018, https://www.scmp.com/news/china/economy/article/2156858/chinese-mobile-payment -giants-alipay-tenpay-fined-us88000.

第七章　人工知能王朝——悲劇的なシナリオ

1. "China Has a Vastly Ambitious Plan to Connect the World," *Economist*, July 28, 2018, https://www.economist.com/briefing/2018/07/26/china-has-a-vastly-ambitious-plan-to-connect-the-world.
2. 同上
3. 同上
4. 同上
5. Ernesto Londoño, "From a Space Station in Argentina, China Expands Its Reach in Latin America," *New York Times*, July 28, 2018, https://www.nytimes.com/2018/07/28/world/americas/china-latin-

blogs.microsoft.com/blog/2016/03/25/learning-tays-introduction/.
23. Verity Harding and Sean Legassick, "Why We Launched DeepMind Ethics & Society," DeepMind (blog), October 3, 2017, https://deepmind.com/blog/why-we-launched-deepmind-ethics-society/.
24. "Baidu CEO tells staff to put values before profit after cancer death scandal," *CNBC*, May 10, 2016, https://www.cnbc.com/2016/05/10/baidu-ceo-tells-staff-to-put-values-before-profit-after-cancer-death-scandal.html.

第四章　人工超知能までの道のり――警告

1. パートⅡの執筆には多くのソースの研究を用いており、参照先は参考文献に掲載している。加えて科学博物館（ロンドン）でロボットの展示も見た。ここでは過去五〇〇年間の人型ロボットを公開しており、第五章から第七章で紹介したテーマを探索するのにすばらしい場所だった。

2. Mike Floorwalker, "10 Deadly Disasters We Should Have Seen Coming," Listverse, March 2, 2013, https://listverse.com/2013/03/02/10-deadly-disasters-we-should-have-seen-coming/. And also David Teather, "90-Second Nightmare of Shuttle Crew," *Guardian*, February 6, 2003, https://www.theguardian.com/world/2003/feb/06/columbia.science.
3. Katrina Brooker, "I Was Devastated: Tim Berners-Lee, the Man Who Created The World Wide Web, Has Some Regrets," *Vanity Fair*, July 1, 2018, https://www.vanityfair.com/news/2018/07/the-man-who-created-the-world-wide-web-has-some-regrets.
4. Tim Berners-Lee, "The Web Is Under Threat. Join Us and Fight for It," World Wide Web Foundation (blog), March 12, 2018, https://webfoundation.org/2018/03/web-birthday-29/.
5. "Subscriber share held by smartphone operating systems in the United States from 2012 to 2018," Statista, https://www.statista.com/statistics/266572/market-share-held-by -smartphone -platforms-in -the -united-states/.
6. "Primary e-mail providers according to consumers in the United States as of January 2016, by age group," Statista, https://www.statista.com/statistics/547531/e-mail-provider-ranking-consumer-usa-age/.
7. Marisa Fernandez, "Amazon Leaves Retail Competitors in the Dust, Claims 50% of U.S. E-Commerce Market," *Axios*, July 13, 2018, https://www.axios.com/amazon-now-has-nearly-50-of-the-us-e-commerce-market-1531510098-8529045a-508d-46d6-861f-1d0c2c4a04b4.html.
8. Art Kleiner, "The Man Who Saw the Future," *Strategy+Business*, February 12, 2003, https://www.strategy-business.com/article/8220? gko=0d07f.
9. Cass R. Sunstein, "Probability Neglect: Emotions, Worst Cases, and Law," *Chicago Unbound*, John M. Olin Program in Law and Economics Working Paper No. 138, 2001.
10. "Quick Facts 2015," National Highway Traffic Safety Administration, https://crashstats.nhtsa.dot.gov/Api/Public/ViewPublication/812348.
11. "Aviation Statistics," National Transportation Safety Board, https://www.ntsb.gov/investigations/data/Pages/aviation_stats.aspx.

blog.google/technology/ai/ai-principles/.

9. "QuickFacts," United States Census Bureau, accessed July 1, 2017, https://www.census.gov/quickfacts/fact/table/US/PST045217.

10. Alan MacCormack, John Rusnak, and Carliss Baldwin, *Exploring the Duality Between Product and Organizational Architectures: A Test of the "Mirroring" Hypothesis*, HBS Working Paper No. 08-039, (Boston: Harvard Business School, 2008), https://www.hbs.edu/faculty/Publication%20Files/08-039_1861e507-1dc1-4602-85b8 -90d71559d85b.pdf.

11. Riccardo Miotto, Li Li, Brian A. Kidd, and Joel T. Dudley, "Deep Patient: An Unsupervised Representation to Predict the Future of Patients from the Electronic Health Records," *Scientific Reports*, May 17, 2016, https://www.nature.com/articles/srep26094.

12. Alexander Mordvintsev, Christopher Olah, and Mike Tyka, "Inceptionism: Going Deeper into Neural Networks," Google AI Blog, June 17, 2015, https://ai.googleblog.com/2015/06/inceptionism-going-deeper-into-neural.html.

13. "Inceptionism: Going Deeper into Neural Networks," Google Photos, December 12, 2008–June 17, 2015, https://photos.google.com/share/AF1QipPX0SCl7OzWilt9LnuQliattX4OUCj_8EP65_cTVnBmS1jnYgsGQAieQUc1VQWdgQ?key=aVBxWjhwSzg2RjJWLWRuVFBBZEN1d205bUdEMnhB.

14. Latanya Sweeney, "Discrimination in Online Ad Delivery," ACM Queue 11, no. 3, (March 2013): 10, doi.org/10.1145/2460276.2460278.

15. Ali Winston, "Palantir Has Secretly Been Using New Orleans to Test Its Predictive Policing Technology," *Verge*, February 27, 2018, https://www.theverge.com/2018/2/27/17054740/palantir-predictive-policing-tool-new-orleans-nopd.

16. Julia Angwin, Jeff Larson, Surya Mattu, and Lauren Kirchner, "Machine Bias," ProPublica, May 23, 2016, https://www.propublica.org/article/machine-bias-risk-assessments-in-criminal-sentencing.

17. Kevin McLaughlin and Jessica E. Lessin, "Deep Confusion: Tensions Lingered Within Google Over DeepMind," *Information*, April 19, 2018, https://www.theinformation.com/articles/deep-confusion-tensions-lingered-within-google-over-deepmind.

18. James Vincent, "Google's DeepMind and UK Hospitals Made Illegal Deal for Health Data, Says Watchdog," *Verge*, July 3, 2017, https://www.theverge.com/2017/7/3/15900670/google-deepmind-royal-free-2015-data-deal-ico-ruling-illegal.

19. Mustafa Suleyman and Dominic King, "The Information Commissioner, the Royal Free, and What We've Learned," DeepMind (blog), July 3, 2017, https://deepmind.com/blog/ico-royal-free/.

20. "Microsoft Launches Fifth Generation of Popular AI Xiaoice," *Microsoft News Center*, https://www.microsoft.com/en-us/ard/news/newsinfo.aspx?newsid=article_2017091.

21. Sophie Kleeman, "Here Are the Microsoft Twitter Bot's Craziest Racist Rants," *Gizmodo*, March 24, 2016, https://gizmodo.com/here-are-the-microsoft-twitter-bot-s-craziest-racist-ra-1766820160.

22. Peter Lee, "Learning from Tay's Introduction," *The Microsoft Official Blog*, March 25, 2016, https://

68. 同上
69. "The Thousand Talents Plan: The Recruitment Program for Innovative Talents (Long Term)," Recruitment Program of Global Experts, http://1000plan.org.cn/en/.
70. Tom Simonite, "The Trump Administration Plays Catch-Up on Artificial Intelligence," *Wired*, May 11, 2018, https://www.wired.com/story/trump-administration-plays-catch-up-artificial-intelligence/.
71. Ari Levy, "Dropbox Is Going Public: Here's Who's Making Money," *CNBC*, February 23, 2018, https://www.cnbc.com/2018/02/23/dropbox-is-going-public-heres-whos-making-money.html.
72. John Gramlich, "5 Facts about Americans and Facebook," *Fact Tank* (blog), April 10, 2018, http://www.pewresearch.org/fact-tank/2018/04/10/5-facts-about-americans-and-facebook/.
73. Elizabeth Weise, "Amazon Prime Is Popular, but in Three-Quarters of All U.S Homes? That's Open to Debate," *USA Today*, October 20, 2017, https://www.usatoday.com/story/tech/2017/10/20/amazon-prime -big-though-how-big-no-one-knows/784695001/.
74. "Mobile Fact Sheet," Pew Research Center.
75. https://github.com/tensorflow/tensorflow.
76. Microsoft News Center, "Microsoft to Acquire GitHub for $7.5 Billion," Microsoft.com, June 4, 2018, https://news.microsoft.com/2018/06/04/microsoft-to-acquire-github-for-7-5-billion/.
77. Jordan Novet, "Why Tech Companies Are Racing Each Other to Make Their Own Custom A.I. Chips," *CNBC*, April 21, 2018, https://www.cnbc.com/2018/04/21/alibaba-joins-google-others-in-making-custom-ai-chips.html.
78. 全体は以下で参照可能――https://graphics.axios.com/pdf/PlatformPolicyPaper.pdf?_ga=2.167458877.2075880604.1541172609-1964512884.1536872317.
79. Tweets can be accessed at https://twitter.com/tim_cook/status/1055035534769340418.

第三章　千もの切り傷――AIが意図しない結果

1. "'An Owner's Manual' for Google's Shareholders," *2004 Founders' IPO Letter*, Alphabet Investor Relations, https://abc.xyz/investor/founders-letters/2004/ipo-letter.html.
2. 同上
3. "Leadership Principles," Amazon, https://www.amazon.jobs/principles.
4. "Focus on Impact," Facebook, September 8, 2015, https://www.facebook.com/facebookcareers/photos/a.1655178611435493.1073741828.1633466236940064/1655179928102028/?type=3&theater.
5. "Core Values," Tencent, https://www.tencent.com/en-us/culture.html.
6. "Culture and Values," Alibaba Group, https://www.alibabagroup.com/en/about/culture.
7. Mark Bergen, "Google Engineers Refused to Build Security Tool to Win Military Contracts," *Bloomberg*, June 21, 2018, https://www.bloomberg.com/news/articles/2018-06-21/google-engineers-refused-to-build-security-tool-to-win-military-contracts.
8. Sundar Pichai, "AI at Google: Our Principles," *The Keyword* (blog), Google,June 7, 2018, https://www.

carlgene.com/blog/2010/07/20-actually-useful-chengyu.

52. Stephen Chen, "China Takes Surveillance to New Heights with Flock of Robotic Doves, but Do They Come in Peace?," *South China Morning Post*, June 24, 2018, https://www.scmp .com /news /china/ society/article/2152027/china-takes-surveillance -new-heights-flock-robotic-doves-do-they.
53. Phil Stewart, "China Racing for AI Military Edge over U.S.: Report," *Reuters*, November 28, 2017, https://www.reuters.com/article/us -usa-china-ai/china-racing-for-ai-military-edge -over-u-s-report -idUSKBN1DS0G5.
54. Kate Conger, "Google Employees Resign in Protest Against Pentagon Contract," *Gizmodo*, May 14, 2018, https://gizmodo.com/google-employees-resign-in-protest-against-pentagon-con-1825729300.
55. Nitasha Tiku, "Amazon's Jeff Bezos Says Tech Companies Should Work with the Pentagon," *Wired*, October 15, 2018. https://www.wired.com/story/amazons-jeff-bezos-says-tech-companies-should-work-with-the-pentagon/.
56. Stewart, "China Racing for AI Military Edge."
57. State Council, People's Republic of China, "China Issues Guideline on Artificial Intelligence Development," English.gov.cn, last modified July 20, 2017, http://english.gov.cn/policies/latest_releases/2017/07/20/content_281475742458322.htm.
58. State Council, People's Republic of China, "Key AI Guidelines Unveiled," English.gov.cn, last modified December 15, 2017, http://english.gov.cn/state_council/ministries/2017/12/15/content_281475977265006.htm.
59. Elsa B. Kania, "China's AI Giants Can't Say No to the Party," *Foreign Policy*, August 2, 2018, https://foreignpolicy.com/2018/08/02/chinas-ai-giants -cant-say-no-to-the-party/.
60. 同上
61. 同上
62. John Pomfret, "China's New Surveillance State Puts Facebook's Privacy Problems in the Shade," *Washington Post*, March 27, 2018, https://www.washingtonpost.com/news/global-opinions/wp/2018/03/27/chinas-new-surveillance-state-puts-facebooks-privacy-problems-in-the-shade.
63. Nicholas Wright, "How Artificial Intelligence Will Reshape the Global Order," *Foreign Affairs*, July 10, 2018, https://www.foreignaffairs.com/articles/world/2018-07-10/how-artificial-intelligence-will-reshape-global-order.
64. Zhang Hongpei. "Many Netizens Take Issue with Baidu CEO's Comments on Data Privacy," *Global Times*, March 26, 2018, http://www.globaltimes.cn/content/1095288.shtml.
65. Raymond Zhong, "Chinese Tech Giant on Brink of Collapse in New U.S. Cold War," *New York Times*, May 9, 2018, https://www.nytimes.com/2018/05/09/technology/zte-china-us-trade-war.html.
66. Samm Sacks, "Beijing Wants to Rewrite the Rules of the Internet," *Atlantic*, June 19, 2018, https://www.theatlantic.com/international/archive /2018/06/zte-huawei-china-trump-trade-cyber/563033/.
67. 同上

techonomy.com/2018/05/china-releases-tech-dragon-bat/.

38. "Mobile Fact Sheet," Pew Research Center, February 5, 2018, http://www.pewinternet.org/fact-sheet/mobile/.
39. Kaya Yurieff, "Amazon's Cyber Monday Was Its Biggest Sales Day Ever," CNN Money, November 29, 2017, https://money.cnn.com/2017/11/29/technology/amazon-cyber-monday/index.html.
40. Helen H. Wang, "Alibaba's Singles' Day by the Numbers: A Record $25 Billion Haul," *Forbes*, November 12, 2017, https://www.forbes.com/sites /helenwang/2017/11/12/alibabas-singles-day-by-the-numbers-a-record-25-billion-haul/#45dcfea1db15.
41. Fannin, "China Releases a Tech Dragon."
42. Michael Brown and Pavneet Singh, *China's Technology Transfer Strategy* (Silicon Valley: Defense Innovation Unit Experimental, 2017), https://admin.govexec.com/media/diux_chinatechnologytransferstudy_jan_2018_(1).pdf
43. For the full text of the 13th FYP, see People's Republic of China, 13th Five-Year Plan on National Economic and Social Development, March 17, 2016. Translation. http://www.gov.cn/xinwen/2016-03/17/content_5054992.htm.
44. J.P., "What Is China's Belt and Road Initiative?," *Economist*, May 15, 2017, https://www.economist.com/the-economist-explains/2017/05/14/what-is-chinas-belt-and-road-initiative.
45. Salvatore Babones, "China's Middle Class Is Pulling Up the Ladder Behind Itself," *Foreign Policy*, February 1, 2018, https://foreignpolicy.com/2018/02/01/chinas-middle-class-is-pulling-up-the-ladder-behind-itself/.
46. Pew Research Center, *The American Middle Class Is Losing Ground* (Washington, DC: Pew Research Center, December 2015), http://www.pewsocialtrends.org/2015/12/09/the-american-middle-class-is-losing-ground/.
47. Emmie Martin, "70% of Americans Consider Themselves Middle Class—But Only 50% Are," *CNBC*, June 30, 2017, https://www.cnbc.com/2017/06/30/70-percent-of-americans-consider-themselves-middle-class-but-only-50-percent-are.html.
48. Abha Bhattarai, "China Asked Marriott to Shut Down Its Website. The Company Complied," *Washington Post*, January 18, 2018, https://www.washingtonpost.com/news/business/wp/2018/01/18 / china-demanded-marriott-change-its-website-the-company-complied.
49. Louis Jacobson, "Yes, Donald Trump Did Call Climate Change a Chinese Hoax," *PolitiFact*, June 3, 2016, https://www.politifact.com/truth-o-meter/statements/2016/jun/03/hillary-clinton/yes-donald-trump-did-call-climate-change-chinese-h/.
50. Michael Greenstone, "Four Years After Declaring War on Pollution, China Is Winning," *New York Times*, March 12, 2018, https://www.nytimes.com/2018/03/12/upshot/china-pollution-environment-longer-lives.html.
51. Carl Gene Fordham, "20 Actually Useful Chengyu," *CarlGene.com* (blog), August 14, 2008, http://

Street Journal, Aug. 13, 2017, https://www.wsj.com/articles/what-the-google-controversy-misses-the-business-case-for-diversity-1502625603.

25. Jessi Hempel, "Melinda Gates and Fei-Fei Li Want to Liberate AI from 'Guys With Hoodies,'" *Wired*, May 4, 2017, https://www.wired.com/2017/05/melinda-gates-and-fei-fei-li-want-to-liberate-ai-from-guys-with-hoodies/.
26. Meng Jing, "China Looks to School Kids to Win the Global AI Race," *South China Morning Post, International Edition*, May 3, 2018, https://www.scmp.com/tech/china-tech/article/2144396/china-looks-school-kids-win-global-ai-race.
27. "China Launches First University Program to Train Intl AI Talents," *Zhongguancun Science Park*, April 4, 2018, http://www.chinadaily.com.cn/m/beijing/zhongguancun/2018-04/04/content_35979394.htm.
28. David Barboza, "The Rise of Baidu (That's Chinese for Google)," *New York Times*, September 17, 2006, https://www.nytimes.com/2006/09/17/business/yourmoney/17baidu.html.
29. "Rise of China's Big Tech in AI: What Baidu, Alibaba, and Tencent Are Working On," CBInsights.com, April 26, 2018, https://www.cbinsights.com/research/china-baidu-alibaba-tencent -artificial-intelligence-dominance/.
30. Louise Lucas, "The Chinese Communist Party Entangles Big Tech," *Financial Times*, July 18, 2018, https://www.ft.com/content/5d0af3c4-846c-11e8-a29d-73e3d454535d.
31. Javier C. Hernández, "A Hong Kong Newspaper on a Mission to Promote China's Soft Power," *New York Times*, March 31, 2018, https://www.nytimes.com/2018/03/31/world/asia/south-china-morning-post-hong-kong-alibaba.html.
32. Paul Farhi, "Washington Post Closes Sale to Amazon Founder Jeff Bezos," *Washington Post*, October 1, 2013, https://www.washingtonpost.com/business/economy/washington-post-closes-sale-to-amazon-founder-jeff-bezos/2013/10/01/fca3b16a-2acf-11e3-97a3-ff2758228523_story.html?noredirect=on&utm_term=.3d04830eab75.
33. Jason Lim, "WeChat Is Being Trialled To Make Hospitals More Efficient In China," *Forbes*, June 16, 2014, https://www.forbes.com/sites/jlim/2014/06/16/wechat-is-being-trialed-to-make-hospitals-more-efficient-in-china/#63a2dd3155e2.
34. "Rise of China's Big Tech in AI."
35. Arjun Kharpal, "China's Tencent Surpasses Facebook in Valuation a Day after Breaking $500 Billion Barrier," *CNBC*, November 21, 2017, https://www.cnbc.com/2017/11/21/tencent-surpasses-facebook-in-valuation.html.
36. Sam Rutherford, "5 Things to Know About Tencent, the Chinese Internet Giant That's Worth More than Facebook Now," *Gizmodo*, November 27, 2017, https://gizmodo.com/5-things-to-know-about-tencent-the-chinese-internet-gi-1820767339.
37. Rebecca Fannin, "China Releases a Tech Dragon: The BAT," Techonomy, May 23, 2018, https://

facebook-employees-political-bias.html.

11. Veronica Rocha, "Crime-Fighting Robot Hits, Rolls over Child at Silicon Valley Mall," *Los Angeles Times*, July 14, 2016, http://www.latimes.com/local/lanow/la-me -ln-crimefighting-robot-hurts -child-bay-area-20160713-snap-story.html.
12. Julian Benson, "Elite's AI Created Super Weapons and Started Hunting Players. Skynet is Here," *Kotaku*, June 3, 2016, http://www.kotaku .co.uk/2016/06/03/elites-ai-created-super-weapons-and-started-hunting-players-skynet-is-here.
13. Joseph P. Boon, "Bob Hope Predicts Greater US," *Bucks County Courier* Times, August 20, 1974, https://newspaperarchive.com/bucks-county-courier-times-aug-20-1974-p-9/.
14. James McPherson, "The New Comic Style of Richard Pryor," *New York Times*, April 27, 1975. This is a great story on Pryor before he was famous.
15. Ashlee Vance, "How We Got Here," Bloomberg Businessweek, May 21, 2018, https://www.scribd.com/article/379513106/How-We-Got-Here.
16. "Computer Science," *Stanford Bulletin* 2018–19, Stanford University, https://exploredegrees.stanford.edu/schoolofengineering/computerscience/#bachelortext.
17. "Vector Representations of Words," TensorFlow.org, https://www.tensorflow.org/tutorials/representation/word2vec.
18. Tolga Bolukbasi et al., "Man is to Computer Programmer as Woman is to Homemaker? Debiasing Word Embeddings," *Advances in Neural Information Processing Systems* 29 (2016): 4349–4357, https://arxiv.org/abs/1607.06520.
19. Natalie Saltiel, "The Ethics and Governance of Artificial Intelligence," MIT Media Lab, Nov. 16, 2017, https://www.media.mit.edu/courses/the-ethics-and-governance-of-artificial-intelligence/.
20. 講義はここで参照可能：https://www.media.mit.edu/courses/the-ethics-and-governance-of-artificial-intelligence/.
21. Catherine Ashcraft, Brad McLain, and Elizabeth Eger, *Women in Tech: The Facts* (Boulder, CO: National Center for Women & Information Technology, 2016), https://www.ncwit.org/sites/default/files/resources/womenintech_facts_fullreport_05132016.pdf.
22. "Degrees in computer and information sciences conferred by degree-granting institutions, by level of degree and sex of student: 1970–71 through 2010–11," Table 349 in *Digest of Education Statistics, 2012* (Washington, DC: National Center for Education Statistics, 2013), https://nces.ed.gov/programs/digest/d12/tables/dt12_349.asp.
23. "Doctor's degrees conferred by postsecondary institutions, by race/ethnicity and field of study: 2013–14 and 2014–15," Table 324.25 in *Digest of Education Statistics, 2016* (Washington, DC: National Center for Education Statistics, 2018), https://nces.ed.gov/programs/digest/d16/tables/dt16_324.25.asp?current=yes.
24. Christopher Mims, "What the Google Controversy Misses: The Business Case for Diversity," *Wall*

*市会議員たちがデモ参加者に許可を与えるのを拒否したのは、彼らが暴力を［恐れ／推奨し］たから*である。「恐れ」という言葉が入れば、「彼ら」は市会議員になる。「推奨」なら「彼ら」はおそらくデモ参加者だろう。

レベスクは論文で、ウィノグラード・スキーマは以下の制約を満たすべきだとしている。

・人間の読み手が、簡単に曖昧さを解消できる（できれば、曖昧さがあるということに気づかないくらいに）

・選択制限のような、簡単なテクニックでは解決できない

・グーグルに対抗できる――こうしたことを明確にする、明らかな言語資料の統計テストはない。

第二章　限られた人々から成るAIの種族

1. Mike Isaac and Sheera Frenkel, "Facebook Security Breach Exposes Accounts of 50 Million Users," *New York Times*, September 28, 2018, https://www.nytimes.com/2018/09/28/technology/facebook-hack-data-breach.html.
2. Casey Newton, "Facebook Portal's Claims to Protect User Privacy Are Falling Apart, *Verge*, October 17, 2018, https://www.theverge.com/2018/10/17/17986992/facebook-portal-privacy-claims-ad-targeting.
3. "AMA: We Are the Google Brain Team. We'd Love to Answer Your Questions about Machine Learning," *Reddit*, August 4, 2016, https://www.reddit.com/r/MachineLearning/comments/4w6tsv/ama_we_are_the_google_brain_team_wed_love_to/.
4. 同上
5. "Diversity," Google, https://diversity.google/.
6. Nitasha Tiku, "Google's Diversity Stats Are Still Very Dismal," Wired, June 14, 2018, https://www.wired.com/story/googles-employee-diversity-numbers-havent-really-improved/.
7. Daisuke Wakabayashi and Katie Benner, "How Google Protected Andy Rubin, the 'Father of Android,'" *New York Times*, October 25, 2018, https://www.nytimes.com/2018/10/25/technology/google-sexual-harassment-andy-rubin.html.
8. David Broockman, Greg F. Ferenstein, and Neil Malhotra, "The Political Behavior of Wealthy Americans: Evidence from Technology Entrepreneurs," Stanford University Graduate School of Business, Working Paper No. 3581, December 9, 2017, https://www.gsb.stanford.edu/faculty-research/working-papers/political-behavior-wealthy-americans-evidence-technology.
9. "ICYMI: RNC Chairwoman and Brad Parscale Demand Answers from Facebook and Twitter," Republican National Committee, May 24, 2018, https://www.gop.com/icymi-rnc-chairwoman-brad-parscale-demand-answers-from-facebook-twitter.
10. Kate Conger and Sheera Frenkel, "Dozens at Facebook Unite to Challenge Its 'Intolerant' Liberal Culture," *New York Times*, August. 28, 2018, https://www.nytimes.com/2018/08/28/technology/inside-

ールは、論文「心・脳・プログラム（Minds, brains, and programs)」の中で、汎用人工知能、あるいは彼が「強い」AIと呼んでいたものに対して反論している。どんなに人間らしく振る舞おうとも、プログラムでコンピューターに「心」や「理解」「意識」を与えることはできない、というのだ。

34. Jonathan Schaeffer, Robert Lake, Paul Lu, and Martin Bryant, “CHINOOK The World Man-Machine Checkers Champion,” *AI Magazine* 17, no. 1 (Spring 1996): 21–29, https://www.aaai.org/ojs/index.php/aimagazine/article/view/1208
35. Avi Goldfarb and Daniel Trefler, “AI and International Trade,” *The National Bureau of Economic Research*, January 2018, http://www.nber.org/papers/w24254.pdf.
36. Toby Manning, “AlphaGo,” *British Go Journal* 174 (Winter 2015–2016): 15, https://www.britgo.org/files/2016/deepmind/BGJ174-AlphaGo.pdf.
37. Sam Byford, “AlphaGo Retires from Competitive Go after Defeating World Number One 3-0,” *Verge*, May 27, 2017, https://www.theverge.com/2017/5/27/15704088/alphago-ke-jie-game-3-result-retires-future.
38. David Silver et al., “Mastering the Game of Go Without Human Knowledge,” *Nature* 550 (October 19, 2017): 354–359, https://deepmind .com/documents/119/agz_unformatted_nature.pdf.
39. 同上
40. 同上
41. 記者会見の場で、アルファ碁ゼロの主要なプログラマー、デイビッド・シルバーが発言した内容。
42. Byford, “AlphaGo Retires From Competitive Go.”
43. Jordan Novet, “Google Is Finding Ways to Make Money from Alphabet’s DeepMind A.I. Technology,” *CNBC*, March 31, 2018, https://www.cnbc.com/2018/03/31/how-google-makes-money-from-alphabets-deepmind-ai-research-group.html.
44. Roydon Cerejo, “Google Duplex: Understanding the Core Technology Behind Assistant’s Phone Calls,” *Gadgets 360*, May 10, 2018, https://gadgets.ndtv.com/apps/features/google-duplex-google-io-ai-google-assistant-1850326.
45. Quoc Le and Barret Zoph, “Using Machine Learning to Explore Neural Network Architecture,” Google AI (blog), May 17, 2017, https://ai.googleblog.com/2017/05/using-machine-learning-to-explore.html.
46. ウィノグラード・スキーマ（Winograd schema）は、カナダのコンピューター・サイエンティスト、ヘクター・レベスクが二〇一一年に提案した、AIの能力を測るためのチューリング・テストの代替手段だ。スタンフォード大学のコンピューター・サイエンティスト、テリー・ウィノグラードから名前をとっている。人間と直接競争させることは、他の方法やAIの進化を軽視することになりかねない。ウィノグラード・スキーマは、多面的なテストで、合格するには広範囲のデータセットだけでは足りない。ニューヨーク大学の三人のコンピューター・サイエンティスト、アーネスト・デイビス、レオナ・モーゲンスターン、チャールズ・オルティスは、年に一度のウィノグラード・スキーマ・チャレンジを提案した。教員ウェブサイトにすばらしい例を掲載している。（二〇一八年九月五日にアクセス—— https://cs.nyu.edu/faculty/davise/papers/WinogradSchemas/WS.html）

カゴ大学の最年少の学生となる。

20. "The Dartmouth Workshop—as Planned and as It Happened," Stanford Computer Science Department's Formal Reasoning Group, John McCarthy's home page, lecture "AI: Past and Future," last modified October 30, 2006, http://www-formal.stanford.edu/jmc/slides/dartmouth/dartmouth/node1.html.
21. "The Dartmouth AI Archives," RaySolomonoff.com, http://raysolomonoff.com/dartmouth/.
22. Irving John Good, "Speculations Concerning the First Ultraintelligent Machine," *Advances in Computers*, Volume 6 (1966): 31–88, https://www.sciencedirect.com/science/article/pii/S0065245808604180?via%3Dihub.
23. Joseph Weizenbaum, "ELIZA—A Computer Program for the Study of Natural Language Communication Between Man and Machine," *Communications of the ACM 9*, no. 1 (January 1966): 36–45, http://web.stanford.edu/class/cs124/p36-weizenabaum.pdf.
24. Full script is on GitHub: https://github.com/codeanticode/eliza.
25. Ronald Kotulak, "New Machine Will Type Out What It 'Hears,'" *Chicago Tribune*, June 18, 1963, accessed via Chicago Tribune archives (paywall).
26. Herbert A. Simon and Allen Newell, "Heuristic Problem Solving: The Next Advance in Operations Research," *Operations Research 6* (1958): 1–10.
27. マッカーシーは、常識や論理的思考を示すアイデアについて研究したいと考えていた。だが集まってみると、グループには主要な思想家が欠けていた（彼は理論学者を求めていた）。
28. Brad Darrach, "Meet Shaky, the First Electronic Person," *Life Magazine*, November 20, 1970, Volume 69, 58B–58C.
29. National Research Council, *Language and Machines: Computers in Translation and Linguistics* (Washington, DC: The National Academies Press, 1966), 19. https://www.nap.edu/read/9547/chapter/1.
30. James Lighthill, "Artificial Intelligence: A General Survey," Chilton Computing, July 1972, http://www.chilton-computing.org.uk/inf/literature/reports/lighthill_report/p001.htm.
31. "Mind as Society with Marvin Minsky, Ph.D," transcript from "Thinking Allowed, Conversations on the Leading Edge of Knowledge and Discovery, with Dr. Jeffrey Mishlove," The Intuition Network, 1998, http://www.intuition.org/txt/minsky.htm.
32. 同上
33. AIの冬の時代は、警告の形で新たな未来への憶測も呼んだ。著書『コンピュータ・パワー――人工知能と人間の理性（Computer Power and Human Reason）』の中で、ワイゼンバウムはいう。人工知能は実現可能かもしれないが、人間の持つ共感や叡智といった資質を完全には再現できないだろう。だからコンピューターに重要な判断を任せてはならない。ワイゼンバウムは決定と判断を明確に分けている。決定は計算で行えるもので、プログラミング可能だ。だが判断は、計算ではなく評価を伴う。判断する能力は、私たちを人間たらしめているものだ。カリフォルニア大学バークレー校の哲学者、ジョン・サデイビッド・ブラックウェル——統計学者、数学者。ゲーム理論、情報理論、確率論、ベイズ理論におおいに貢献。

マミー・フィップス・クラーク——博士、社会心理学者。自意識を専門に研究。

テルマ・エストリン——神経生理学と脳の研究をコンピューター・システムに応用。ダートマス・サマー・プロジェクトが実施された当時はコロンビア・プレスビテリアン神経学研究所の脳波記録部門の研究者。

エバリン・ボイド・グランビル——数学者（博士）。アメリカ初の月と宇宙への有人ミッションのための軌道解析に使われたコンピューター・プログラムを開発。

ベティー・ホルバートン——数学者。エニアックの最初のプログラマーの一人。コンピューターのデバッグのブレイクポイントを開発。

グレース・ホッパー——コンピューター・サイエンティスト。コボル（COBOL）の最終的なクリエイター。コボルは、現在でも使われている初期のプログラミング言語。

メアリー・ジャクソン——エンジニア、数学者。のちにNASA初の黒人女性エンジニアとなる。

キャスリーン・マクナルティー——数学者。エニアックの最初のプログラマーの一人。

マーリン・メルツァー——数学者。エニアックの最初のプログラマーの一人。

ローザ・ペーター——数学者。帰納的関数論を開発。

フランセス・スペンス——数学者。エニアックの最初のプログラマーの一人。

ルース・タイテルバウム——数学者。エニアックの最初のプログラマーの一人。同僚のマーリン・メルツァーと共にベイズ理論の方程式を計算。

ドロシー・ヴォーガン——数学者、人間コンピューター。一九四九年にWest Area Computers（ウエスト・エリア・コンピューターズ）の管理者だった。

ジェシー・アーネスト・ウィルキンズ・ジュニア——原子核科学者、機械工学士、数学者。十三歳でシ

Carnegie Institute of Technology
Pittsburgh, PA

Solomonoff, Raymond J.
Technical Research Group
17 Union Square West
New York, NY

Steele, J. E., Capt. USAF
Area B., Box 8698
Wright-Patterson AFB
Ohio

Webster, Frederick
62 Coolidge Avenue
Cambridge, MA

Moore, E. F.
Bell Telephone Laboratory
Murray Hill, NJ

Kemeny, John G.
Dartmouth College
Hanover, NH

19. ダートマスのワークショップに参加していたら、多大な貢献を果たしていたであろうが見過ごされた女性、白人以外の人たちの短いリストを以下に作成した。まったく包括的とはいえず、まだまだ何十ページも続けることができる。創造力に富む、有能な人たちで、選外となった人たちの代表例だ。

ジェームズ・アンドリューズ――数学者、フロリダ州立大学教授。専門は群論と結び目理論。

ジーン・バーティック――数学者。世界初の計数型電子計算機、エニアックの最初のプログラマーの一人。

アルバート・ターナー・バルーチャーリード――数学者、理論家。マルコフ連鎖、確率論、統計におおいに貢献。

21 East Bergen Place
Red Bank, NJ

Sayre, David
IBM Corporation
590 Madison Avenue
New York, NY

Schorr-Kon, J. J.
C-380 Lincoln Laboratory, MIT
Lexington, MA

Shapley, L.
Rand Corporation
1700 Main Street
Santa Monica, CA

Schutzenberger, M. P.
R.L.E., MIT
Cambridge, MA

Selfridge, O. G.
Lincoln Laboratory, MIT
Lexington, MA

Shannon, C. E.
R.L.E., MIT
Cambridge, MA

Shapiro, Norman
Rand Corporation
1700 Main Street
Santa Monica, CA

Simon, Herbert A.
Department of Industrial Administration

Boston, MA

More, Trenchard
Department of Electrical Engineering
MIT
Cambridge, MA

Nash, John
Institute for Advanced Studies
Princeton, NJ

Newell, Allen
Department of Industrial Administration
Carnegie Institute of Technology
Pittsburgh, PA

Robinson, Abraham
Department of Mathematics
University of Toronto
Toronto, Ontario, Canada

Rochester, Nathaniel
Engineering Research Laboratory
IBM Corporation
Poughkeepsie, NY

Rogers, Hartley, Jr.
Department of Mathematics
MIT
Cambridge, MA

Rosenblith, Walter
R.L.E., MIT
Cambridge, MA

Rothstein, Jerome

E. R. I.
University of Michigan
Ann Arbor, MI

Holt, Anatol
7358 Rural Lane
Philadelphia, PA

Kautz, William H.
Stanford Research Institute
Menlo Park, CA

Luce, R. D.
427 West 117th Street
New York, NY

MacKay, Donald
Department of Physics
University of London
London, WC2, England

McCarthy, John
Dartmouth College
Hanover, NH

McCulloch, Warren S.
R.L.E., MIT
Cambridge, MA

Melzak, Z. A.
Mathematics Department
University of Michigan
Ann Arbor, MI

Minsky, M. L.
112 Newbury Street

Cambridge, MA

Farley, B. G.
324 Park Avenue
Arlington, MA

Galanter, E. H.
University of Pennsylvania
Philadelphia, PA

Gelernter, Herbert
IBM Research
Poughkeepsie, NY

Glashow, Harvey A.
1102 Olivia Street
Ann Arbor, MI

Goertzal, Herbert
330 West 11th Street
New York, NY

Hagelbarger, D.
Bell Telephone Laboratories
Murray Hill, NJ

Miller, George A.
Memorial Hall
Harvard University
Cambridge, MA

Harmon, Leon D.
Bell Telephone Laboratories
Murray Hill, NJ

Holland, John H.

Adelson, Marvin
Hughes Aircraft Company
Airport Station, Los Angeles, CA

Ashby, W. R.
Barnwood House
Gloucester, England

Backus, John
IBM Corporation
590 Madison Avenue
New York, NY

Bernstein, Alex
IBM Corporation
590 Madison Avenue
New York, NY

Bigelow, J. H.
Institute for Advanced Studies
Princeton, NJ

Elias, Peter
R. L. E., MIT
Cambridge, MA

Duda, W. L.
IBM Research Laboratory
Poughkeepsie, NY

Davies, Paul M.
1317 C. 18th Street
Los Angeles, CA

Fano, R. M.
R. L. E., MIT

で行うことができる。（中略）開いたり閉じたりする穴で実現する。1に符号するところは開き、0に符号するところは閉じたままにする。開いたゲートには小さなサイコロかビー玉が下に落ちるようにして、他はそのままにする。これ（ゲートアレー）はコラムからコラムへ、必要に応じて移動する」

11. ライプニッツは次のように書いている。「さまざまな国のコミュニケーション・ツールとなりうる新たな言語プラン、あるいは文字システムについて再考してみた。（中略）このような汎用ツールがあれば、形而上学の問題や倫理上の問題を数学や幾何学の問題と同じように議論できるのではないだろうか。それが私の狙いだ。すべての誤解は計算ミスに過ぎず（中略）、その新たな言語の文法で簡単に正すことができる。したがって、論争が行われている場合には、二人の哲学者がテーブルにつき、数学者のように計算して「確認してみましょう」ということができる。

12. "Apes to Androids: Is Man a Machine as La Mettrie Suggests?," http://www.charliemccarron.com/man_a_machine/.

13. Luigi Menabrea, *Sketch of the Analytical Engine Invented by Charles Babbage* (London: Richard and John E. Taylor, 1843).

14. Desmond MacHale, *The Life and Work of George Boole: A Prelude to the Digital* Age, New ed. (Cork University Press, 2014).

15. 論理学者マーティン・デイヴィスは『*The Universal Computer: The Road from Leibniz to Turing*（万能コンピューター――ライプニッツからチューリングへ）』で、こう説明している。「アルゴリズムは典型的には、料理本のレシピのように、ある人物が機械的なやり方で【精確／せいかく】に順を追って従うことのできる規則のリストとして指定されるのを、チューリングは知っていた。しかし、彼は規則そのものよりは、その人物に従ってゆくときに何を実行したのか、という点に考察の焦点をシフトさせた。チューリングは、順に本質的ではない細部をはぎ取ってゆくことで、そのような人物が極度に単純な基本的動作だけで、最終結果を変えることなしに計算を遂行できることを示した。（中略）こうした基本的動作に沿って計算を実行する機械として、どんな機械を用意しても、任意に与えられた結論が与えられた諸前提からフレーゲの推論規則によって導かれるか否かを決定することはできないことをチューリングは証明し、「決定問題」を解くアルゴリズムは存在し得ないと結論づけることができた。（『万能コンピューター――ライプニッツからチューリングへの道すじ』マーティン・デイヴィス著、沼田寛訳、近代科学社より）

16. Alan Turing, "Computing Machinery and Intelligence," *Mind* 59, no. 236 (1950): 433–60.

17. "A Proposal for the Dartmouth Summer Research Project on Artificial Intelligence," Stanford Computer Science Department's Formal Reasoning Group, John McCarthy's home page, links to articles of historical interest, last modified April 3, 1996, http://www-formal.stanford.edu/jmc/history/dartmouth/dartmouth.html.

18. マッカーシー、ミンスキー、ロチェスター、シャノンは、以下の人たちを人工知能の研究のためにダートマスに招待した。ここでは一九五五年当時の社名、住所入りリストを再現している（参加できなかった人も含む）。

原注

はじめに――手遅れになる前に

1. Paul Mozur, "Beijing Wants A.I. to Be Made in China by 2030," *New York Times*, July 20, 2017, https://www.nytimes.com/2017/07/20/business/china-artificial-intelligence.html.
2. Tom Simonite, "Ex-Google Executive Opens a School for AI, with China's Help," *Wired*, April 5, 2018, https://www.wired.com/story/ex-google-executive-opens-a-school-for-ai-with-chinas-help/.
3. "Xinhua Headlines: Xi outlines blueprint to develop China's strength in cyberspace," *Xinhua*, April 21, 2018. http://www.xinhuanet.com/english/2018-04/21/c_137127374_2.htm.
4. Stephanie Nebehay, "U.N. says it has credible reports that China holds million Uighurs in secret camps," *Reuters*, August 11, 2018. https://www.reuters.com/article/us-china-rights-un/u-n-says-it-has-credible-reports-that-china-holds-million-uighurs-in-secret-camps-idUSKBN1KV1SU.
5. Simina Mistreanu, "Life Inside China's Social Credit Laboratory," *Foreign Policy*, April 3, 2018. https://foreignpolicy.com/2018/04/03/life-inside-chinas-social-credit-laboratory/.
6. 同上
7. "China Shames Jaywalkers through Facial Recognition," *Phys.org*, June 20, 2017, https://phys.org/news/2017-06-china-shames-jaywalkers -facial-recognition.html.

第一章　心と機械――AIの簡単な歴史

1. "The Seikilos Epitaph: The Oldest Song in the World," *Wired*, October 29, 2009, https://www.wired.com/2009/10/the-seikilos-epitaph.
2. "Population Clock: World," Census.gov, 2018, https://www.census.gov/popclock/world.
3. Elizabeth King, "Clockwork Prayer: A Sixteenth-Century Mechanical Monk," *Blackbird* 1, no. 1 (Spring 2002), https://blackbird.vcu.edu/v1n1/nonfiction/king_e/prayer_introduction.htm.
4. Thomas Hobbes, *De Corpore Politico, or The Elements of Law Moral and Politick.*
5. René Descartes, *Meditations on First Philosophy*, Second Meditation §25, 1641, University of Connecticut, http://selfpace.uconn.edu/class/percep/DescartesMeditations.pdf.
6. René Descartes, *Treatise of Man*, trans. T. S. Hall (Cambridge, MA: Harvard University Press, 1972).
7. Gottfried Wilhelm Leibniz, *The Monadology*, trans. Robert Latta, (1898), https://www.plato-philosophy.org/wp-content/uploads/2016/07/The-Monadology-1714-by-Gottfried-Wilhelm-LEIBNIZ-1646-1716.pdf.
8. 〝コンピューター〟という言葉が最初に使われたのは、一六一三年にリチャード・ブレースウェイトによって書かれた『The Yong Mans Gleanings』という本の中だとされている。そのときには〝計算をする人〟という意味で使われていた。
9. "Blaise Pascal," *Biography.com*, https://www.biography.com/people/blaise-pascal-9434176.
10. 〝*De progressione dyadica*〟でライプニッツは次のように書いている。「この（二進法の）計算は、機械

Osnos, E. *Age of Ambition: Chasing Fortune, Truth, and Faith in the New China.* New York: Farrar, Straus, and Giroux, 2015.

Petzold, C. *The Annotated Turing: A Guided Tour Through Alan Turing's Historic Paper on Computability and the Turing Machine.* Indianapolis, IN: Wiley Publishing, 2008.

Pylyshyn, Z. W., ed. *The Robot's Dilemma: The Frame Problem in Artificial Intelligence.* Norwood, NJ: Ablex, 1987.

Riedl, M. O. "The Lovelace 2.0 Test of Artificial Creativity and Intelligence." https://arxiv.org/pdf/1410.6142.pdf.

Schneier, B. "The Internet of Things Is Wildly Insecure—and Often Unpatchable." *Wired*, January 6, 2014. https://www.wired.com/2014/01/theres-no-good-way-to-patch-the-Internet-of-things-and-thats-a-huge-problem/.

Shannon, C., and W. Weaver. *The Mathematical Theory of Communication.* Urbana: University of Illinois Press, 1963.（『通信の数学的理論』クロード・E・シャノン、ワレン ウィーバー 著、植松友彦訳、筑摩書房）

Singer, P. *Wired for War: The Robotics Revolution and Conflict in the 21st Century.* London: Penguin Press, 2009.

Stanford University. "One Hundred Year Study on Artificial Intelligence (AI100)." https://ai100.stanford.edu/.

Toffler, A. *The Futurists.* New York: Random House, 1972.

Turing, A. M. "Intelligent Machinery, a Heretical Theory." Posthumous essay in *Philosophia Mathematica* 4, no. 3 (September 1, 1996): 256–260.

Tversky, A., and D. Kahneman. "The Framing of Decisions and the Psychology of Choice." *Science* 211, no. 4481 (1981).

Vinge, V. "The Coming Technological Singularity: How to Survive in the Post-Human Era." In *Vision-21: Interdisciplinary Science and Engineering in the Era of Cyberspace*, NASA Conference Publication 10129 (1993): 11–22. http://ntrs.nasa.gov/archive/nasa/casi.ntrs.nasa.gov/19940022855_1994022855.pdf.

Wallach, W., and C. Allen. *Moral Machines: Teaching Robots Right from Wrong.* New York: Oxford University Press, 2009. doi:10.1093/acprof:oso /9780195374049.001.0001.

Weizenbaum, J. *Computer Power and Human Reason: From Judgment to Calculation.* San Francisco: W. H. Freeman, 1976.（『コンピュータ・パワー——人工知能と人間の理性』ジョセフ・ワイゼンバウム著、秋葉忠利訳、サイマル出版会）

Wiener, N. *The Human Use of Human Beings: Cybernetics and Society.* New York: Da Capo Press, 1950.

Yiwu, L. *The Corpse Walker: Real Life Stories, China from the Bottom Up.* Translated by W. Huang. New York: Anchor Books, 2009.

Yudkowsky, E. "AI as a Precise Art." Paper presented at the AGI Workshop 2006, Bethesda, MD, May 20, 2006.

エッシャー、バッハ――あるいは不思議の環』ダグラス・R・ホフスタッター著、野崎昭弘、柳瀬尚紀、はやしはじめ訳、白揚社）

Howard, P. K. *The Death of Common Sense: How Law Is Suffocating America.* New York: Random House, 1994.

Hua, Y. *China in Ten Words.* Translated by A. H. Barr. New York: Pantheon Books, 2011.

Huang, W. *The Little Red Guard: A Family Memoir.* New York: Riverhead Books, 2012.

IEEE Spectrum. "Tech Luminaries Address Singularity." http://spectrum.ieee.org/computing/hardware/tech-luminaries-address-singularity.

IEEE Standards Association. "The IEEE Global Initiative on Ethics of Autonomous and Intelligent Systems." https://standards.ieee.org/develop/indconn/ec/autonomous_systems.html.

Jo, YoungJu, et al. "Quantitative Phase Imaging and Artificial Intelligence: A Review." *Computing Research Repository* (2018). doi:abs/1806.03982.

Joy, B. "Why the Future Doesn't Need Us." Wired, April 1, 2000. http://www.wired.com/wired/archive/8.04/joy.html.

Kelly, K. *The Inevitable: Understanding the 12 Technological Forces That Will Shape Our Future.* New York: Viking, 2016.

Kirkpatrick, K. "Battling Algorithmic Bias." *Communications of the ACM* 59, no. 10 (2016): 16–17. https://cacm.acm.org/magazines/2016/10 /207759 -battling -algorithmic-bias/abstract.

Knight, W. "AI Fight Club Could Help Save Us from a Future of Super-Smart Cyberattacks." *MIT Technology Review*, July 20, 2017. https://www.technologyreview.com/s/608288/ai-fight-club-could-help-save-us-from-afuture-of-supersmart-cyberattacks/.

———. "Response to Stephen Hawking." *Kurzweil Network*, September 5, 2001. http://www.kurzweilai.net/response-to-stephen-hawking.

———. *The Singularity Is Near.* New York: Viking, 2005.

Libicki, R. *Cyberspace in Peace and War.* Annapolis: Naval Institute Press, 2016.

Lin, J. Y. *Demystifying the Chinese Economy.* Cambridge, UK: Cambridge University Press, 2011.

Marcus, M. P., et al. "Building a Large Annotated Corpus of English: The Penn Treebank." *Computational Linguistics* 19, no. 2 (1993): 313–330.

Massaro, T. M., and H. Norton. "Siri-ously? Free Speech Rights and Artificial Intelligence." *Northwestern University Law Review* 110, no. 5 (2016): 1169–1194, Arizona Legal Studies Discussion Paper No. 15–29.

Minsky, M., P. Singh, and A. Sloman. "The St. Thomas Common Sense Symposium: Designing Architectures for Human-Level Intelligence." *AI Magazine* 25, no. 2 (2004).

Minsky, M. *The Emotion Machine: Commonsense Thinking, Artificial Intelligence, and the Future of the Human Mind.* New York: Simon & Schuster, 2007.

———. *The Society of Mind.* New York: Simon & Schuster, 1985.

Neema, S. "Assured Autonomy." Defense Advanced Research Projects Agency. https://www.darpa.mil/program/assured-autonomy.

Evans, R., and J. Gao. "DeepMind AI Reduces Google Data Centre Cooling Bill by 40%." DeepMind (blog), July 20, 2016. https://deepmind.com/blog/deepmind-ai-reducesgoogle-data-centre-cooling-bill-40/.

Fallows, J. *China Airborne*. New York: Pantheon, 2012.

Felten, E., and T. Lyons. "The Administration's Report on the Future of Artificial Intelligence." Blog. October 12, 2016. https://obamawhitehouse.archives.gov/blog/2016/10/12/administrations-report-future-artificial-intelligence.

Floyd D. Spence National Defense Authorization Act for Fiscal Year 2001, Pub. L. No. 106–398, 114 Stat. 1654 (2001). http://www.gpo.gov/fdsys/pkg/PLAW-106publ398/html/PLAW-106publ398.htm.

French, P. *Midnight in Peking: How the Murder of a Young Englishwoman Haunted the Last Days of Old China*. Rev. ed. New York: Penguin Books, 2012. (『真夜中の北京』ポール・フレンチ著、笹山裕子訳、エンジンルーム／河出書房新社)

Future of Life Institute. "Asilomar AI Principles." Text and signatories available online. https://futureoflife.org/ai-principles/.

Gaddis, J. L. *The Cold War: A New History*. New York: Penguin Press, 2006.

———. On Grand Strategy. New York: Penguin Press, 2018.

Gilder, G. F., and Ray Kurzweil. *Are We Spiritual Machines? Ray Kurzweil vs. the Critics of Strong AI.* edited by Jay Wesley Richards. Seattle: Discovery Institute Press, 2001.

Goertzel, B., and C. Pennachin, eds. *Artificial General Intelligence*. Cognitive Technologies Series. Berlin: Springer, 2007. doi:10.1007/978-3-540-68677-4.

Gold, E. M. "Language Identification in the Limit." Information and Control 10, no. 5 (1967): 447–474.

Good, I. J. "Ethical Machines." *Intelligent Systems*. In vol. 10 of Machine Intelligence, edited by J. E. Hayes, D. Michie, and Y-H. Pao. Chichester, UK: Ellis Horwood, 1982.

———. "Speculations Concerning the First Ultraintelligent Machine." In vol. 6 of *Advances in Computers*, edited by F. L. Alt and M. Rubinoff. New York: Academic Press, 1965.

———. "Some Future Social Repercussions of Computers." *International Journal of Environmental Studies* 1, no. 1 (1970).

Greenberg, A. "The Jeep Hackers Are Back to Prove Car Hacking Can Get Much Worse." *Wired*, August 1, 2016. https://www.wired.com/2016/08/jeep-hackers-return-high-speed-steering-acceleration-hacks/.

Harari, Y. N. *Homo Deus: A Brief History of Tomorrow*. New York: Harper, 2017. (『ホモ・デウス――テクノロジーとサピエンスの未来』ユヴァル・ノア・ハラリ著、柴田裕之訳、河出書房新社)

Hilary, G. "The Professionalisation of Cyber Criminals." *INSEAD* Knowledge (blog), April 11, 2016. https://knowledge.insead.edu/blog/insead-blog/the-professionalisation-of-cyber-criminals-4626.

Hastie, T., R. Tibshirani, and J. Friedman. *The Elements of Statistical Learning: Data Mining, Inference, and Prediction*. Springer Series in Statistics. New York: Springer, 2001. (『統計的学習の基礎――データマイニング・推論・予測』Hastie ほか著、杉山将他訳、共立出版)

Hofstadter, D. R. *Gödel, Escher, Bach: An Eternal Golden Braid*. New York: Basic Books, 1999. (『ゲーデル、

aimagazine/article/view/1876/1774.

Chalmers, D. J. *The Conscious Mind: In Search of a Fundamental Theory*. Philosophy of Mind Series. New York: Oxford University Press, 1996.

Chessen, M. *The MADCOM Future*. Washington, DC: Atlantic Council, 2017. http://www.atlanticcouncil.org/publications/reports/the-madcom-future.

China's State Council reports, which are available on the State Council of the People's Republic of China website, located at www.gov.cn:

- Made in China 2025 (July 2015)
- State Council of a Next Generation Artificial Intelligence Development Plan (July 2017)
- Trial Working Rules on External Transfers of Intellectual Property Rights (March 2018)
- Three-Year Action Plan on Blue Sky Days (June 2018)
- Three-Year Action Plan on Transportation Improvement (June 2018)
- State Council Approves Rongchang as National High-Tech Development Zone (March 2018)
- State Council Approves Huainan as National High-Tech Development Zone (March 2018)
- State Council Approves Maoming as National High-Tech Development Zone (March 2018)
- State Council Approves Zhanjiang as National High-Tech Development Zone (March 2018)
- State Council Approves Chuxiong as National High-Tech Development Zone (March 2018)
- Three-Year Action Plan for Promoting Development of a New Generation Artificial Intelligence Industry 2018–2020 (December 2017)
- Action Plan on the Belt Road Initiative (March 2015)

Centre for New American Security. "Artificial Intelligence and Global Security Summit." https://www.cnas.org/events/artificial-intelligence-and-global-security-summit.

Core, M. G., et al. "Building Explainable Artificial Intelligence Systems." *AAAI* (2006): 1766–1773.

Crawford, K., and R. Calo. "There Is a Blind Spot in AI Research." *Nature*, October 13, 2016. https://www.nature.com/news/there-is-a-blind-spot-in-ai -research-1.20805.

Dai, P., et al. "Artificial Intelligence for Artificial Artificial Intelligence." *AAAI Conference on Artificial Intelligence 2011*.

Dennett, D. C. "Cognitive Wheels." In The Robot's Dilemma, edited by Z. W. Pylyshyn. Norwood, NJ: Ablex, 1987.

Domingos, P. *The Master Algorithm: How the Quest for the Ultimate Learning Machine Will Remake Our World*. New York: Basic Books, 2015.

Dvorsky, G. "Hackers Have Already Started to Weaponize Artificial Intelligence." *Gizmodo*, 2017. https://www.gizmodo.com.au/2017/09/hackers-have -already-started-toweaponize-artificial-intelligence/.

Dyson, G. *Darwin Among the Machines: The Evolution of Global Intelligence*. New York: Basic Books, 1997.

Eden, A., J. Søraker, J. H. Moor, and E. Steinhart, eds. *Singularity Hypotheses: A Scientific and Philosophical Assessment*. The Frontiers Collection. Berlin: Springer, 2012.

Baars, B. J. "The Conscious Access Hypothesis." *Trends in Cognitive Sciences* 6, no. 1 (2002).

Babcock, J., et al. "Guidelines for Artificial Intelligence Containment." https://arxiv.org/pdf/1707.08476.pdf.

Baier, C., and J. Katoen. *Principles of Model Checking.* Cambridge: MIT Press, 2008.

Bass, D. "AI Scientists Gather to Plot Doomsday Scenarios (and Solutions)." Bloomberg, March 2, 2017. https://www.bloomberg.com/news/articles /2017-03-02/aiscientists-gather-to -plot-doomsday -scenarios -and -solutions.

Baum, S. D., B. Goertzel, and T. G. Goertzel. "How Long Until Human-Level AI? Results from an Expert Assessment." *Technological Forecasting and Social Change* 78 (2011).

Berg, P., D. Baltimore, H. W. Boyer, S. N. Cohen, R. W. Davis, D. S. Hogness, D. Nathans, R. Roblin, J. D. Watson, S. Weissman, and N. D. Zinder.

"Potential Biohazards of Recombinant DNA Molecules." *Science* 185, no. 4148 (1974): 303.

Bostrom, N. "Ethical Issues in Advanced Artificial Intelligence." In *Cognitive, Emotive and Ethical Aspects of Decision Making in Humans and in Artificial Intelligence*, Vol. 2, edited by I. Smit and G. E. Lasker. Windsor, ON: International Institute for Advanced Studies in Systems Research and Cybernetics, 2003.

———. "Existential Risks: Analyzing Human Extinction Scenarios and Related Hazards." *Journal of Evolution and Technology* 9 (2002). http://www.jetpress.org/volume9/risks.html.

———. "The Future of Human Evolution." In *Two Hundred Years After Kant, Fifty Years After Turing*, edited by C. Tandy, 339–371. Vol. 2 of Death and Anti-Death. Palo Alto, CA: Ria University Press, 2004.

———. "How Long Before Superintelligence?" *International Journal of Futures Studies*, Issue 2 (1998).

———. *Superintelligence: Paths, Dangers, Strategies.* Oxford University Press, 2014.

———. "The Superintelligent Will." *Minds and Machines* 22, no. 2 (2012).

———. "Technological Revolutions." In *Nanoscale*, edited by N. Cameron and M. E. Mitchell. Hoboken, NJ: Wiley, 2007.

Bostrom, N., and M. M. Ćirković, eds. *Global Catastrophic Risks.* New York: Oxford University Press, 2008.

Bostrom, N., and E. Yudkowsky. "The Ethics of Artificial Intelligence." In *Cambridge Handbook of Artificial Intelligence*, edited by K. Frankish and W. Ramsey. New York: Cambridge University Press, 2014.

Brooks, R. A. "I, Rodney Brooks, Am a Robot." *IEEE Spectrum* 45, no. 6 (2008).

Brundage, M., et al., "The Malicious Use of Artificial Intelligence: Forecasting, Prevention, and Mitigation." https://arxiv.org/abs/1802.07228.

Brynjolfsson, E., and A. McAfee. *The Second Machine Age.* New York: Norton, 2014.

Bryson, J., M. Diamantis, and T. Grant. "Of, For, and By the People: The Legal Lacuna of Synthetic Persons." *Artificial Intelligence and Law* 25, no. 3 (September 2017): 273–291.

Bueno de Mesquita, B., and A. Smith. *The Dictator's Handbook: Why Bad Behavior is Almost Always Good Politics.* New York: PublicAffairs, 2012.

Cassimatis N., E. T. Mueller, and P. H. Winston. "Achieving Human-Level Intelligence Through Integrated Systems and Research." *AI Magazine* 27, no. 2 (2006): 12–14. http://www.aaai.org/ojs/index.php/

参考文献

Abadi, M., A. Chu, I. Goodfellow, H. McMahan, I. Mironov, K. Talwar, and L. Zhang. "Deep Learning with Differential Privacy." In *Proceedings of the 2016 ACM SIGSAC Conference on Computer and Communications Security (CCS 2016)*, 308–318. New York: ACM Press, 2016. Abstract, last revised October 24, 2016. https://arxiv.org/abs/1607.00133.

Ablon, L., and A. Bogart. *Zero Days, Thousands of Nights: The Life and Times of Zero-Day Vulnerabilities and Their Exploits*. Santa Monica, CA: RAND Corporation, 2017. https://www.rand.org/pubs/research_reports/RR1751.html.

Adams, S. S., et al. "Mapping the Landscape of Human-Level Artificial GeneralIntelligence." *AI Magazine* 33, no. 1 (2012).

Agar, N. "Ray Kurzweil and Uploading: Just Say No!" *Journal of Evolution and Technology* 22 no. 1 (November 2011): 23–26. https://jetpress.org/v22/agar.htm.

Allen, C., I. Smit, and W. Wallach. "Artificial Morality: Top-Down, Bottom-Up, and Hybrid Approaches." *Ethics and Information Technology* 7, no. 3 (2005).

Allen, C., G. Varner, and J. Zinser. "Prolegomena to Any Future Artificial Moral Agent." *Journal of Experimental and Theoretical Artificial Intelligence* 12, no. 3 (2000).

Allen, C., W. Wallach, and I. Smit. "Why Machine Ethics?" *IEEE Intelligent Systems* 21, no. 4 (2006).

Amdahl, G. M. "Validity of the Single Processor Approach to Achieving Large Scale Computing Capabilities." In *Proceedings of the AFIPS Spring Joint Computer Conference*. New York: ACM Press, 1967.

Anderson, M., S. L. Anderson, and C. Armen, eds. *Machine Ethics Technical Report FS-05-06*. Menlo Park, CA: AAAI Press, 2005.

Anderson, M., S. L. Anderson, and C. Armen. "An Approach to Computing Ethics." *IEEE Intelligent Systems* 21, no. 4 (2006).

———. "MedE-thEx." In *Caring Machines Technical Report FS-05-02*, edited by T. Bickmore. Menlo Park, CA: AAAI Press, 2005.

———. "Towards Machine Ethics." In *Machine Ethics Technical Report FS-05-06*. Menlo Park, CA: AAAI Press, 2005.

Anderson, S. L. "The Unacceptability of Asimov's Three Laws of Robotics as a Basis for Machine Ethics." In *Machine Ethics*. Cambridge: Cambridge University Press, 2011.

Asimov, I. "Runaround." *Astounding Science Fiction* (March 1942): 94–103.

Armstrong, S., A. Sandberg, and N. Bostrom. "Thinking Inside the Box." *Minds and Machines* 22, no. 4 (2012).

Axelrod, R. "The Evolution of Strategies in the Iterated Prisoner's Dilemma." In *Genetic Algorithms and Simulated Annealing*, edited by L. Davis. Los Altos, CA: Morgan Kaufmann, 1987.

BIG NINE《ビッグナイン》　巨大《きょだい》ハイテク企業《きぎょう》とAI《エーアイ》が支配《しはい》する人類《じんるい》の未来《みらい》

2020年1月30日　初版1刷発行

著者 ―――― エイミー・ウェブ
訳者 ―――― 稲垣《いながき》みどり
翻訳協力 ―――― 株式会社リベル
カバーデザイン ―――― 長坂勇司（nagasaka design）
発行者 ―――― 田邉浩司
組版 ―――― 萩原印刷
印刷所 ―――― 萩原印刷
製本所 ―――― 国宝社
発行所 ―――― 株式会社光文社
〒112-8011　東京都文京区音羽1-16-6
電話 ―――― 新書編集部 03-5395-8289
書籍販売部 03-5395-8116
業務部 03-5395-8125

落丁本・乱丁本は業務部へご連絡くだされば、お取り替えいたします。

ISBN978-4-334-96237-1 Printed in Japan

■好評既刊

ジェームズ・ブラッドワース 著
濱野大道 訳

アマゾンの倉庫で絶望し、ウーバーの車で発狂した

潜入・最低賃金労働の現場

「移民政策で先を行く英国は日本の明日《みらい》だ」
横田増生氏（『ユニクロ潜入一年』）

英国で最底賃金とされるアマゾンの倉庫、訪問介護、コールセンター、ウーバーのタクシーで著者が自ら働き、体験を報告。私たちのワンクリックに翻弄される無力な労働者たちの姿から見えてきたのは、資本主義、管理社会の極地だ。グローバル企業による搾取、移民労働者への不満、一層の格差拡大は、〝異国の話〟ではない。

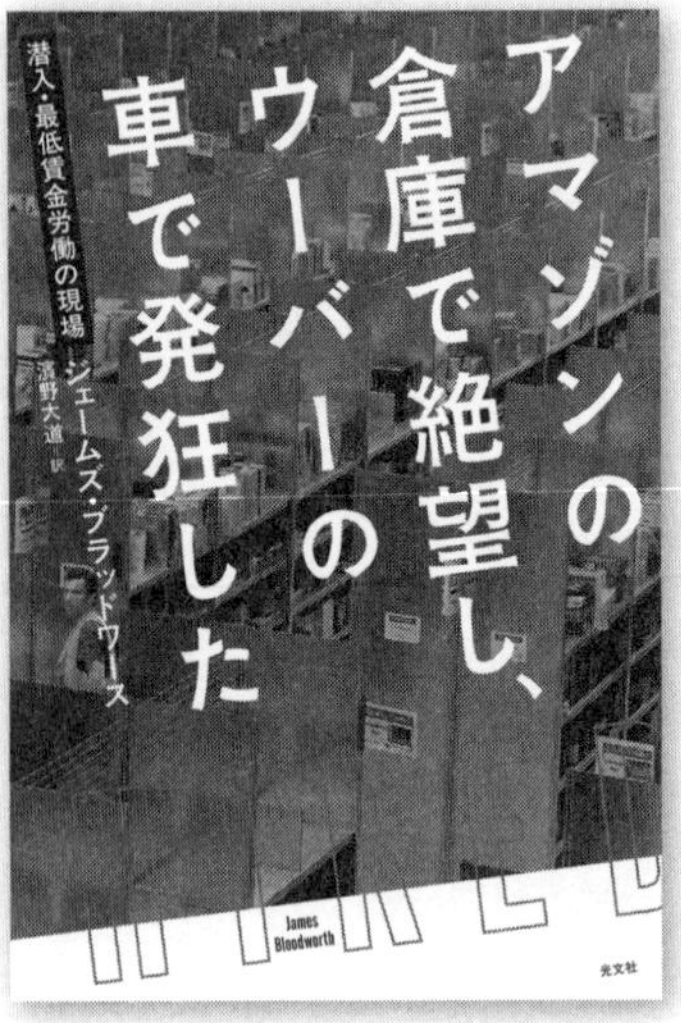

四六判・ソフトカバー